Conchita

Journal spirituel d'une mère de famille

publié par

M. M. Philipon O.P.

5e édition

Desclée De Brouwer

Nihil obstat

Romae, 10 julii 1974
Amatus Petrus Frutaz
Subsecr. S.C. pro Causis SS.

Nihil obstat

fr. Vincentius de Couesnongle, o.p.
fr. Hyacinthus Bosco, o.p.

Imprimi potest

Rome, 1er décembre 1973
fr. Anicetus Fernandez, o.p.
Mag. Gen.

ISBN : 2-220-02326-5

Lettre de son Eminence le Cardinal Miranda Archevêque Primat du Mexique

Nous avons connu la Servante de Dieu Concepión Cabrera de Armida. Nous l'avons vue à Rome et à Coyoacân. Nous avons lu ses œuvres. Nous avons beaucoup entendu parler de ses vertus. C'était une très belle âme, très simple, charmante aux yeux de Dieu et des hommes.

C'est dans ce pays qu'a vécu la Servante de Dieu. Ici, elle a prié, aimé, souffert et de plus, par la force de son union avec le Christ, elle a fondé au Mexique des œuvres qui se développent avec une admirable fécondité.

Par nos mains est passé l'ensemble des documents qui clôt la phase du procès diocésain informatif pour la cause de béatification et de canonisation de la Servante de Dieu.

Ces documents si précieux contiennent, en plus de ses admirables écrits, les témoignages des nombreuses personnes qui ont vécu dans son intimité et qui ont connu sa vie exemplaire, vie sanctifiée par les vertus propres de son état, ainsi que la docilité aux appels de l'Esprit-Saint, d'une âme pure et généreuse.

Ces documents de si grande valeur sont déjà entre les mains du Saint-Siège. Au jugement du Vicaire du Christ correspondra la décision suprême sur l'héroïcité de ses vertus qui conduira à son heureux achèvement — si c'est pour la gloire de Dieu — le procès de béatification et de canonisation.

A nous il revient maintenant de prier pour que, si Dieu le veut, nous puissions la voir un jour, sur les autels, intercéder pour nous.

Celui qui contemple, la nuit, le ciel étoilé, se réjouit de voir apparaître à l'horizon, l'un après l'autre, les astres les plus lointains. Notre devoir pastoral nous pousse à inviter nos très chers diocé-

sains à fixer leurs regards sur l'horizon et à contempler un astre nouveau qui commence à se lever et dont l'orbite a été tracée providentiellement par Celui qui a orné notre ciel de tant et de si précieuses étoiles. Cet astre nouveau est la Servante de Dieu qui commence à briller dans notre ciel avec les charmes merveilleux et surnaturels de la grâce. Suivons-la attentivement dans son ascension et regardons-la avec des yeux bien ouverts pour que nos âmes soient inondées par la lumière de ses exemples : elle est appelée à éclairer les sentiers de la vie chrétienne.

Il est bon de considérer spécialement la vie de cette âme privilégiée sous l'angle de la famille où, avec admiration, nous l'avons vue, dans son foyer, avec simplicité et fidélité, se sanctifier dans l'accomplissement de sa mission d'épouse et de mère. En la suivant pas à pas dans sa vie familiale, nous bénissons la Providence qui a réservé à notre temps et spécialement à notre patrie, d'éclairer les intelligences pour découvrir les trésors incomparables de sagesse, de force d'âme et d'amour que contient la vie chrétienne familiale.

En projetant l'exemple de sa vie sur notre pays, c'est une joie et une consolation de penser au bien immense qu'elle produira dans toutes les familles du Mexique.

Prions tous pour que Dieu glorifie sa Servante.

Miguel Dario Cardinal Miranda
Archevêque-Primat du Mexique

A la Mère du Verbe incarné
dont la vie fut la plus simple,
et la plus divine

Avant - propos

Nous présentons l'œuvre posthume du grand théologien spirituel Marie-Michel Philipon, O.P. : c'est un regard de théologien sur l'âme et sur la doctrine de la Servante de Dieu, María Concepción Cabrera de Armida, qu'il intitula simplement : « CONCHITA », *Journal spirituel d'une mère de famille.* Cette étude occupa la plupart de son temps pendant les dernières années de sa vie, parce qu'il comprit qu'elle venait nous apporter un message spirituel d'une importance capitale, don de la Providence pour *l'Eglise d'aujourd'hui.*

Le premier contact du Père Philipon avec la vie et la doctrine de Conchita eut lieu au cours d'un voyage, à notre Scolasticat de Mexico, en 1954, pour une série de conférences de spiritualité.

Son génie intuitif découvrit — comme il disait lui-même — ce grand trésor pour l'Eglise, ce qui fit surgir en lui le désir de le faire connaître, spécialement à ses lecteurs européens.

Bien des raisons ont retardé non seulement la parution de ce livre, mais aussi son élaboration. Et cela n'a pas été la moindre que la maîtrise d'une langue étrangère, compte tenu du style si caractéristique et si personnel de Conchita, ainsi d'ailleurs que la tâche écrasante de rassembler une documentation particulièrement abondante.

Mais Dieu, dans sa Providence, ouvrit les chemins et l'esprit d'obéissance du Père fut décisif dans l'affaire. De hautes personnalités ecclésiastiques et ses supérieurs de l'Ordre des Prêcheurs lui manifestèrent qu'il rendrait un service à l'Eglise en faisant connaître la doctrine spirituelle de Conchita, spécialement aujourd'hui où se fait jour un certain oubli ou perte du sens de valeurs chrétiennes essentielles.

Le P. Philipon est retourné plusieurs fois au Mexique pour connaître à fond l'ambiance et recueillir, selon sa méthode, des témoignages vivants et authentiques, et, une fois qu'il eut une vision d'ensemble, il s'appliqua à la rédaction de l'œuvre ; au moment où il allait l'achever, le Seigneur a voulu le rappeler à Lui. Mais l'œuvre était presque finie.

La première partie, qu'il intitula « Le Film de sa vie » fut complètement rédigée par lui. Les deux premiers chapitres de la seconde partie, « Les grands thèmes spirituels », c'est-à-dire : « L'écrivain mystique » — qu'il aurait bien voulu développer davantage, mais que nous présentons en respectant intégralement le texte —, et « La Doctrine de la Croix », qu'il appelait le chapitre central, sont entièrement de sa plume. Il lui manqua seulement de signaler quelques perspectives sur les trois derniers thèmes : « La Vierge de la Croix, « Le mystère de l'Eglise » et « Les abîmes de la Trinité ». Quand il était en train d'écrire sur Marie, Dieu l'appela à Lui, mais il laissait des notes, des schémas et un choix de textes ; j'ai seulement pris en charge la responsabilité de leur donner une forme, de les rendre accessibles, à cause de la richesse spirituelle qu'ils renferment, et je le dis publiquement par un souci élémentaire d'honnêteté littéraire.

En toute simplicité, j'avoue la raison qui m'a poussé à agir et à prendre cette résolution.

J'ai connu le Père Philipon en 1954, lorsque j'étais Régent d'études à notre Scolasticat ; une profonde affinité de pensée a surgi entre nous deux, et dès ce moment il me choisit comme son principal assistant et conseiller, à cause de ma connaissance des écrits de Conchita.

Après des conversations prolongées il me répétait fréquemment avec humour et sincérité : « Je garde ma complète liberté et ma façon de penser ». Et dans ses notes il écrivit : « J'ai causé avec le Père de la Rosa des centaines de fois ». C'est pour cela que je crois connaître sa pensée intime en toute objectivité et que j'ai pris en charge la responsabilité de finir ce livre, suivant, avec le maximum de fidélité, sa pensée que j'ai parfaitement connue.

Le Père Philipon avait l'intention d'écrire un avant-propos pour expliquer quelques principes de méthode afin d'éclaircir le sens, l'intention et les limites de son œuvre.

Tout le monde sait que celui-ci est généralement la dernière page qu'un écrivain rédige quand il juge lui-même l'ensemble de son œuvre. Heureusement il en écrivit les idées principales, idées qui ensuite auraient été rédigées avec plus de soin et élaborées selon son style littéraire si personnel.

Je présente ci-dessous ses notes, que je crois essentielles pour la compréhension de son œuvre posthume :

« Je ne voulais pas écrire sur Conchita.

J'y ai été poussé malgré moi par les événements, c'est-à-dire par la Providence.

De grandes personnalités ecclésiastiques qui ont connu Conchita ou qui connaissent sa doctrine m'ont convaincu d'écrire.

Sans la moindre prétention de vouloir tout dire, mais au contraire en pleine conscience du caractère partiel et imparfait de ce livre, j'ai simplement voulu répondre à l'appel manifeste de Dieu et être la plume qui tente de présenter le message spirituel d'une admirable fille de l'Eglise de Dieu.

Le document fondamental : « La cuenta de conciencia » n'est pas une biographie mais un *Journal,* et non pas un journal complet qui note au jour le jour tous les événements d'une existence humaine, mais un *Journal spirituel* qui ne relate principalement que les relations intimes d'une âme avec Dieu, consignées fidèlement pendant plus de quarante ans pour obéir à l'ordre formel de ses directeurs spirituels.

Fait unique, providentiel, qui nous permet de suivre pas à pas de l'âge de trente-deux ans à soixante-quinze, la montée progressive vers Dieu d'une âme privilégiée, d'un héroïsme exceptionnel, dotée d'un message spirituel pour l'Eglise entière et pour tous les hommes d'aujourd'hui, ayant reçu de Dieu la mission de rappeler au monde qu'il n'y a de salut que dans la Croix.

Aucun souci de littérature dans ce récit véridique où l'on retrouve pêle-mêle, au hasard des circonstances de sa vie, les plus sublimes élévations mystiques voisinant avec les soucis quotidiens d'une maman et les recettes de cuisine d'une parfaite maîtresse de maison. Tandis qu'elle écrit sur la Génération du Verbe et sur l'éternité de Dieu voici qu'on l'appelle pour déjeuner. Elle y court pour participer joyeuse à la table de ses enfants, puis, la collation achevée, elle retourne à sa plume et poursuit la description que lui dicte le Seigneur sur les abîmes de la Trinité et les autres mystères de Dieu.

Son Journal ne dit pas tout, mais explique tout. Il fallait commencer par les données psychologiques et concrètes d'où ont jailli les intuitions mystiques et la doctrine spirituelle. Les deux restent inséparables. D'où nos deux parties complémentaires.

— Le Film de sa vie, puis

— La Doctrine, les grands thèmes spirituels.

Il était impossible de tout dire et de faire entrer dans un seul volume les milliers et milliers de pages de cet écrivain mystique, vraisemblablement le plus fécond de la littérature contemporaine.

Avons-nous réussi à exprimer l'essentiel d'un Journal Spirituel qui ne compte pas moins de soixante-six gros cahiers manuscrits ? Nous n'avons pas eu d'autre ambition ou mieux d'autre désir que de révéler au monde les inépuisables richesses de la Croix et des mystères de Dieu contenus dans ces écrits constituant, nous semble-t-il, l'un des trésors actuels de l'Eglise du Christ.

Cette Eglise seule en jugera, puisque le Seigneur l'a chargée de conduire les hommes vers Dieu et qu'Il a accordé avec l'assistance de son Esprit, le don d'un infaillible discernement des esprits.

Nous lui soumettons sans réserve cet effort de rappel au monde du mystère de la Croix, qui se situe au centre le plus intime de l'Evangile et au cœur du mystère chrétien.

Certes, sur certains points, devant cette existence et cette doctrine d'une mexicaine ayant passé son existence loin de l'Europe, on éprouve un sentiment de surprise et d'inadaptation à notre mentalité moderne.

Le danger eut été de la transposer selon nos catégories contemporaines qui seront d'ailleurs rapidement dépassées. On est toujours gêné et méfiant à la lecture par un occidental de la pensée chinoise ou de la mystique hindoue. Il y a toujours un danger d'européisation et par suite, de transformation. On n'européise pas une pensée chinoise sans la déformer.

Il nous a paru préférable et plus vrai de conduire le lecteur à un contact personnel avec l'original à travers une traduction aussi fidèle que possible, exprimant les réactions psychologiques et la mentalité si caractéristique de Conchita, dont le texte espagnol est rempli de mexicanismes.

Le folklore mexicain est à la mode du tourisme d'aujourd'hui. La radio, la télé, de magnifiques magazines, des collections d'art évoquent les civilisations aztèque et maya ou le Mexique moderne. Ils ont rendu ce pays très proche de nous.

La culture moderne revêt de plus en plus un sens planétaire qui nous fait mieux comprendre et sentir les ressemblances et les différences qui rapprochent ou séparent les hommes, leurs civilisations et leurs cultures, les expressions variées de leurs sentiments religieux.

Vatican II nous a fait expérimenter que la catholicité de l'Eglise n'est pas uniformité mais unité dans la diversité. Jamais les hommes n'ont mesuré, avec autant de compréhension et d'objectivité, à la fois leur unité foncière et leurs légitimes variétés. Le Christ était un oriental : et pourtant tous les hommes se reconnaissent dans cet homme.

Il en est de même pour tous les saints de la catholicité. Quelle que soit leur origine, leur race et la couleur de leur peau, quelle que soit leur classe sociale et la forme de leur culture ou même leur analphabétisme, nous nous sentons « un » avec eux dans le Christ.

Conchita, mexicaine, est une sainte de chez nous. C'est notre sœur dans le Christ. Elle est devenue par son ardeur apostolique et son immolation héroïque la mère spirituelle d'une multitude d'âmes qui, à sa suite, veulent marcher sur les traces du Christ pour être crucifiées avec Lui et sauver les hommes avec Lui.

Conchita est proche de nous. Cette fille du Mexique est reliée par la communion des saints à tous ses frères et sœurs dans le Christ. Elle est un modèle pour tous, non pas dans ses charismes personnels et inimitables, mais dans son amour pour le Christ, dans sa vie offerte pour son Eglise.

C'est dans cet esprit de catholicité qu'il faut aborder son exemple et ses écrits. Alors on est émerveillé des richesses multiformes de la grâce capitale du Christ.

Défions-nous de nos mentalités cartésiennes, hégéliennes, existentialistes et occidentales. Le centre de l'Eglise demeure à Rome mais son rayonnement s'étend non plus seulement à l'Europe mais à tous les pays de l'Univers.

Conchita est un témoin de cette catholicité. Son message s'adresse aux prêtres et aux âmes religieuses mais aussi au laïcat. Elle est un modèle pour tous.

Ainsi nous apparaissent les desseins de la Providence. »

Telles étaient donc les notes et remarques rassemblées par le P. Philipon.

Roberto de la Rosa
Missionnaire du Saint-Esprit.

Préface

L'Eglise est d'une étonnante richesse dans l'innombrable variété de ses apôtres, de ses docteurs, de ses maîtres spirituels, de ses types de sainteté d'hommes ou de femmes, non seulement dans le passé, mais à notre époque et dans tous les temps.

Après les apôtres et les saints de l'Orient, après un saint Augustin, une sainte Catherine de Sienne, un saint Jean de la Croix et une Thérèse d'Avila, elle nous présente un Don Bosco ou un Père de Foucauld ; et plus près de nous, à côté des figures virginales d'une Thérèse de Lisieux et d'une Marie Goretti, elle nous découvre, en ce moment, une exquise jeune fille mexicaine, au regard pur et clair, devenue mère de neuf enfants et grand-mère d'une nombreuse postérité, passant sur la terre avec simplicité, entourée de sa famille et de ses amis, mêlée à la vie quotidienne de son milieu social, *une femme comme les autres,* mais cachant dans les profondeurs de son âme, une extraordinaire flamme apostolique, une ardeur héroïque à imiter le Christ et à s'identifier au Crucifié pour sauver les hommes avec Lui ; aimant l'Eglise avec passion, s'offrant en victime pour elle, incomparable modèle de la femme au foyer et gloire du laïcat dont elle nous a rappelé la mission d'Eglise et la vocation à la plus haute sainteté ; jamais cloîtrée et cependant inspiratrice de deux congrégations religieuses : l'une de femmes : « les Contemplatives de la Croix », l'autre d'hommes : « les Missionnaires du Saint-Esprit », laissant après elle un message de rénovation du monde par la Croix.

Trop longtemps la sainteté a été considérée comme le monopole de la vie religieuse et du sacerdoce. De nombreux Pères conciliaires de Vatican II ont tenu à réagir contre cette conception exclusive. C'est toute l'Eglise, tous les membres du Corps mystique du Christ, qui doivent être des saints. Le peuple de Dieu est « une nation sainte, un peuple de prêtres et de rois » (Exode 19, 6). Le Discours sur la montagne est une charte de perfection pour tous, sans exception. L'Eglise d'aujourd'hui a besoin de saints partout, non seulement dans le cloître et au pied des autels, mais dans la famille, dans les milieux de travail, dans tous les secteurs de l'activité humaine. La sainteté est un appel de Dieu qui s'adresse à tous les hommes.

Le laïcat en particulier est appelé à donner aujourd'hui devant le monde entier le témoignage d'une éclatante sainteté. Dieu ne nous en donne-t-il pas un exemple dans cette mère de neuf enfants en marche vers les autels ?

Conchita a passé sur la terre, simple et joyeuse au milieu des siens, toute livrée à Dieu dans le secret de son âme habitée par l'Esprit-Saint, vivant dans un intense rayonnement apostolique selon les horizons de l'Eglise, *créatrice d'un nouveau type de sainteté accessible à tous.*

Ce qui frappe le plus dans Conchita : c'est sa *polyvalence.* Conchita a réalisé toutes les vocations de la femme : fiancée, mère, veuve, grand-mère, aïeule et même, par indult spécial de Pie X, sans jamais quitter son cadre familial, elle est morte canoniquement religieuse entre les bras de ses enfants.

Elle s'adresse à toutes les catégories du Peuple de Dieu : aux laïcs et aux gens mariés, aux prêtres et aux évêques, aux religieux et à toutes les vies consacrées.

Elle ne traite pas seulement des relations de l'âme avec Dieu, mais elle aborde tous les grands thèmes du christianisme : Dieu, le Christ, la Mère de Dieu, le mystère de l'Eglise, le sens éternel de toute vie humaine. Son « Journal spirituel », avec ses soixante-six volumes manuscrits, atteint l'ampleur de la Somme Théologique de St. Thomas d'Aquin, s'élevant sans effort et souvent sans transition, des plus humbles occupations de ménage jusqu'à la Génération du Verbe dans les splendeurs de la Trinité. Par la profondeur et la sublimité de ses écrits, Conchita est l'émule d'une Catherine de Sienne ou d'une Thérèse d'Avila. « *C'est de l'extraordinaire dans l'extraordinaire* », déclarait l'un des membres de la Commission chargée de l'examiner, en 1913, à Rome.

Nous présenterons la physionomie intégrale de Conchita dans un dyptique inséparable :

1. Le film de sa vie.
2. Les grands thèmes spirituels.

Mexico, le 3 mars 1972
35e anniversaire de la mort de Conchita.

PREMIERE PARTIE

Le film de sa vie

«Ma vie se déroule devant mes yeux
telle qu'un film:
les joies et les souffrances,
mon mariage et mes enfants,
et les Œuvres de la Croix.»

1

La fille du Mexique

«J'ai grandi comme l'herbe des champs.»

I. La « terre des volcans » : le milieu familial

Conchita est fille du Mexique. Il faut la voir en plein vent, dans son milieu mexicain, en cette terre de violence et d'antithèse, « la terre des volcans », « la tierra de los volcanes », mais aussi la terre de Veracruz, la « nation de la Croix » et de Notre-Dame de Guadalupe. Tout le long de son existence apparaîtra le contraste d'une vie de plus en plus divine, sous les apparences les plus ordinaires. Un mot revenait continuellement sur les lèvres de ceux qui l'avaient connue et que j'interrogeais au cours de mon premier séjour au Mexique : « sencillez ». Conchita était d'une « simplicité » évangélique.

Elle a passé son enfance et son adolescence dans les « haciendas » et les « ranchos », (grandes exploitations agricoles), courant le long des rivières dans une barque, se jetant à l'eau ou y précipitant ses compagnes et les employées de son père, riant de bon cœur, mêlée indistinctement à tous, passionnée de musique et de chant, douée d'une très belle voix. Plus tard elle composera les premiers cantiques de la Croix, et les chantera s'accompagnant elle-même au piano. Elle est jeune, elle est jolie, elle a un regard qui fascine et qui, jusque dans son extrême vieillesse, gardera une emprise extraordinaire sur tous ceux qui l'approchaient.

Elle-même nous raconte dans son Journal, en un style spontané, d'une incomparable fraîcheur, ses premières années, vécues dans son milieu familial.

« Mes parents se nommaient Octaviano de Cabrera et Clara Arias ; tous les deux étaient de San Luis Potosî. C'est là qu'ils se sont mariés et là que je suis née... Ma mère très malade ne put me nourrir. Elle eut beaucoup de peine à assurer mon allaitement... Un jour que je me trouvais mourante, le médecin ordonna de me transporter d'urgence loin de la ville, dans une grande ferme. Par compassion pour moi, l'épouse du portier s'offrit à poursuivre mon allaitement, confiant son propre fils à une autre nourrice... Cette femme me sauva la vie. Elle s'appelait Mauricia. Je l'ai beaucoup aimée et, lorsque j'ai atteint l'âge de raison, j'ai mieux compris tout ce que je lui devais. Au cours du voyage, ma mère me l'a avoué plus tard, j'allais si mal, qu'elle n'osait découvrir mon visage, me croyant à chaque instant morte entre ses bras » (Aut. I, 6-8).

« Ma ville natale fut San Luis Potosî où je suis née dans une habitation appartenant à mes parents, en face de l'église saint Jean de Dieu... J'y fus baptisée. J'ai toujours vécu dans cette maison, sauf le peu de temps où nous avons changé de résidence pendant qu'on la réparait. C'est de là que je suis partie pour me marier. Là également, pour motif de santé, est né mon fils Ignacio. Là sont morts mon père, ma sœur Carlota et mon frère Constantin » (Aut. 367).

« Mes parents furent d'excellents chrétiens. Dans les « haciendas », mon père présidait chaque jour la récitation du chapelet dans la chapelle, en présence de toute la famille, des ouvriers agricoles et des gens de la campagne. Quand par suite d'une occupation urgente, il ne le faisait pas, il voulait que je le remplace. Parfois il revenait avant la fin du chapelet et, à la sortie, il me grondait à cause de mon peu de dévotion. Il disait que mes « Pater » et mes « Ave Maria » iraient se promener avec moi en purgatoire et que personne n'en voudrait parce que trop mal récités..

« Mon père manifestait une grande charité envers les pauvres ; il ne pouvait pas découvrir un besoin sans y porter secours... Il était d'un caractère joyeux et franc. Je l'ai aidé à bien mourir. Il nous a alors donné une grande leçon d'énergie. Il prépara lui-même l'autel pour le saint Viatique ; il demanda pardon à chacun de ses enfants du mauvais exemple et du manque d'édification dont il aurait pu se rendre coupable. Il nous prit l'un après l'autre dans ses bras, y ajoutant un baiser et un conseil... Il nous recommanda dans son testament de l'enterrer sans plaque commémorative, sans pierre tombale, pas même son nom : une simple croix. On exécuta sa dernière volonté malgré notre peine à tous » (Aut. 365).

« Ma mère était une sainte. Elle resta orpheline à l'âge de deux ans. Elle a beaucoup souffert. Elle se maria à dix-sept ans. Nous étions douze enfants : huit garçons et quatre filles. J'étais le numéro sept, entre deux garçons, Juan et Primitivo, le jésuite.

« Ma mère a communiqué à mon âme l'amour de la Très Sainte Vierge et de l'eucharistie... Elle me chérissait avec prédilection et souffrit beaucoup quand je me suis mariée. Pourtant elle m'affirmait que mon mari était exceptionnel, et que tous n'étaient pas ainsi. Dans mes peines elle pleurait avec moi et se réjouissait de mes joies. Elle eut à supporter de grandes souffrances. Elle aimait passionément la pauvreté. Elle pratiquait un grand nombre de vertus cachées et son martyre demeurait ignoré de tous. Elle eut une attaque et resta douze heures sans connaissance. A force de prières, Dieu lui accorda le temps nécessaire pour se confesser. Une nouvelle attaque la conduisit à la mort. Je l'ai aidée à mourir, puis déposée dans son cercueil » (Aut. 366).

« Je n'ai fréquenté que trois écoles : tout enfant, chez les bonnes petites vieilles, appelées Santillana ; puis, plus tard, mais pour peu de temps, auprès de Madame Negrete, enfin chez les sœurs de la Charité. Quand on les a expulsées, j'étais encore très petite. J'avais huit ou neuf ans. Ma mère ne voulut pas nous envoyer ailleurs. Des maîtresses de classe vinrent donc à la maison nous instruire et nous apprendre la musique » (Aut. I, 23).

« Mon instruction est demeurée très élémentaire, non par la faute de mes parents et de mes maîtres mais à cause de ma sottise, de ma paresse et aussi de tant de déplacements et de voyages à l'époque de mes études. Je me suis adonnée surtout à la musique parce que le piano et le chant m'enthousiasmaient. J'ai perdu ainsi bien des heures de ma vie. Que Dieu me le pardonne !

« Pour ce qui concerne la marche de la maison, ma mère nous a tout appris : depuis le lavage du parquet jusqu'à la broderie. A douze ans j'étais déjà chargée des dépenses de la maison. Dans les « haciendas », il fallait traire les vaches, pétrir le pain, faire la cuisine. Jamais ma mère ne nous laissait dans l'oisiveté, veillant sur ce point d'une manière toute spéciale. Tout y passait : raccommodage, couture de tous genres, hors-d'œuvres, douceurs et pâtisserie. En plus ma mère veillait à nous maintenir dans une profonde humilité et à ne pas nous laisser emporter par la vanité. Quant à l'éducation et à tout ce qui s'y rattache, on ne saurait dire combien notre pauvre maman a travaillé sur ce point. Avec quelle vigueur elle nous a enseigné à faire le contraire de notre volonté. Bien des dimanches, à titre de promenade, elle nous amenait à l'hôpital voir des morts et des blessés. Dès mon plus jeune âge, dès qu'il y avait quelqu'un de gravement malade dans la famille, il fallait le veiller et se mettre à son service dans la mesure du possible. C'est ainsi qu'elle me fit assister à la mort d'hommes, de femmes et d'enfants, de riches et de pauvres... m'apprenant à ne pas en avoir peur, mais à les aider de mes prières, à les habiller, à les arranger.

« Ni mon père ni ma mère n'aimaient les minauderies. A l'âge de six ans on me monta sur un cheval, seule. Le cheval prit peur, il se cabra et je tombai. Aussitôt, sans tenir compte de mes larmes, mon père me fit boire un verre d'eau et, de nouveau, à cheval ! De la sorte j'ai cessé d'avoir peur des chevaux, poussant la vanité jusqu'à monter les plus fougueux, ceux que les autres ne pouvaient dompter. J'ai toujours eu la passion des chevaux. Combien de fois, ici, à Mexico, quand mon mari m'amenait en promenade, l'unique chose qui retenait mon attention : c'était les chevaux. Les gens me paraissaient tous pareils » (Aut. 15-16).

II. Les premiers attraits de mon ame

« Grâce à Dieu, le Seigneur a déposé en moi de bonnes dispositions, mais je suis coupable de n'avoir pas su les faire fructifier comme j'aurais dû. Dès ma plus tendre enfance, j'ai senti dans mon âme une grande inclination vers l'oraison, la pénitence et surtout vers la pureté (Aut. 1, 10). La pénitence fit toujours mon bonheur, autant que je puis remonter dans mes souvenirs. Quand j'apprenais à lire, je m'enfermais dans la bibliothèque de la maison. Je ne puisais que dans l' « Année chrétienne » et encore, dans cette série de volumes, les endroits où l'on rapportait les pénitences des saints.

Je m'y délectais et les heures s'envolaient tandis que je passais mon temps à découvrir leurs mortifications, les enviant et cherchant à les imiter » (Aut. I, 12).

« Combien de fois aussi, au cours de longues randonnées à travers la campagne avec mon père et ma sœur Clara, je passais des heures à cheval, réfléchissant comment je pourrais vivre dans une grotte, au milieu de ces montagnes, très loin de tout regard humain, faisant pénitence, me livrant à l'oraison, sans témoin, à mon gré. Cette pensée m'enthousiasmait et je la caressais avec toute l'ardeur de mon âme. Parfois le long des chemins — car nous vivions souvent dans les « haciendas » de ma mère — je m'en allais, méditant très lentement parole par parole des prières au Saint-Sacrement ou à la très Sainte Vierge, que j'apprenais de mémoire. Mon cœur d'enfant trouvait d'ineffables délices en toutes ces choses. Jusqu'à mon mariage, je m'imaginais que tout le monde faisait ainsi pénitence et oraison, tout en le dissimulant aux autres. Ce fut pour moi une terrible déception quand je sus qu'il n'en était pas ainsi, mais qu'au contraire beaucoup de gens abhorraient la mortification. Mon Dieu ! pourquoi en est-il ainsi ? » (Aut. 17-18).

« Je me suis confessée pour la première fois vers l'âge de sept ou huit ans. On m'avait conseillé de dire quelques gros péchés. Ce que j'ai fait, évidemment sans les avoir commis, je le comprends maintenant. Le Père se pencha pour me voir. Même debout, j'arrivais à peine à la grille du confessional. Il me gronda très fort et m'infligea comme pénitence la récitation de quatre chapelets. C'était beaucoup pour une petite fille » (Aut. 24-26).

« J'ai fait ma première communion en la fête de l'Immaculée, le jour de mes dix ans, le 8 décembre 1872. A cause de ma tiédeur et de mon étourderie, je ne me souviens de rien de spécial si ce n'est d'une immense joie intérieure et de mon bonheur de porter un vêtement blanc. Depuis ce jour mon amour pour l'eucharistie est allé sans cesse grandissant et, à partir de cette époque, j'ai beaucoup aimé fréquenter les sacrements. Vers les quinze ou seize ans, on me laissa communier quatre ou cinq fois par semaine et, bientôt après, tous les jours. J'étais heureuse, si heureuse quand je pouvais communier ! C'était un besoin absolu de ma vie. Combien de fois, au retour des bals et des théâtres, je suis allée communier le lendemain, sans me sentir coupable. La nuit je pensais à l'eucharistie, puis à mon fiancé. Combien de fois, dans mes communions, et au cours de mes visites au Saint-Sacrement, j'ai dit à mon Jésus : « Seigneur, moi, je me sens impuissante à t'aimer, je veux donc me marier. Donne-moi beaucoup d'enfants afin qu'ils t'aiment mieux que moi ». Cela ne me paraissait pas déplacé mais au contraire une prière légitime pour calmer ma soif de l'aimer, de l'aimer toujours davantage et de le voir encore mieux aimé par des êtres procédant de mon être avec mon sang et ma vie » (Aut. I, 27-29).

III. Elégante amazone

« J'ai grandi si rapidement, ma croissance fut si soudaine que je suis tombée malade. Les médecins m'ont prescrit alors une méthode de soins durant mon séjour en ville, et on avait inclu dans le traitement, des promenades à cheval. On m'apporta de l' « hacienda » tout le harnachement nécessaire et je sortais tous les matins avec l'un de mes frères. Je vivais tellement retirée à San Luis, ville de faible population, que là même où j'avais passé la plus grande partie de mon existence, on ne me connaissait pas et l'on disait que j'étais la femme du frère qui m'accompagnait dans mes promenades. J'avais treize ans et c'est à peine si je connaissais quelques jeunes gens. Le premier jour où l'on m'appela « Señorita », « Mademoiselle », j'ai changé plusieurs fois de couleur et je me suis mise à pleurer... Je me sentais heureuse d'être encore une enfant et j'avais horreur de paraître une jeune fille. A la maison je portais une robe courte, en ville, une longue. Le jeune gouverneur de l'Etat se joignait à nous dans nos randonnées. Il trouvait grand plaisir à parler avec moi et il me faisait la cour. Moi, je lui racontais des histoires, je ne savais pas quoi lui dire. Que j'étais naïve !

« A cette époque et tandis que je me promenais à cheval, me connut, comme il me l'a dit lui-même, celui qui fut plus tard mon mari » (Aut. I, 67-69).

IV. Fiancée a treize ans

« Je n'aimais pas les bals, mais dès que l'on portait une robe longue il fallait y participer : c'était la coutume. Je me rappelle que, lors du premier bal en famille, le 12 décembre, c'était déjà l'heure et je ne voulais pas m'habiller. J'aurais préféré aller au lit, mais on avait pris des engagements et je dus y prendre part. A cette occasion, l'un de mes frères me présenta celui qui devint mon mari. Le 24 décembre, je me rendis à un autre bal. Alors il se mit à me parler et moi je me sentais mourir à entendre tous ces compliments et ces folles déclarations. Je ne me sentais pas à l'aise ; pourtant il m'était très agréable de voir des hommes venir nombreux m'inviter à danser. Quelle honte ! Je ne sais ce qu'il leur prenait. Ils me trouvaient à leur goût. Mais déjà j'étais en relations avec Pancho. Les hommes me recherchaient beaucoup ; je n'en voyais pas la raison. Un jour pour m'amuser, j'ai compté vingt-deux prétendants, très riches, mais je n'ai aimé que Pancho et je n'ai jamais fait cas d'aucun autre » (Aut. 69-70).

« Je vais raconter ici, de quelle manière ont commencé mes relations amoureuses avec celui que, plus tard, je devais épouser.

« Le 16 janvier 1876, on me conduisit à un bal de famille, (à San Luis, on danse beaucoup) où il me fit sa déclaration en règle et moi, je répondis aussitôt à ses sentiments. Je n'avais jamais entendu parler d'amour et voici, me disait-il, qu'il souffrirait beaucoup si je ne l'aimais pas, qu'il serait très malheureux si je ne correspondais pas à ses sentiments et mille choses de ce genre qui, d'abord, me laissèrent froide. Je ne me croyais pas capable d'inspirer de la tendresse ; mon cœur en fut bouleversé. Je trouvais surprenant qu'une personne puisse souffrir parce que je ne l'aimais pas. Je lui déclarai alors que moi aussi je l'aimais et que ce n'était pas la peine de souffrir pour si peu de chose.

« En rentrant à la maison, je n'étais pas tranquille et comme avec un poids sur le cœur. Il venait de m'arriver une chose si rare. J'éprouvais une certaine inquiétude et même un peu de frayeur. J'interdis à Pancho de m'écrire. Il s'exécuta jusqu'en mai, avec des relations plus ou moins espacées extérieurement parce que ma famille, avec raison, me trouvait trop jeune. Nous fûmes fiancés pendant neuf ans avant de nous marier. Je dois dire avec gratitude que Pancho n'abusa jamais de ma simplicité. Il fut un fiancé toujours correct et respectueux. De mon côté, dès ma première lettre, je m'efforçais de l'élever vers Dieu. J'eus la satisfaction de l'avoir vu toujours enclin à la piété. Je lui parlais de ses devoirs religieux, de l'amour envers la Sainte Vierge ; et lui de m'envoyer des prières, des poésies religieuses et une « Imitation de Jésus-Christ » dans un très bel étui... Je le poussais à fréquenter les sacrements le plus possible. Depuis, je n'ai cessé de m'occuper de son âme » (Aut. 70-72).

« *Les fiançailles ne m'ont jamais préoccupée comme obstacle pouvant empêcher mon appartenance à Dieu.* Il me semblait si facile d'unir les deux choses ! Quand j'allais me coucher et que je me trouvais seule, je pensais à Pancho, puis à l'eucharistie qui faisait mes délices. Tous les jours j'allais communier, puis j'allais le voir passer. Le souvenir de Pancho ne m'empêchait pas de prier. Je me faisais belle et je m'habillais avec élégance uniquement pour lui plaire. J'allais au théâtre et au bal à seule fin de le voir ; tout le reste m'importait peu. Mais au milieu de tout cela je n'oubliais pas mon Dieu. Je songeais à Lui le plus continuellement possible et Lui m'attirait d'une manière indicible.

« Sous mes robes de soie — qu'il m'eut été égal de porter en toile grossière — dans les théâtres et les bals, combien de fois je portais un rude cilice à la ceinture, me réjouissant de cette douleur à cause de mon Jésus » (Aut. I, 73-74).

V. Nostalgie de Dieu

« Au sein de cet océan de vanités et de fêtes, j'éprouvais dans mon âme un ardent désir de savoir faire oraison. J'interrogeais, je lisais, je me tenais comme je pouvais en présence de Dieu. Cela suffisait pour commencer à recevoir de grandes lumières sur le néant des choses de la terre, sur la vanité de l'existence, sur la beauté de Dieu et je sentais un grand amour envers l'Esprit-Saint. En allant me coucher je prenais mon crucifix. Je ne sais alors ce qui se passait en moi : une profonde émotion intérieure et mon cœur se fixait en Lui d'une manière inexprimable. Le Christ m'attirait, m'absorbait, m'enchantait et bientôt tout s'achevait dans les larmes. Puis cette impression disparaissait et je retournais à ma vie de tiédeur, de vanité et de folie. J'en souffrais. Même au milieu de tant d'adulations, de divertissements et de fêtes, je sentais le vide de mon âme et comme une voix intérieure qui me disait : « Tu n'es pas née pour cela, ta félicité est ailleurs ».

« Quand je me rappelle ces choses, il me semble que j'ai dû avoir une vocation religieuse mais je n'avais jamais, pour ainsi dire, entendu de telles paroles et je n'y avais pas fixé mon attention. En lisant l' « Année chrétienne », les religieuses dont on parlait m'enthousiasmaient, mais je n'en connaissais pas et je me figurais qu'il n'en existait plus. Souvent avec des cousines, nous nous amusions à jouer aux religieuses. Je demeurais longtemps en prostration, expérimentant dans mon âme l'attrait de Dieu, mais bientôt ce jeu fatiguait mes compagnes et l'on jouait aux fiancés.

« Vocation, virginité ! Je ne me rendais pas compte de ce que pouvait signifier ces deux mots. Je me croyais destinée au mariage, sans autre issue que de le réaliser, bien que sans comprendre sa grandeur divine et ses obligations. Les prêtres auprès de qui je me confessais, eux non plus ne me parlaient pas d'autre voie à suivre. Seul, mon oncle-prêtre me lisait parfois de très beaux passages sur les vierges et les martyrs mais il ne me venait pas à l'idée que cela pouvait être pour moi...

« Je m'imaginais qu'une fois mariée, j'aurais une plus grande liberté pour accomplir mes pénitences. Cela me plaisait beaucoup et me tranquillisait... Un jour, je me suis confessée à l'église de sainte María del Río à un prêtre très bon. Il me donna un conseil qui retint mon attention : « Il y a dans votre âme une grande docilité, me dit-il. Il est indispensable pour vous de choisir un confesseur ». A ce moment-là seulement, j'appris que mon âme était docile. Sous l'impulsion de ce Père, il me semble que mon âme fit quelques progrès.

« Ainsi parmi toutes mes misères et mes vanités en même temps qu'au milieu des appels de Dieu, je passais de nombreuses années de ma vie. Dans les bals on faisait grand cas de moi. Etait-ce à cause de ma candeur ? Tous mes carnets d'invitation à danser, avec le nom du cavalier, étaient déjà remplis dès que j'arrivais, mais quelle lassitude à tant danser ! On dit que l'on court de grands dangers dans les bals, maintenant je le comprends...

« Les couturières me félicitaient des belles formes de mon corps. J'en tirais vanité mais sans en éprouver d'attrait... Je suivais le courant. J'éprouvais de la joie à être agréable à mon fiancé, avec simplicité, sans plus. Je ne prenais soin de ma toilette que pendant les quelques minutes où Pancho passait ou bien venait me rendre visite. A peine avait-il franchi le coin de la rue que je me dépouillais de tous mes atours. Les boucles d'oreilles, les bagues m'embarrassaient. Maman était comme moi. Je me rappelle que le jour de mes fiançailles en la fête de saint Raphaël, le 24 octobre 1884, Pancho me fit cadeau d'un bracelet d'or avec une clef qu'il referma sur mon poignet. Je sentis alors une indicible angoisse et pendant plusieurs années je ne l'ai pas quitté.

« Tout ce qui est éphémère, tout le faux brillant, ce qui est vain et factice, tout me lassait. Jamais les étoffes n'ont satisfait mon cœur. Je sentais autre chose de très grand dans le fond de mon âme. J'éprouvais un vide immense que je m'imaginais devoir être comblé en me mariant avec un homme aussi bon que Pancho et qui me chérissait. C'était là l'objet de mes désirs et de mes prières auprès de Dieu, de saint Joseph et de la très Sainte Vierge » (Aut. I, 75-81).

VI. Mort tragique de son frère Manuel : point de départ d'une vie nouvelle

« Un coup terrible vint m'arracher au monde et à ses vanités pour me rapprocher de Dieu.

« Mon frère Manuel, l'aîné de tous et que j'aimais beaucoup, fut tué soudain par un coup de pistolet qui projeta sa cervelle au plafond de la salle à manger où il recevait une visite : Don Pancho Cayo, qu'avec insistance il avait retenu pour dîner. Ce fut un très grand malheur mais sans culpabilité de personne. Cet homme portait un pistolet. Au moment de s'asseoir pour prendre le café, la gachette de son arme qu'il portait à la ceinture, s'accrocha. Le coup partit. La balle entra par une joue et sortit par la tête. Mon frère s'écroula mort. Il laissait une femme et trois enfants.

« Dès que nous avons reçu la nouvelle, nous avons pris le chemin de « Jesús-María ». Aussitôt que ma mère apprit ce qui venait de se passer, elle tomba à genoux pour prier avant de s'abandonner à sa douleur. Le drame avait eu lieu à deux heures de l'après-midi et, vers dix heures du soir, je me trouvais auprès du cadavre.

« Mes parents étaient comme fous de douleur mais résignés, sans accuser personne. Je souffrais atrocement. Monsieur Cayo était désespéré. Mon frère Primitivo, présent à l'accident, allait et venait sur la terrasse, au milieu des éclairs et du tonnerre, effondré. De là jaillit sa vocation. Quel événement, Seigneur ! Pour moi le coup fut cruel mais salutaire pour ma pauvre âme si dissipée et si distraite. Et de même pour toute la famille. Je retournais, en deuil, résolue à me donner davantage à Dieu, à penser plus intimement à Lui, à m'éloigner du courant qui m'entraînait vers les vanités de la terre. J'ai toujours beaucoup souffert de mon extrême sensibilité. Mon cœur s'attache très fort et non pas seulement à l'occasion d'une mort mais pour une simple absence. Toute enfant, quand mon père et mes frères allaient et venaient, combien de larmes cela me coûtait ! Oui, mon âme a toujours beaucoup souffert à cause de ma sensibilité. Je crois que sur ce point je n'ai jamais été comprise. Mon cœur a été la source de mes plus grandes souffrances, malgré une apparence de froideur et d'indifférence » (Aut. I, 82-85).

« *J'ai grandi comme l'herbe des champs* »

« J'ai grandi comme l'herbe des champs, selon ma nature. Mon Dieu, comme j'ai peu compris tes grâces, tes faveurs et la prédilection singulière dont Tu as entouré ma pauvre âme... J'ai toujours senti une inclination à écrire. Dès l'âge de seize ans, j'ai composé un récit de l'existence, toute remplie de Dieu, que nous vivions à « Peregrina ». Je l'ai déchiré en grande partie. Dans cette « hacienda », on priait tous les soirs. A la tombée de la nuit, je sentais mon âme s'élever loin de la terre, cherchant Dieu avec ardeur. C'était l'heure favorite durant laquelle je me sentais envahie par quelque chose, oui, par cette Autre chose que je ne pouvais définir mais qui m'élevait au-dessus de la terre et me tournait résolument vers le ciel...

« Vie tranquille et heureuse mais que, pour ma part, je ne trouvais pas pleinement à mon goût à cause de l'absence de Pancho, qui demeurait à San Luis » (Aut. I, 101-103).

On songe, en l'écoutant, au cri du poète :

« Un seul être vous manque et tout est dépeuplé. » (Lamartine).

2

Epouse et mère

«Etre épouse et mère
ne fut jamais un obstacle
à ma vie spirituelle.»

1. Mon mariage

Sa vie de jeune fille s'écoulait sans histoire, dans l'attente d'un avenir de bonheur.

« Le jour arriva enfin, où l'on vint officiellement me demander en mariage. Ma mère pleurait. Mon père m'interrogea : quel était mon avis ? Est-ce que je voulais me marier ? Je lui répondis que « oui », parce que j'aimais Pancho. Bien qu'il ne fut pas riche, je le préférais à tous les autres. Il était si bon ! Je le répète, *jamais mon amour pour lui, plein de tendresse, ne m'a empéché d'aimer Dieu.* Je l'aimais avec une grande simplicité, comme tout enveloppé dans mon amour pour Jésus. Je ne voyais pas pour moi d'autre chemin vers Dieu...

« La veille de mon mariage, on me porta la robe blanche. Je ne sais quelle impression de crainte j'ai éprouvé en la voyant. Elle était de grand prix, très élégante et avec le trousseau complet ; de magnifiques pendants d'oreilles avec des perles étincelantes et une croix avec des brillants dont on fit plus tard, la petite colombe de l'ostensoir du cloître ; un collier, des bagues, qui ne retinrent pas mon attention, car les bijoux m'ont toujours laissée indifférente ; enfin un grand nombre de cadeaux, de vêtements... Et moi, qu'est-ce que je ressentais ? Une tristesse intérieure, un je ne sais quoi de crainte et une souffrance informulable. Le 8 novembre eut lieu mon mariage avec Monsieur Francisco Armida. A minuit, le 7 novembre, jusqu'au 8 à une heure du matin, je me mis à prier de tout mon cœur, récitant les quinze mystères du Rosaire, au moment où j'allais contracter des devoirs que, pour ainsi dire, j'ignorais encore. A six heures du matin, Pancho et moi, nous avons communié à l'église de saint Jean de Dieu ; puis aussitôt, chacun retourna dans sa maison pour régler toutes choses. J'ai beaucoup prié mon Jésus de m'aider à devenir une bonne épouse, rendant heureux l'homme qu'il allait me donner comme compagnon. On me revêtit de cet habit tout blanc, couvert de fleurs d'oranger. Plus tard je l'ai offert pour une Vierge Immaculée et le reste m'a servi à orner les prie-Dieu de mes enfants pour leur première communion et aussi pour fabriquer les oreillers des pauvres pour la nuit de Noël. On me fixa le voile et la couronne. Ainsi vêtue, je me mis à genoux pour demander la bénédiction de mes parents. Ils me la donnèrent de tout leur cœur mais en pleurant et nous partîmes en voiture à l'église du Carmel, magnifiquement ornée de fleurs blanches.

« La cérémonie se déroula à huit heures du matin, présidée par mon oncle, le chanoine Luis Arias, frère de maman. J'assistai à la messe avec grande dévotion, puis je revins à la maison de mes parents en vue des salutations d'usage et pour la cérémonie civile. Un peu plus tard, nous sommes allés nous faire photographier. Enfin nous nous sommes rendus à la « Quinta de San José » où eurent lieu le repas et le bal jusqu'à la tombée de la nuit » (Aut. I, 104-108).

« Je me souviens qu'au repas de noces, au moment des toasts, il me vint à la pensée de demander à celui qui était déjà mon mari, deux choses qu'il me promit d'accomplir : de me laisser toute liberté de communier tous les jours et de ne pas être jaloux. Pauvre ami ! Il était si bon que bien des années plus tard, il restait à la maison avec les enfants en attendant que je revienne de l'église, et, au cours de sa dernière maladie, il me demandait si j'étais allée recevoir Notre Seigneur. Dieu a dû le récompenser pour cette faveur qui constituait le tout de ma vie.

« Quand vint le soir, mon frère Octaviano m'appela. Il voulut que je m'en aille avec Pancho rapidement, sans que ma mère s'en aperçoive. Je sentais un malaise que je ne puis exprimer. Silencieusement et en pleurant, terriblement confuse, je suis partie. Pancho me consolait mais je souffrais beaucoup de m'en aller seule avec lui. Enfin nous arrivâmes à la maison, toute illuminée et remplie de roses blanches (Aut. I, 110).

« Mon mari fut toujours un parfait modèle de respect et de tendresse. Beaucoup de prêtres m'ont assuré que Dieu l'avait choisi pour moi d'une manière exceptionnelle. Il fut un modèle d'époux et de vertu » (Aut. I, 111).

« Le 8 décembre, un mois après mon mariage, je fêtais mes vingt-deux ans mais déjà malade, ne sachant pour combien de temps et sans pouvoir communier. Que d'événements passent dans une vie ! J'étais entrée dans cette maison, toute remplie de fleurs et de lumière, de bonheur et de rêves, et neuf mois après, j'en sortais en pleine nuit, dans la frayeur d'un incendie, sans y revenir jamais » (Aut. I, 112).

II. Avec mon mari et mes enfants

« Le 28 septembre 1885, à neuf heures du soir, un lundi, naquit mon premier enfant. Je l'ai offert au Seigneur de tout mon cœur avant sa naissance et dès qu'il vint au monde. Son papa, dès qu'il fut né, tomba aussitôt à genoux, en sanglotant et en rendant grâces à Dieu. Le Seigneur m'a accordé de pouvoir l'allaiter pendant huit mois, puis je dus le sevrer par nécessité. Je suis passée avec lui par par bien de difficultés. Il ne voulait pas de nourrice et son allaitement s'acheva avec du lait d'ânesse, le plus semblable au mien, évidemment.

« Encore une sottise que je raconte en riant. Je voulais à tout prix qu'il dise d'abord : « mamá », mais son premier mot fut « gato », le « petit chat ». Cela me fit de la peine, naïve que j'étais comme toujours... Cet enfant, dès que son père le mit aux études, fut parfait. Il n'y avait rien à dire : studieux, intelligent, très droit, avec son point d'honneur, toujours correct. Caractère violent mais bon cœur. Il me semble que le Seigneur l'appelle au mariage » (Aut. I, 114-115).

« Mon mari observait des heures déterminées pour se rendre à son travail et en revenir. J'en profitais pour parler à mon Jésus, pour lire des choses spirituelles et pour faire des pénitences, ôtant mes cilices au moment où il allait arriver. Une fois il s'en aperçut et se fâcha. Il me disait que j'avais assez de peine avec mes enfants et leur allaitement, avec mes maladies. Moi, je sentais bien que cela n'était pas suffisant mais que je devais en plus trouver l'occasion de souffrir. Plus loin je dirai comment le Seigneur a veillé à ce que je ne sois pas vue. Mon confesseur m'interdit, pendant trois ans, me semble-t-il, de m'infliger des pénitences. Je lui ai obéi » (Aut. I, 129-130).

« Le 28 mars de l'année 1887, un lundi à minuit, naquit mon fils Carlos. Je pus assurer complètement son allaitement. C'était un enfant très vif, intelligent et précoce. Il vécut seulement six ans et mourut le 10 mars 1893 d'une typhoïde terrible. Au milieu de ses souffrances, il disait : « Que votre volonté soit faite sur la terre comme au ciel ». Il a beaucoup souffert et mourut sans recevoir la confirmation. Ce regret m'est resté. Sa mort fut pour mon cœur un coup terrible qui me brisa, d'une douleur jamais ressentie jusqu'alors. Je ne pouvais m'arracher d'auprès de lui, mais la voix de l'obéissance parla et immédiatement je fis le sacrifice de m'éloigner de lui.

« En ces mêmes jours, il y eut une hausse des valeurs et les affaires de mon mari tournèrent mal, à tel point que, pour l'enterrement de cet enfant, il dut emprunter l'argent nécessaire. En cette période le Seigneur me combla d'humiliations et de difficultés financières. Dieu soit béni pour tout !

« A la mort de Carlos, mon âme ressentit de vifs désirs de perfection. Des scrupules me tourmentaient. Ma conscience me reprochait d'avoir dit à cet enfant que ses remèdes étaient agréables au goût alors qu'ils étaient mauvais. Je voulais les lui faire prendre. Je ne savais pas comment m'en tirer. Enfin, comme souvenir ultime, je conservais un vêtement de lui. Je sentais que mon cœur y était attaché. Un jour je perçus une inspiration du Seigneur me demandant le sacrifice de m'en dépouiller et Il me donna la force de m'en détacher. Il faut n'avoir pas été mère pour ne pas comprendre cela... J'ai fait signe à un pauvre ; je l'ai revêtu de son costume et j'ai ressenti une douleur comme si, de nouveau, on m'arrachait mon enfant » (Aut. 1, 131-132).

« Le 28 janvier 1889, naquit mon fils Manuel, à San Luis Potosí, dans la rue du Rosaire où nous avions déménagé. C'est au son des « Ave Maria », au moment de la récitation de l' « Angelus » que vint au monde cet enfant qui m'a coûté cher. A la même heure mourait un prêtre : le Père José Camacho. Dès que je l'appris, j'ai offert mon fils au Seigneur afin qu'il le remplace à l'autel. Je l'ai donné au Seigneur sincèrement, de tout mon cœur. Quelque temps après, je suis tombée malade, mais grâce à Dieu, j'ai pu l'allaiter jusqu'à ce qu'il marche. J'ai voulu qu'au baptême on l'appelle Manuel à cause de mon grand amour pour la sainte Eucharistie. On le fête pour le « Corpus Christi » (Fête-Dieu). Manuel a toujours manifesté un caractère plein de bonté. Il est simple, joyeux, humble et docile et, depuis son enfance, très enclin à la vertu et aux choses de l'Eglise. Il reçut des lumières sur le détachement du monde et sur ses vanités, bien supérieures à son âge. Je me rappelle que vers l'âge de sept ans, un jour, à table, où son père avait ses enfants autour de lui, il leur dit qu'il lui tardait de les voir grandir pour l'aider à payer les dépenses de la maison. Et Manuel de répondre aussitôt : « Moi, je vous aiderai, oui, mais sur le plan spirituel, en ce qui concerne l'âme, parce que je ne suis pas né pour gagner de l'argent, qui est une chose de cette terre et une vanité. » Nous nous regardâmes, Pancho et moi, surpris de cette réponse.

« Il passa par des périodes de terribles scrupules. Il se montra toujours d'une grande piété, sans respect humain, plein de candeur et de simplicité. Ce fut pour moi le plus affectueux de mes enfants, jusqu'à l'exagération.

« Dieu l'a appelé, écoutant mes prières et les siennes. Dès qu'il commença à parler, nous demandions ensemble la grâce immense de la vocation religieuse. Le jour de sa première communion et pour les grandes fêtes, il renouvela avec ferveur cette prière. Le Seigneur l'a exaucé. Il est entré dans la Compagnie de Jésus le 12 novembre 1906. Il vient d'y prononcer ses vœux le 8 décembre 1908, à dix-neuf ans et onze mois » (Aut. I, 135-138).

(Il est mort saintement, en 1955, à Gijón, en Espagne, au Collège de l'Immaculée).

« Mon âme continuait à éprouver de très vifs désirs de la perfection. Elle aspirait à atteindre un au-delà qui toujours s'éloignait. Elle connaissait des jours de grande ferveur avec des touches intimes et très fortes de l'amour divin, toujours accompagnées de souffrances qui ne m'ont jamais quittée d'une manière ou d'une autre.

« Etait-ce de la vertu ? Je me le suis souvent demandé moi-même. Dès mon enfance, à grands cris mon âme appelait la connaissance des vertus pour les pratiquer. Je passais de longs moments à réfléchir à cela, me lamentant de ne pas comprendre ce que je voulais accomplir.

« Un jour de la Fête-Dieu, je me rendis à la cathédrale visiter le Saint-Sacrement... Soudain le Seigneur m'enveloppa dans une oraison de quiétude. Maintenant je me rends compte qu'il en fut ainsi. A cette époque j'ai pu seulement percevoir que ces effets étaient divins. Enflammant mon cœur, le Seigneur me dit : « Je te promets qu'un jour tu connaîtras la nature des vertus parce que j'en mettrai un grand nombre à ta portée qui demeurent inconnues à la plupart. » Je restai très étonnée, sans savoir de quoi il s'agissait. Qui m'aurait dit que dix ans plus tard, peut-être même après, le Seigneur me dicterait plus de deux cents vertus et vices » (Aut. 139-141).

« La vie du monde me fatiguait beaucoup. J'avais habitué mon mari, homme excellent, à rentrer de bonne heure et à savoir trouver tout dans son foyer sans chercher ailleurs des divertissements, mais il tenait à ce que je l'accompagne à certaines distractions, bien que ce fût, dans le fond de moi-même, contre ma volonté.

« Je l'entourais d'une multitude d'attentions. Quand arrivait le jour de sa fête, je lui offrais dix-huit ou vingt cadeaux. Il était très bon. Il se montrait plein de délicatesse envers moi et tout ce que je faisais pour lui était peu de chose à côté de ce qu'il méritait, il m'aidait lui-même à bercer les enfants et à les endormir. Sa maison et ses enfants : voilà tout son bonheur » (Aut. 142-143).

« Je désirais que Dieu me donne une fille et moins de garçons. Cela en faisait déjà trois à la suite. Après Manuel, le Seigneur me l'envoya, se la réservant pour Lui...

« C'était un lundi. On l'appela : María de la Concepción. Elle me fit beaucoup souffrir sans le savoir. Son père et moi, nous la chérissions avec une tendresse spéciale. Je l'ai immédiatement offerte au Seigneur, de tout cœur, afin qu'elle soit toute à Lui. Je me suis efforcée de la garder pure comme un lys jusqu'à sa totale consécration au Seigneur, comme je le dirai plus loin. Je pus allaiter cette enfant tout le temps nécessaire, grâce à Dieu. Elle était pour son père un enchantement et tous les deux nous la comblions de bénédictions. A six mois, j'ai cru qu'elle allait mourir. Ce fut très grave.

« Quelques années plus tard, elle eut une typhoïde de quarante jours et, continuellement entre la vie et la mort. Elle fit alors sa première communion en viatique. Je l'offris au Seigneur comme un bouton appelé à s'ouvrir dans les cieux si telle était sa volonté divine. Mais le Seigneur ne l'accepta pas. Il la destinait à devenir son épouse sur la terre... Au cours de cette maladie de Concha, le Seigneur me dicta toutes ces vertus, comme Il l'avait promis quelques années auparavant.

« Concha fut un ange, d'une pureté extrême, remplie de qualités et de vertus cachées. La modestie était sa note dominante. Combien de vertus je lui ai vu pratiquer au sein de la famille et dans l'intimité du foyer... C'était un bijou, une perle, une « concha » précieuse, un lys... A quinze ans elle fit vœu de virginité et à dix-sept ans et demi, entra en religion. Un pur joyau qui n'était pas fait pour le monde... Le Seigneur l'a choisie pour Lui » (Aut. I, 144-149).

« Quand nous nous sommes mariés, mon mari avait un caractère très violent, comme de la poudre ; mais aussitôt l'éclair disparu, il s'arrêtait, tout confus. Au bout de quelques années, il se produisit chez lui un tel changement que sa maman elle-même et ses sœurs s'en étonnaient. Je crois que ce fut le travail de la grâce et de mes efforts personnels, pauvre ami, en frottement continuel avec ce dur silex que je suis » (Aut. I, 151-152).

III. Relations de famille et d'amitié

« Le Seigneur m'a contrainte à de fortes humiliations avec mes belles-sœurs. Il a voulu que j'apparaisse à leurs yeux comme inutile et peu agréable. J'avais beau faire, je ne parvenais pas à leur plaire. Ainsi passèrent bien des années, me dominant moi-même, avec la grâce de Dieu... Ce creuset me fut très profitable, d'autant plus que, souvent, mon mari leur donnait raison. Cela m'a détachée de moi-même et m'a amenée à ne me croire capable de rien, ni dans mes relations extérieures, ni en moi-même. Quand je parlais, quoi qu'il m'en coûtât beaucoup au début, à cause de mon orgueil, je faisais toujours l'éloge de mes belles-sœurs, même auprès de mon mari et de mes beaux-parents, me donnant tort à moi-même. Grâce à Dieu, je guéris ainsi mon orgueil. Jamais je n'ai laissé soupçonner à mon mari les petites difficultés que je ressentais de la part de sa famille ; je faisais cela, non par vertu assurément, mais pour conserver la paix. J'offrais tout cela au Seigneur. Avec le temps cette manière d'agir me valut de sa part, une grande estime imméritée.

« Mon beau-père m'a toujours beaucoup aimée. Depuis longtemps il ne fréquentait plus les sacrements. Je l'ai prié de le faire, m'arrangeant pour qu'il se confesse. Dieu me concéda cette grâce et, quelque temps après, il mourut subitement.

« Ma belle-mère m'avoua plus tard qu'au début de mon mariage elle ne m'aimait pas du tout, mais après, elle eut pour moi une très grande affection. Il en était ainsi. Elle prenait ma défense même contre mon mari. Elle me recherchait et je lui parlais de Dieu, lui apprenant, comme je pouvais, à faire ses méditations. C'était une âme si pure et si bonne, bien que sans culture ; elle profitait de tout. J'ai beaucoup souffert de sa mort. Au début elle ne fréquentait pas les sacrements, mais plus tard elle commença à le faire et devint très fervente, toute marquée par la souffrance » (Aut. I, 152-154).

« Le soir, à la tombée de la nuit, je me rendais à l'église de saint Jean de Dieu et là, tout près du tabernacle, je vidais mon cœur près de Jésus. Je lui offrais mes enfants, mon mari, les gens de la maison, Lui demandant lumière et prudence pour accomplir mes devoirs » (Aut. I, 156-157).

Son existence se déroulait normalement entre ses obligations de foyer et ses obligations sociales, sans pouvoir échapper à toutes les circonstances imprévues.

« Un jour, je dus aller rendre visite à un prêtre. Je fus surprise par la nuit : plus de voiture ni de tramway à l'horizon... J'éprouvais une grande inquiétude et le temps passait. Je résolus de retourner à pied. Plusieurs directions se présentaient devant moi. Ne connaissant pas le chemin, j'entrai dans une boutique pour le demander. Sans que je puisse me dérober, un homme surgit de là qui me fit trembler. Il s'offrit pour me conduire. Il se rapprocha beaucoup de moi. Il puait le vin. Et nous allions ainsi et nous avancions toujours. Consciente du danger que je courais, je me recommandais à la Sainte Vierge. C'était la nuit. Mon mari avait invité un ami à souper ; et moi, si loin ! Mon Dieu ! sans savoir où j'irais m'arrêter. Jamais de ma vie je n'ai éprouvé en cette matière une telle angoisse. A la fin, la Sainte Vierge m'exauça. Au tournant d'une rue un tramway, venant de je ne sais quelle direction. Je m'arrachai à l'étreinte de cet homme qui me retenait. Je sautai dans le tramway. J'étais sauvée » (Aut. I, 42-43).

IV. La montée spirituelle

Pour comprendre Conchita il ne faut pas essayer de chercher des phénomènes extraordinaires : c'est la sainteté au fil des jours. Une petite phrase de son Journal nous révèle son état d'âme de jeune mariée : « En voyant, malgré toute la bonté de mon mari, que le mariage ne répondait pas à la plénitude que je m'étais figurée, instinctivement mon cœur s'est rapproché de plus en plus de Dieu, cherchant en Lui ce qui lui manquait. Le vide intérieur de mon âme avait grandi malgré tous les bonheurs de la terre » (Aut. I, 112-113). Au sein des plus grandes joies de l'amour, elle sent les limites et le caractère éphémère de tout amour humain.

La vraie vie des saints est toute « cachée en Dieu avec le Christ » (Col 3, 3). On en perçoit les effets dans leur comportement extérieur et souvent eux-mêmes nous en découvrent le principal secret. Pour Conchita, nous avons son « Journal ». C'est la clé de tout. Il nous permet de la suivre de trente-et-un à soixante-quatorze ans. C'est le guide principal que nous utiliserons, sans négliger les sources complémentaires. Elle-même nous fait connaître son milieu familial, les grâces et les faveurs exceptionnelles reçues dès sa plus tendre enfance, la mort tragique de son frère Manuel, véritable point de départ d'une vie nouvelle qui l'oriente résolument vers Dieu, l'emprise profonde du Christ sur tout son être dès les premiers jours de son mariage et sa montée constante vers la perfection à travers les moindres événements de son foyer. Dans la trame quotidienne de cette existence de femme, en apparence semblable à celle de toutes les autres, Dieu prépare à l'Eglise et au monde une grande sainte.

V. « Ta mission sera de sauver les âmes »

Un événement inattendu survint lui fournissant l'occasion d'un temps fort de silence, de prière et de contact avec Dieu. Pour la première fois de sa vie, elle allait assister à des « Exercices spirituels » prêchés et dirigés cette année là, en 1889, par le Père Antonio Plancarte y Labastida, plus tard Abbé de Guadalupe. Conchita avait vingt-sept ans. Mariée et mère de famille, maîtresse de maison, avec un mari ponctuel et un peu jaloux, elle ne pouvait s'isoler dans le cercle d'une retraite fermée. « J'y participais, allant et venant, parce que je ne pouvais abandonner mes enfants » (Aut. I, 159-160). Elle court aux instructions, trouve comme elle peut quelques moments de silence et de recueillement, puis revient en toute hâte à la maison. Mais le Saint-Esprit atteint les âmes où Il veut. Dans le cœur de Conchita va surgir, sous la poussée irrésistible de l'Esprit, une flamme apostolique qui bientôt s'étendra aux dimensions de l'Eglise entière. Dans sa simplicité et son humilité, elle ne soupçonnera pas tout d'abord l'ampleur des desseins de Dieu. Son regard ne franchit pas le cadre habituel d'une femme dans son foyer, Dieu Lui-même va lui ouvrir les horizons de la Rédemption. « Un jour que je me préparais de toute mon âme à tout ce que le Seigneur voudrait de moi, à un certain moment j'entendis clairement au fond de mon âme, sans pouvoir en douter, ces paroles qui m'étonnèrent : « Ta mission sera de sauver les âmes ». Je ne comprenais pas comment le réaliser. Cela me paraissait tellement étrange et comme impossible. Je pensais qu'il s'agissait simplement de me sacrifier pour mon mari, mes enfants et les familiers de la maison. Je pris des résolutions très pratiques, remplie de ferveur, redoublant mon désir d'aimer sans mesure Celui qui est l'Amour. Mon cœur avait trouvé son refuge et la paix dans la solitude et la prière. Mais il fallait maintenant retourner dans le monde et à mes devoirs, avec la nécessité de marcher à travers le feu sans me brûler. En même temps que cette flamme grandissait dans mon cœur, le zèle me dévorait et je désirais ardemment faire partager à d'autres le bonheur des enseignements sublimes reçus.

« Or, précisément, à cette période, je dus aller pendant quelque temps avec mes enfants à la campagne, à « Jesús-María », la grande ferme de mon frère Octaviano, près de San Luis. Dès mon arrivée, je l'ai décidé à réunir les femmes des alentours, afin que je leur donne quelques « exercices spirituels », leur expliquant ce que j'avais moi-même entendu. Ce frère qui fut toujours très bon envers moi et qui me chérissait avec une toute particulière prédilection, y consentit aussitôt. On rassembla une soixantaine de femmes. Il ne m'est même pas venu à la pensée le moindre sentiment de confusion, ni si c'était mal ou si je tomberais en des erreurs en parlant, ou même si cela pouvait être de la prétention ou de l'orgueil de ma part. Je sentais en moi un feu qui brûlait et je désirais embraser d'autres cœurs de cette flamme ; c'est tout. Nous avons donc commencé à la chapelle de l' « hacienda ». Je me suis assise sur une chaise basse devant elles et, comme « au pays des aveugles les borgnes sont rois », ces pauvres femmes goûtaient fort ce que je leur disais, elles pleuraient, saisies de contrition, jusqu'à vouloir me dire leurs péchés, ce que je n'ai pas accepté évidemment. A la fin des « exercices » plusieurs prêtres vinrent les confesser et elles firent une communion fervente. Je me sentais heureuse de parler de mon Jésus et de sa très sainte Mère ! Les journées passaient rapidement et les heures s'envolaient en de si douces occupations. Parfois Octaviano venait m'entendre et Dieu m'aidait à ne pas m'arrêter dans mon discours. Tout cela, bien sûr, toutes portes fermées » (Aut. I, 159-162).

Conchita cherchait un directeur de conscience pour avancer avec plus de sécurité vers Dieu : « Je me sentais embrasée du désir de la perfection ; j'entrouvrais la porte, la voie, la route par où je devais attendre mon Jésus. Tandis que je ruminais ces projets, en m'humiliant, je passais les jours dans la désolation, l'angoisse et l'obscurité... J'avais soif du divin, une soif ardente de Jésus mais je me sentais écrasée et comme perdue dans un chemin de foi obscure et sans espérance. Je parlais bien à un prêtre de ce qui bouillonnait en moi, de mon idéal de perfection qui me poursuivait partout. Sans doute le Seigneur ne voulait-il pas qu'il me comprenne. Il m'entretenait de poésie, de la nature, de ce qui touchait Dieu mais jamais de Dieu-même ! Et le monde luttait pour m'entraîner et les créatures m'attiraient. Je me souviens que je passais mon temps parfois à consulter les journaux de mode et le remords m'envahissait jusqu'au jour où le Seigneur me dit de ne plus les regarder » (Aut. I, 198-199).

Déçue et attristée d'avoir approché un prêtre pour n'entendre de lui que des banalités alors qu'elle était venue auprès de lui pour chercher Dieu, elle redoubla de prière ; le Seigneur lui envoya alors le Père Alberto Mir, S.J. qui l'aida beaucoup, au cours des dix premières années, dans sa montée vers Dieu.

VI. Le monogramme du Christ

L'amour du Christ animait chaque jour davantage le cœur de Conchita et les moindres actes de sa vie. Elle aimait passionnément son mari et ses enfants mais comme « enveloppés dans ce même amour » (Aut. I, 105), car le Christ ne mutile pas l'amour, il le transfigure et le divinise.

Au cours de son enfance, dans les « haciendas » de sa famille et plus récemment chez son frère Octaviano, Conchita avait observé que l'on imprimait sur le bétail, au fer rouge, la marque de son propriétaire. Elle aussi rêvait de porter jusque dans sa chair l'effigie du Christ. On trouve des cas analogues dans la vie des saints, ainsi chez le bienheureux Henri Suzo, dominicain. Le cas le plus approchant est celui de sainte Jeanne de Chantal, jeune veuve, sollicitée par sa famille de se remarier et qui, pour en finir, un jour, se retira dans sa chambre et grava sur son cœur le Nom de « Jésus », dont on trouva encore les cicatrices à sa mort. Seule, la trace de la dernière lettre, « S », s'était estompée. Saint François de Sales manifesta nettement que s'il avait été là, il ne l'aurait pas permis. Les saints sont parfois plus admirables qu'imitables. On pourrait faire la même remarque pour Conchita.

« A force de supplications, j'obtins de mon directeur la permission de graver le monogramme en la fête du saint Nom de Jésus, le 14 janvier 1894... J'ai découpé sur ma poitrine de grandes lettres sous la forme suivante : J.H.S. Dès que je l'eus fait, j'ai senti comme une force surnaturelle qui me précipita sur le sol, la face contre la terre, les yeux pleins de larmes et une flamme dans le cœur. J'ai demandé alors au Seigneur avec véhémence et avec un zèle dévorant : le salut des âmes ! JÉSUS, SAUVEUR DES AMES, SAUVE-LES, SAUVE-LES !

« Je ne me rappelle plus autre chose : des âmes, des âmes pour Jésus ! Voilà tout ce que je désirais... Les ardeurs de mon âme surpassaient les brûlures de mon corps et j'expérimentais un bonheur indicible à me sentir toute de Jésus, comme un animal porte la marque de son propriétaire. Oui, j'étais toute de Jésus, de mon Jésus qui sauvera tant de pauvres âmes appelées à procurer sa gloire. Enivrée de bonheur, j'ai passé le reste de la journée avec un ardent désir de solitude et de prière mais avec une visite que j'ai dû recevoir » (Aut. 205-206).

Un tel fait relève de l'ordre des charismes et de la folie de l'amour à la suite d'un Dieu Crucifié. Il s'explique par la mission exceptionnelle de la fondatrice des Œuvres de la Croix appelées à s'étendre au monde entier. Une Thérèse de Lisieux, la sainte préférée de Conchita pourtant, avait une autre manière de prouver à Jésus qu'elle l'aimait à la folie, rêvant d'être dans l'Eglise l'amour qui ne refuse rien. Il faut tenir compte du tempérament des peuples, de la grâce personnelle et de la mission de chacun. C'est le même Esprit qui s'exprime en lettres de feu et de sang mais aussi, avec non moins de force, dans la fidélité absolue au moindre sacrifice. Dans le christianisme, l'héroïsme de petitesse rejoint l'héroïsme de grandeur dans l'élan d'un même Esprit d'Amour.

Le monogramme inaugura une phase nouvelle dont les répercussions se firent sentir :

- — sur sa vie personnelle,
- — sur son rayonnement apostolique, et,
- — d'une manière charismatique, par des illuminations divines pour le bien de l'Eglise entière.

Il en est ainsi dans l'économie du salut : des actes privilégiés étendent parfois leur influence salvatrice sur tout le Corps mystique du Christ. Tel fut le cas, à un degré unique, du « fiat » de Marie qui sauva le monde. Toute proportion gardée, le plus petit acte humain se répercute sur l'histoire du monde et ne pourra être mesuré adéquatement qu'au jugement dernier.

VII. Fiançailles spirituelles avec le Christ

Conchita fut la première bénéficiaire de son acte héroïque d'appartenance totale et de consécration au Christ par une donation signée de son sang : « Il me semble qu'avec le monogramme, le Seigneur a ouvert une porte pour répandre en moi ses grâces. A partir de ce jour-là comme Il me poursuit ! Que d'attentions ! Que de tendresses ! Quelle étonnante bonté envers cette misérable créature que je suis ! Il ne me laisse tranquille ni le jour, ni la nuit, ni pendant l'oraison, ni en dehors d'elle : « Je te veux toute mienne ! Tu l'es déjà mais je veux que tu le sois davantage », me répétait-il, « Approche. Je veux réaliser avec toi des fiançailles spirituelles. Je veux te donner mon Nom et te préparer à de grandes grâces » (Aut. I, 208).

Mgr. Luis María Martínez, archevêque de Mexico, son dernier directeur spirituel situe à cette époque la grâce insigne des fiançailles spirituelles de Conchita avec le Christ. Les théologiens n'ont pas fini de disserter sur le cas inédit d'une femme, engagée à fond dans la vie conjugale et mère d'une nombreuse famille, authentiquement élevée par le Seigneur aux états mystiques supérieurs. Dieu est maître de ses dons.

VIII. Une étape nouvelle : la joie dans la souffrance

Un second résultat, encore plus merveilleux, produit dans sa vie spirituelle, fut d'expérimenter la joie dans la souffrance. Ainsi le Christ Crucifié jouissait au sommet de son âme de la vision béatifique, en même temps que par ses souffrances physiques et morales il était « l'homme des douleurs » (Isaïe 53, 3).

Depuis le monogramme, Conchita est inondée de grâces et de faveurs divines. Elle veut ressembler au Christ sur la Croix. Elle n'a qu'un désir : « tout sacrifier pour Lui, avec la plus grande joie, pour lui seul et par pur amour... « Je voudrais être apôtre, parcourir le monde, proclamer, manifester, faire connaître qui est Jésus ! » (J. avril-mai 1894). Elle donnerait sa vie pour lui procurer « un atome de gloire » (Aut. II, 7). Elle vit « toute en Dieu et toujours en Dieu » (J. 2 avril 1894). Elle rend compte à son directeur de cet état de son âme : « Je me sens comme transportée dans une autre atmosphère... Je ne puis ni penser ni me mouvoir sinon en Dieu, à l'intérieur de Dieu. En moi, Dieu est tout au dedans de moi et moi je suis toute en Lui, dans une sphère de lumière et de choses divines » (J. Avril-Juillet 1894).

Maintenant Conchita le sait par expérience : l'union divine est inséparable de la souffrance. A mesure qu'elle approche du Christ, la Croix se dresse de plus en plus près sur l'horizon. En elle s'opère un bouleversement profond : « Il y a des moments précieux pendant lesquels je me sens — phénomène étrange — comme jouissant au sein de la souffrance ; mon âme goûte des délices jusque là inconnues. Sans en être aucunement diminuée, la peine revêt un sentiment de suavité qu'engendre l'acte d'abandon à la volonté divine et le bonheur de lui plaire... Jamais je ne l'avais senti ainsi. *J'ai expérimenté aujourd'hui dans mon âme une chose extraordinaire : l'union dans la souffrance* » (J. 30 avril 1894).

« Très rarement j'avais expérimenté au dedans de moi-même de tels effets : jouir au sein de la souffrance ! Cela me paraît incroyable à moi qui lui ai tourné le dos mille fois, moi qui ai tenté mille fois de l'éviter malgré l'attrait que Dieu a mis en moi vers la souffrance cachée. Comment ne pas m'étonner que du soir au matin, d'une manière pour ainsi dire soudaine, alors que l'âme est engloutie dans la douleur, qu'en ces mêmes instants, quasi-désespérés, se présente une brise suave, venant transformer la souffrance desséchante et aride en une fraîcheur agréable, sans autre désir que de plaire au Bien-Aimé, sans plus songer au bonheur des biens futurs. Non, tout ceci devient ou paraît secondaire à côté de la joie de lui faire plaisir. Oh ! merveille de la grâce. Mon âme se perd en ces espaces, jusque là inconnus à ma misère, et que je ne pensais jamais pouvoir atteindre. Ces faveurs, en vérité, sont gratuites et imméritées. Quelle bonté de la part de Dieu, bonté sans limite, immense, infinie comme tout Lui-même.

« Je crois l'union de la souffrance plus forte, plus indestructible que celle de l'amour, l'une produisant l'autre. L'union sur la Croix fait jaillir de l'âme l'amour le plus sublime et désintéressé. C'est l'amour le plus pur, sans mélange d'égoïsme ni d'amour-propre. L'amour de la souffrance est l'amour de Jésus, solide et authentique. Que nul ne me dérobe ce trésor tout à fait caché, et qui est à moi... Oui, je veux voiler ma douleur. Elle est maintenant le trésor qui m'unit à cet autre trésor : mon Jésus. Je suis disposée à boire jusqu'à la dernière goutte du calice... Oui, Seigneur, uniquement pour te couvrir de gloire, si misérable que je sois » (J. 2 mai 1894).

IX. Apotre de la Croix

Le monogramme, qui vint transformer sa vie personnelle, prépara Conchita à sa vocation d'apôtre de la Croix. Ce qu'il y a de notable dans l'inscription héroïque du saint Nom de Jésus sur leur poitrine par Ste Jeanne de Chantal et Conchita, ce fut le sens différent de leur geste d'amour. Pour l'une c'était l'affirmation suprême de son amour unique du Christ Jésus, pour l'autre l'explosion inattendue et pour ainsi dire, l'irruption au dehors de son feu intérieur, de son indivisible amour de Dieu et des hommes. C'est avec raison que sa famille religieuse date du monogramme la naissance des Œuvres de la Croix.

Quelque temps après le monogramme, tandis que Conchita était en oraison dans l'église de la Compagnie de Jésus, à San Luis Potosî, sa ville natale, voici que lui apparut soudain l'Esprit-Saint, Celui qui est l'Amour, illuminant et embrasant par les sommets toutes les Œuvres de la Croix.

« J'étais recueillie en Dieu, quand tout à coup je vois un immense tableau d'une très vive lumière, plus éclatante encore en son centre. Une lumière blanche ! Chose surprenante, au-dessus de cet océan, de cet abîme de lumière aux mille rayons d'or et de feu, je vis une colombe, toute blanche, les ailes étendues couvrant, je ne sais comment, tout ce torrent de lumière. Je le vis en pleine clarté, puisqu'elle était lumière. Je compris qu'il s'agissait d'une vision très élevée et impénétrable, profonde et divine. Cela me laissa une impression de suavité, de paix, d'amour, de pureté et d'humilité. Comment exprimer l'inexprimable ?

« Deux ou trois jours après cette vision — chose inexplicable — je vis, un après-midi, dans la même église de la Compagnie, — heureuse soirée — je vis de nouveau une colombe blanche au milieu d'un grand foyer d'où partaient des rayons éclatants et étincelants de lumière. Au centre se tenait la Colombe, encore une fois les ailes étendues, et au-dessous d'elle, au fond de cette immensité de lumière une grande Croix, très grande, avec un cœur au centre » (Aut. I, 211-213).

« La croix semblait flotter dans un crépuscule de nuages ayant du feu au-dedans. Au-dessous de la croix sortaient des milliers de rayons de lumière, qui ne se confondaient pas avec la lumière blanche de la colombe, ni avec le feu des nuages. C'étaient comme trois différents degrés de lumière, quelle beauté !

« Le cœur était vivant, palpitant, humain, mais glorifié, il était entouré d'un feu matériel qui paraissait mobile, comme dans un foyer ; au-dessus de lui jaillissaient d'autres flammes différentes, comme des langues de feu d'une plus haute qualité ou degré, dirai-je. Le cœur était entouré de rayons lumineux, plus larges au commencement et plus minces en finissant, sans se confondre avec les flammes qui se trouvent au-dessous, ni avec l'ombre de lumière, ni avec le disque très brillant qui l'environne.

« Les flammes qui étaient élancées en-haut du cœur montaient avec violence comme renvoyées avec une grande force, couvrant et découvrant la petite croix enfoncée dans le cœur.

« Les épines qui entouraient le cœur faisaient mal à les voir comme si elles serraient de près ce cœur si délicat et si tendre.

« J'ai pu décrire tout cela parce que, de nombreuses fois, de jour et de nuit, cette Croix très belle s'est présentée à moi, bien que sans la Colombe. Qu'est-ce que cela signifie ? me demandais-je. Que veut le Seigneur ? Je rendis compte à mon directeur. D'abord il me dit de ne pas faire attention, puis, inspiré par Dieu, je pense, il m'écrivit un billet pour mon âme où il disait : « Tu sauveras beaucoup d'âmes par l'intermédiaire de l'apostolat de la Croix ». Il voulait simplement parler de mes sacrifices, unis à ceux du Seigneur. Jamais il n'eut l'idée que cette formule pouvait désigner le nom des Œuvres de la Croix. Pour moi, en lisant cela, je ne sais ce que j'ai ressenti : ce nom devait caractériser l'Œuvre que le Seigneur commençait et dont Il parlait déjà » (Aut. I, 214-215).

Dieu venait de choisir cette jeune femme, mariée et mère de famille, simple laïque, pour nous rappeler le mystère du salut du monde par la Croix. Le Seigneur lui dit : « Le monde s'enfonce dans la sensualité, on n'aime plus le sacrifice et l'on ne connaît pas sa douceur. Je veux que règne la Croix. Aujourd'hui elle se présente au monde avec mon Cœur afin qu'il attire les âmes vers le sacrifice.

« Pas d'amour solide sans la Croix, me disait-Il. Ce n'est que dans mon cœur crucifié que l'on peut goûter les ineffables douceurs de mon Cœur. Vue de l'extérieur, la croix est âpre et dure mais dès qu'on y goûte, en la pénétrant et en la savourant, il n'existe pas de plus grands délices. Là, le repos de l'âme enivrée d'amour, là ses délices, sa vie » (Aut. I, 216-218).

Voici maintenant l'annonce prophétique des contemplatives de la Croix, toutes consacrées à une vie d'immolation d'amour : « J'étais en oraison, quand tout d'un coup, se présenta à mon regard intérieur une procession indéfinie de religieuses portant une grande croix rouge... Elles s'en allaient par file de deux et mirent beaucoup de temps à passer » (Aut. I, 219). Elles sont maintenant plus de quatre cents religieuses, au Mexique, au Guatemala, en Espagne. « Quelques jours après le Seigneur me dit : « Il y aura aussi une Congrégation d'hommes après la fondation féminine, mais je te parlerai de cela au moment opportun » (Aut. I, 222-223).

C'est à toute l'Eglise que doit être annoncé le message de la Croix : « Oui, cet Apostolat de la Croix s'étendra au monde entier et me donnera beaucoup de gloire ». Enfin le Seigneur révèle à Conchita qu'elle aura à continuer dans l'Eglise l'œuvre de sainte Marguerite-Marie ; et la voilà ausitôt qui en réfère à son directeur : « Mon Père, j'ai honte de vous dire cela, mais c'est Jésus lui-même qui a évoqué le souvenir de Marguerite-Marie. Il m'a dit qu'Il les avait choisies toutes les deux, l'une pour une chose et l'autre pour une autre, c'est-à-dire : l'une pour révéler au monde son Amour et l'autre sa souffrance... Vous me comprenez ? » (J. mai 1894). Dans une lettre au Père José Alzola, provincial des jésuites, Conchita précisera un peu plus tard : « L'Apostolat de la Croix est l'œuvre qui continue et complète celle de mon Cœur et qui fut révélée à la bienheureuse Marguerite-Marie. Dis-bien qu'il ne s'agit pas seulement de ma Croix extérieure comme instrument divin de la Rédemption. Maintenant cette Croix se présente au monde pour attirer les âmes vers mon Cœur, cloué en elle. *L'essentiel de cette Œuvre consiste à faire connaître les* DOULEURS INTÉRIEURES *de mon Cœur auxquelles on n'est pas attentif et qui constituèrent pour Moi une Passion plus douloureuse que celle que mon Corps a souffert sur le Calvaire, à cause de son intensité et de sa durée, perpétuée mystiquement dans l'eucharistie. Dis-le : jusqu'à ce jour, le monde a connu l'Amour de mon Cœur manifesté à Marguerite-Marie, mais il était réservé aux temps actuels de faire connaître sa souffrance dont j'avais simplement montré les symboles et d'une manière extérieure. Répète-le : on doit pénétrer à* L'INTÉRIEUR *de cet océan sans limite d'amertume et le faire connaître du monde entier afin d'obtenir que la souffrance des fidèles s'unisse à l'immensité des douleurs de mon Cœur,* car cette souffrance se perd en sa plus grande partie. Je veux que l'on en profite par le moyen de l'Apostolat de la Croix en faveur des âmes et pour la consolation de mon Cœur.

« Il y a un mois, au cours de la journée, le Seigneur m'a dit soudain : « L'Œuvre de la Croix est la continuation de celle de mon Cœur ; elle renferme également la continuation des révélations faites à la bienheureuse Marguerite-Marie » (Lettre au Père José Alzola, provincial des jésuites, 14 novembre 1899).

X. Vie quotidienne transfigurée

Il ne faut pas imaginer Conchita comme une mystique aux yeux extatiques et aux attitudes figées. Ses enfants me l'ont répété souvent : « Rien n'était plus naturel que son extérieur. » C'est le point sur lequel ils insistaient le plus. « Même à l'église, on la sentait avec nous. »

On lit dans son journal des pages révélatrices de sa manière de concevoir la perfection chrétienne selon le véritable esprit de l'Evangile. Il est curieux d'analyser aussi ce qu'elle intitule ses Résolutions de retraite à la fin de ses Exercices spirituels de dix jours : du 20 au 30 septembre 1894. Conchita a trente-deux ans. Ce ne sont pas les résolutions d'une religieuse mais d'une femme mariée, mère de famille et maîtresse de maison : sous l'impulsion de son directeur, elle les répartit avec méthode : dix-sept points pour ses relations avec son mari, vingt-trois pour son comportement quotidien avec ses enfants ; et une page finale, en sept points, pour orienter son attitude de justice, de bonté et de charité avec les familiers de la maison.

En voici quelques extraits :

— « *Avec mon mari :* je ferai tous mes efforts pour ne pas perdre sa confiance mais plutôt la gagner de plus en plus. Je m'informerai de ses affaires, je demanderai à Dieu la lumière pour lui suggérer de sages conseils...

— Je ferai en sorte qu'il trouve en moi, consolation, sainteté, douceur et totale abnégation. Egalité de caractère en toutes circonstances, et même, oui, jusqu'à un certain point, qu'il voie transparaître Dieu dans mes actions pour son profit spirituel...

— Jamais, d'aucune manière, je ne parlerai mal de sa famille ; je la disculperai toujours, je me tairai, veillant à ce que lui aussi respecte la mienne...

— Je veillerai à l'économie sans tomber dans l'excès, très attentive à ce que rien ne manque à personne, et réalisant par moi-même bien des choses qui entraîneraient des dépenses. Je serai ingénieuse en toute circonstance. Je ferai l'aumône dans la mesure du possible...

— Quant à l'éducation de mes enfants, j'agirai de manière que nous soyons toujours en plein accord, avec énergie et droiture de la part de l'un et de l'autre...

Avec mes enfants : j'aurai un soin spécial et vigilant...

— Je leur recommanderai la charité envers les pauvres, leur suggérant de se priver de ce qu'ils possèdent à leur usage personnel...

— Je ne les fatiguerai pas en les surchargeant de prières et en leur rendant la piété fastidieuse, au contraire je m'efforcerai de la rendre agréable à leurs yeux afin qu'ils la recherchent, puisant de l'élan en des brèves invocations jaculatoires...

— J'étudierai le caractère de chacun d'eux et je les exhorterai autant qu'il convient, sans jamais me laisser fléchir par mon affection naturelle. En général, je ne céderai pas et, sans dévier, je ne changerai pas mes décisions et résolutions. Je saurai les leur imposer et en même temps attirer leur confiance...

— Je m'arrangerai pour qu'ils voient pratiquer par leur père certains actes de piété, afin que son exemple leur soit utile en tout...

— J'en ferai des hommes, sachant se maîtriser dans les plus petites choses, sans jamais offenser Dieu. Qu'Il daigne me l'accorder : plutôt la mort, mille fois, que le péché. Je le demande au Seigneur de toute mon âme...

— Avec ma fille j'agirai d'une manière toute particulière.

Avec les familiers de la maison : je serai douce et loyale...

— Je veillerai sur leur moralité..

— Je les aiderai pécuniairement et, par moi-même si possible, en cas de maladie...

— Je prendrai un soin spécial de leur âme, leur fournissant la possibilité d'entendre des sermons, les instruisant sur le plan religieux, et m'assurant qu'ils accomplissent leur devoir d'assister à la Messe. » (J. 6 octobre 1894).

Telle nous apparaît Conchita. Cette jeune femme de trente-deux ans est un modèle d'épouse, de mère de famille et de maîtresse de maison. Elle compose elle-même un « *Règlement de vie* » qui oriente sa conduite, mais sans rigidité, dans un souci de fidélité à Dieu et de service des autres par amour.

Voici encore quelques notations évocatrices de l'esprit qui l'anime :

— « Je me propose d'accomplir toujours le plus parfait.

— Je me propose de chercher en toutes choses Jésus et sa Croix, en conformité avec sa sainte volonté.

— Je me propose dans la pratique de poursuivre les intérêts du Christ et non les miens. »

Mais elle ajoute avec réalisme et un grand sens d'adaptation :

« Je ne m'inquiéterai pas si les circonstances m'empêchent d'observer mon Règlement de vie. Je continuerai tranquillement. Je serai souple devant les difficultés, avec humilité... puis : en avant, toujours de l'avant ! (Extrait de son « Règlement de vie », composé le 21 août 1894).

Ses relations sociales l'amènent à des réunions et une variété de divertissements, comme femme du monde et mère de famille. Elle ne s'y dérobe pas. Elle va partout avec le sourire, mais son cœur est tout au Christ : « Cette nuit, je suis allée au cirque » (J. 12 août 1894). « Dans quelques instants, je vais au théâtre. Moi, qui fuirais le monde de tout mon cœur, je dois me présenter à lui en souriant et être joyeuse, me gardant bien de manifester le moindre mécontentement qui suffirait à causer à mon mari un grand déplaisir. Me voici sur la croix de tous les côtés. O Jésus, aide-moi ! Donne-moi de savoir composer mon attitude et de garder mon cœur inviolablement fidèle, sachant me dominer afin que rien ne me trahisse en présence de ceux qui ne peuvent me comprendre. » (J. 17 mai 1894).

La voilà maintenant emportée par les fêtes du carnaval : « Hier, je n'ai pu écrire. Dans l'après-midi, j'ai dû accepter d'aller avec mon mari pendant quatre heures en voiture découverte dans un brouhaha de foule atroce. Autant que je l'ai pu, j'ai multiplié les actes d'amour, de réparation et de pénitence » (J. 28 février 1900). Ce n'est pas une femme mondaine qui se promène au milieu des folies du carnaval, elle porte sur les hommes et sur les femmes qui s'amusent follement le regard du Crucifié.

Elle ne se trouve à l'aise que dans son foyer et dans le cercle de sa famille et de ses amis. Alors elle devient le boute-en-train des réunions et des fêtes. Tout le monde la recherche. Elle a pleine conscience que sa place de mère et d'éducatrice est surtout au milieu de ses enfants : « Je dois former le cœur de mes huit enfants, lutter contre huit caractères, écarter le mal, introduire et développer le bien. Une longue patience, une grande prudence et beaucoup de vertu sont nécessaires pour accomplir saintement cette mission de mère. Dans toutes mes oraisons, le premier cri de mon cœur est pour demander des grâces pour mon mari et pour mes enfants. Il est évident que j'espère tout d'en-haut, tout de ce Dieu infiniment bon et de Marie, notre Mère à tous, à qui je les ai spécialement confiés et recommandés. Elle sera leur bouclier, leur lumière, leur guide, leur protectrice très aimée. Une dévotion aimante envers Elle les sauvera de tous les dangers de ce monde misérable, si rempli d'écueils. O Mère, aide-nous, enveloppe-les tous du manteau de ta pureté, ne nous abandonne jamais jusqu'à ce que soit assurée notre éternité bienheureuse. O Marie, ta pureté pour mes enfants ! Que jamais ils ne souillent leur âme, tant aimée ! Que tous soient à Dieu ! Que Lui seul soit leur respiration et leur vie. O Vierge, garde-les sous ton regard ! Ils sont à toi avant d'être à moi » (J. 16 août 1899).

Ainsi la vie quotidienne de Conchita se déroulait, comme celle de toutes les mères, dans une alternance de peines et de joies : « Hier, j'ai fêté mes trente-sept ans. Extérieurement, ce fut pour moi une journée remplie de toutes les satisfactions que je pouvais désirer de la part de mon mari, de mes enfants et des autres membres de la famille et pourtant la tristesse, le vide, remplissaient mon cœur, encore dans la souffrance et luttant pour me dominer. J'ai eu la joie de voir attribuer à mes enfants beaucoup de récompenses à la distribution des prix au collège et d'être très applaudis, ce qui m'a provoqué des mouvements de vanité bien que je me sois efforcée de les chasser. J'ai offert au Seigneur tous les cadeaux reçus, demeurant moi-même dans ma pauvreté chérie. Je tremble de ma faiblesse, le monde nous offre de si nombreuses occasions de fléchir et je me sens capable de tout. Hier, j'ai renouvelé mon offrande totale à la volonté divine, m'abandonnant sans réserve entre les mains de Dieu » (J. 9 décembre 1899).

Les soucis ne manquaient pas à la maison et les épreuves de santé pesaient parfois douloureusement. C'était elle-même ou ses enfants qui étaient gravement malades et la mort frôlait l'existence familiale : « Selon ses desseins supérieurs le Seigneur m'a rappelée des portes de l'éternité, du bord de la tombe. Ayant à peine la force d'écrire, je reprends la plume pour continuer mon Journal. Une terrible pneumonie m'acheminait vers la mort. Je suis maintenant en convalescence mais fragile et douloureuse, avec en plus mille ennuis : ma dernière fille elle aussi allait vers la mort. Un autre enfant est atteint d'une grave maladie contagieuse, ce qui me prive de voir la première ; douleur déchirante pour un cœur de mère. Soyez béni, Seigneur ! » (J. 21 avril 1898), « Et bien d'autres croix que Jésus a placé sur mes épaules. Seul le secours de Dieu m'a permis de supporter tout cela avec patience. J'ai vu la mort de très près. Il m'a fallu pratiquer en vérité et au plus intime de mon âme l'abandon total entre les bras de Dieu, détachée de mes enfants, moi, épouse et mère, ce qui coûte beaucoup à la nature. J'ai trouvé une grande paix, à chaque instant, à me tenir en la présence de Dieu. Parfois la peur venait me troubler et une nuit, me blotissant dans ses bras, je dis au Seigneur : « J'ai peur ». — « Ne crains pas », m'a-t-il répondu. « Sois tranquille », et comme ses paroles sont réalisatrices, à partir de ce moment, j'ai senti un apaisement dans l'âme et une confiance illimitée, avec la certitude que je n'allais pas mourir. » (J. 21 avril 1898).

Ainsi allait sa vie, maladies et infirmités s'accumulant sur elle. Elle portait seule sa souffrance dans son cœur et gardait toujours le sourire : « Le Seigneur m'a dit : « Ne te plains pas de tes souffrances devant les étrangers. Ne leur laisse pas voir tes peines, cela diminuerait ton mérite. Souffre en silence. Laisse-moi œuvrer en toi et passe sur la terre silencieusement et obscurément crucifiée » (J. 30 avril 1898).

Son foyer était joyeux et animé. « Maman souriait toujours », me disaient ses enfants ; et, lorsque, à la fin de mon premier séjour au Mexique, en 1954, après une enquête minutieuse, je déclarais à ses fils : « Votre maman était une grande sainte et une grande mystique », ils me répondirent aussitôt : « Sainte ou mystique, nous n'en savons rien, mais des mamans comme celle-là, il n'y en a plus. »

XI. Le « cloitre intérieur »

Où découvrir le secret d'une telle vie ? Indubitablement dans son amour pour Dieu et dans un incroyable amour pour le Christ. Sa vie quotidienne est transfigurée par la foi. Rien ne la désigne à l'attention admirative de son entourage. C'est une femme dont l'existence ressemble à celle de toutes les autres. Dieu façonne en elle un modèle pour les femmes d'aujourd'hui qui vivent dans leur foyer, leur milieu de travail et leurs occupations quotidiennes avec la simplicité de l'Evangile, fidèles à tous les devoirs, généreuses, dévouées, parfois héroïques sans même le soupçonner. C'est un type nouveau de sainteté féminine dont le monde actuel a besoin. Le Seigneur le déclarait à Conchita : « Je veux faire de toi une sainte connue de Moi seul. Voilà pourquoi je prends soin de toi, je t'avise, je te dirige, je veille sur toi... Je veux que tu sois un miroir de vertus cachées... rien d'extérieur. Je suis las de cet écueil où périssent ou bien s'arrêtent un grand nombre d'âmes qui devraient être toutes à Moi... Toi, si tu es mienne, si tu m'écoutes, si tu te méprises, si tu dépasses tout, sans te laisser retenir par rien, enfin si ton regard et ton cœur demeurent continuellement fixés sur Moi, tu réaliseras ce que j'attends de toi. » (J. 19 avril 1895).

Le Maître savait que son humble servante, répondant à son appel, marcherait à sa suite dans les voies d'une vie cachée : « Je veux être une sainte. Cette aspiration sans limite ne me quitte pas, malgré le poids de ma misère. Mon âme a le désir, un grand désir de sainteté sous cette forme ; c'est ainsi que je la demande au Seigneur avec tout l'élan de mon cœur. Je veux une sainteté obscure, semblable aux ténèbres de la nuit, que Dieu seul puisse voir. Je veux que la clarté du jour ne laisse apparaître de mon âme qu'une chose méprisable et quelconque. Bien plus, dans mon cœur brûle le désir ardent que le monde me juge comme « le rebut du peuple et l'opprobre des hommes » comme « un ver et non un être humain » (Ps 22, 6). (J. 19 septembre 1897).

Pour pouvoir rester unie à Dieu au milieu des agitations extérieures et des tâches quotidiennes, Conchita se réfugiait dans son « cloître intérieur », comme Ste Catherine de Sienne dans sa « cellule intérieure » où elle retrouvait constamment le Christ par la foi et l'amour. Sous des formes différentes, ce sont les mêmes consignes d'union que le Christ donne à tous ses disciples, comme, dans son discours d'adieu, autrefois à ses Apôtres. « Demeurez dans mon amour. Demeurez en Moi et Moi en vous. Sans Moi, vous ne pouvez rien faire » (Jn. 15, 4-5 a). Il ne cessait de redire à Conchita : « Je ne veux pas que tu te dissipes extérieurement avec les créatures. Non, ta mission est autre et tu dois y correspondre avec une extrême fidélité. Plus d'entretiens ni de paroles inutiles. Tu dois vivre cloîtrée dans le sanctuaire tout intérieur de ton âme, parce que c'est là que réside l'Esprit-Saint. C'est dans ce sanctuaire que tu dois vivre et mourir. Là tes délices, tes consolations, ton repos. Ne le cherche pas ailleurs, tu ne l'y rencontrerais pas ; c'est dans ce but que je t'ai spécialement créée. Entre, dès aujourd'hui, au plus intime de ton âme, à l'intérieur de ces régions, inconnues à tant d'autres mais où l'on trouve ce bonheur que Je suis Moi-même, entres-y pour n'en sortir jamais.

« Et voici le chemin qui t'y conduira : modestie, recueillement et silence. Il n'y en a pas d'autre...

« Enferme-toi dans ce *cloître intérieur,* « claustro interior », dont Je t'ai parlé tant de fois, t'offrant pour que Marie soit ta maîtresse.

« Là, tu trouveras la pureté absolue, tu mesureras l'ampleur de cette vertu dans toute sa plénitude. Là, tu découvriras un reflet divin dans la pureté de l'âme. Là, t'attendent les dons et les fruits du Saint-Esprit pour ta propre sanctification et, par toi, pour la glorification de Dieu.

« Là, ton âme revêtira des ailes et des forces pour aller te perdre dans cette immensité de Dieu dont tu as perçu quelque expérience. Un champ beaucoup plus vaste de vertus t'attendent là pour que tu les pratiques et que tu les comprennes en te laissant crucifier.

« Voilà ton cloître, ta perfection religieuse.

« Il ne suffit pas d'emmurer son corps pour être religieuse...

Le « cloître intérieur » est essentiel pour la sanctification de l'âme qui veut être toute à Moi... Tu ne dois jamais sortir de ce sanctuaire intérieur, même au milieu de tes obligations extérieures. Ce continuel recueillement intérieur te facilitera ces activités dans la mesure même où tu les pratiqueras en présence de Dieu...

« Tu cherches la perfection pour t'approcher de Moi. Tu as là un chemin pratique pour l'atteindre. L'âme pure et recueillie vit en Moi et Moi en elle, non dans le bruit et la vanité, mais dans la solitude intérieure et dans le sacrifice du mépris de soi-même...

« Là, dans ce sanctuaire, que personne ne voit, se trouve la vraie vertu et par suite le regard de Dieu et la demeure de l'Esprit-Saint. » (J. 15 août 1897).

XII. Illuminations divines

Conchita vit au cœur du monde, cloîtrée dans le Christ. Alors apparaissent des horizons nouveaux. Son cœur grandit aux dimensions de l'Eglise : « Le Seigneur déroule devant moi des panoramas spirituels qui me laissent muette d'admiration. Soudain je me trouve engagée dans les plus profonds secrets de la vie spirituelle. Je contemple ses beautés ravissantes, ses redoutables abîmes, ses délices et ses dangers. Je ne sais dans quel but et de quelle manière Il me conduit dans ces parages inconnus... Pourquoi ces éclairs de lumière intérieure jaillissant en moi et à n'importe quel moment ? Pourquoi le surnaturel et le divin se présentent-ils à moi avec une telle clarté ? Je ne puis m'empêcher ni de le voir, ni de le comprendre. Parfois je pense que tout cela est purement naturel et accessible à mon intelligence mais je connais la rudesse et les limites de mon esprit et je ne puis pas faire moins que de confesser en moi-même que *de telles clartés sont extraordinaires* et des grâces du ciel, encore que je n'en comprenne pas le but » (J. 21 mars 1901).

Dieu avait prédestiné une simple laïque, sans culture savante, à illuminer son Eglise. C'est là, incontestablement, le pourquoi de ces lumières divines qui nous étonnent et ne peuvent s'expliquer que par illumination spéciale de l'Esprit-Saint, intuitions surnaturelles portant sur les mystères les plus fondamentaux du christianisme. Nous n'en citerons que quelques exemples pour ne pas alourdir le simple récit du film de sa vie, réservant pour une seconde partie, l'exposé de ses grands thèmes spirituels. Le Seigneur l'a éclairée sur les voies de la sainteté, sur les mystères de l'Eglise, sur les prêtres, par dessus-tout et progressivement sur le mystère de Dieu et les abîmes de la Trinité, non d'une manière spéculative et abstraite, mais toujours en relation avec sa vie personnelle et concrète pour l'aider dans sa montée vers Dieu.

Lumières sur l'immensité de Dieu

Voici quelques-unes de ces élévations dogmatiques sur l'immensité de Dieu, sur l'essence de Celui qui est, sur la Trinité et l'Incarnation et sur la Génération éternelle du Verbe.

« J'ai reçu et expérimenté de très vives lumières sur l'immensité de Dieu... Je voyais Dieu si grand, tellement infini en tous et en chacun de ses attributs. Je me sentais perdue comme une goutte d'eau dans cet océan, et en ces horizons immenses comme un imperceptible atome. Je me sentais submergée en Dieu. Je l'étreignais, me sentant comblée dans la soif infinie de mon cœur, en son sein infini. Je trouvais ma joie à sentir que rien ne diminuait en Dieu, égal, oui, toujours égal à Lui-même. Quelle merveille ! Impossible de l'expliquer. Je ne pouvais que le percevoir et le savourer. J'expérimentais aussi une allégresse spirituelle inexplicable à scruter mon néant en face de son altitude infinie, à prendre conscience de mon impuissance et de ma faiblesse devant sa grandeur et sa puissance. Je jubilais de mon rien et de ma fragilité, de ma misère et de mon néant, le sentant, Lui, mon Dieu, d'une telle grandeur, d'une telle infinité et pour toujours, pour les siècles des siècles...

« D'autres fois, j'expérimentais cette formidable présence illuminatrice de mon Dieu au plus intime de mon être, une soif infinie, un élan irrésistible et continuel vers cet Etre unique, le seul capable de me satisfaire... Je sentais au dedans de moi, comme une espèce d'harmonie et de ressemblance avec Dieu lui-même. Et je me disais : « Comment peut-on douter de l'existence de l'âme et de son immortalité ? ». Ces pauvres êtres n'ont donc jamais expérimenté ce que j'essaie d'exprimer.

« A d'autres moments, je sentais comme un élancement de

l'âme, telle une grande flamme qui tend à monter toujours plus haut, semblable, pensais-je, à une masse de vapeur qui s'élève et surpasse tous les obstacles, allant se perdre, se dissoudre dans l'objet de ses désirs. « Dieu ! Dieu !, répétais-je, Dieu ! Mon Dieu !... cet Etre si grand tout à moi. Mon Créateur devenu mon Rédempteur... Cette vie, toute divine, avide de souffrir et de mourir pour me donner la vie sur une croix... et pour moi !

« Quel est celui qui n'aurait pas le cœur arraché par de telles réflexions ! Jamais je n'avais senti avec une telle véhémence cette immensité de notre Dieu ». (J. 10 mars 1895).

« *Je suis Celui qui suis* »

Avec une sûreté doctrinale sans défaut, l'esprit de Conchita s'élève jusqu'au sommet suprême de la révélation divine où, d'après l'Exode (3, 14) Dieu manifesta à Moïse sur le Sinaï sa nature intime comme le Dieu de l'Alliance avec son Peuple élu. Le génie scientifique et architectural d'un saint Thomas découvrira dans ce texte privilégié « la Vérité sublime » (Contra Gentes) dont il fera la clé de voûte de sa Somme théologique : « Je suis l'existence même ». Toute la synthèse thomiste s'ordonne autour de cette vérité fondamentale. Si Dieu parle à une femme, s'il lui révèle le secret de son Etre, c'est pour l'établir dans la prise de conscience de son néant et en faire le point de départ de sa montée spirituelle. Le Seigneur n'avait-il pas énoncé la même vérité de base à Ste Catherine de Sienne ?... Au début de ses visions divines, c'est-à-dire au temps où Notre-Seigneur commençait à se manifester à la sainte, Il lui apparut un jour pendant qu'elle priait et lui dit : « Sais-tu, ma fille, qui tu es et qui Je suis ? Si tu as cette double connaissance tu seras heureuse. Tu es celle qui n'est pas, Je suis Celui qui suis. Si tu gardes ton âme en cette vérité, jamais l'ennemi ne pourra te tromper, tu échapperas à tous ses pièges ; jamais tu ne consentiras à poser un acte qui soit contre mes commandements, et tu acquerras sans difficulté, toute grâce, toute vérité, toute clarté » (Vie par le Bx Raymond de Capoue, Ch. X).

Dieu s'adresse presque de la même manière à la grande mystique mexicaine, qui le relate dans son Journal, encore toute bouleversée par la révélation de cette vérité suprême.

« Moi, éternellement Je suis : « Je suis » enveloppe toute l'éternité ; pour Moi, il n'existe ni « avant », ni « après », ni passé, ni futur. Je ne puis pas dire : « J'ai été » ou « Je serai », mais éternellement Je suis.

— « Pourquoi me dis-tu cela, Seigneur, si je ne le comprends pas ?

— « Avant la création, dans le tréfonds de mon être éternel, sans commencement : JE SUIS... JE SUIS maintenant... JE SUIS éternellement, JE SUIS par moi-même. On ne m'a rien apporté. Je suis Celui qui donne tout. Je porte en moi toutes les perfections et attributs que Je produis de ma propre essence. Je suis bienheureux parce que Je suis éternel, me réjouissant toujours au dedans de moi-même, Vérité éternelle : Père, Fils et Saint-Esprit, le Tout dans l'Unité, trois Personnes dans une seule substance : voilà ton Dieu trois fois Saint ! Saint ! Saint !

« Et moi, en vérité, me voici confondue. Ma pensée se perd, ma raison m'échappe et, quand je me sens à de telles altitudes, je ne puis que m'humilier dans l'abîme sans fond de mon néant. Je ferme les yeux, je crois et j'adore !...

« Je crois qu'il n'existe pas de meilleure leçon d'humilité que celle-la. Comment devant Dieu, en présence d'une telle grandeur, se croire quelque chose de grand, misérable atome que l'on est ? Comment se considérer comme quelque chose de bon en comparaison de cette bonté sans limite ? Comment se proclamer parfait en présence d'une telle lumière sur ces perfections infinies ? Comment s'estimer pure, en face de cette Vérité éternelle ? Oh ! comme nous sommes fous, nous autres, pauvres êtres de ce monde, quand nous nous croyons quelque chose ou nous nous considérons capables de la moindre chose !

« A la vérité, depuis que j'ai touché Dieu et que j'ai entrevu d'une manière infime quelque chose de son Etre, je voudrais prosterner mon front et mon cœur dans la poussière et ne plus jamais me relever » (J. 8 août 1896).

Trinité et Incarnation

La Très Sainte Trinité aussi se découvre à elle mais à travers le cheminement de l'Incarnation. Il en est toujours ainsi chez les mystiques : par l'humanité du Christ vers les splendeurs de la Trinité.

« Le Seigneur éleva ensuite mon esprit à la contemplation de l'Incarnation du Verbe. Il me fit entendre des choses très profondes en relation avec la Très Sainte Trinité dont Il est la seconde Personne.

« Le Seigneur me dit : « De toute éternité mon Père existait. Il a produit du tréfonds de lui-même, de sa propre substance, de sa même essence : son Verbe. De toute éternité aussi, dès le commencement, déjà était le Verbe-Dieu et le Père, qui est Dieu, les deux Personnes ne constituant qu'une même susbtance divine. Mais jamais, en aucun instant, ces Personnes divines, le Père et le Fils, ne furent seules ou seulement deux. En cette même éternité, mais inspiré par le Père et le Fils, existait l'Esprit-Saint, reflet, substance, essence du Père et du Fils et, également Personne. Le Saint-Esprit est un reflet divin au sein de la même divinité, le reflet de l'Amour au sein de l'Amour lui-même. Il est le reflet de la Lumière au sein de la Lumière même, le reflet de la Vie à l'intérieur de la Vie elle-même et ainsi de toutes les perfections infinies au plus intime de la perfection éternelle. Cette communication de la même substance, de la même essence, de la même vie et des mêmes perfections qui forment et qui sont en réalité une seule et même essence, substance, vie et perfection, constituent la félicité éternelle d'un même Dieu et les complaisances sans fin de l'auguste Trinité.

« Oh ! que notre Dieu est grand, immensément grand et, en Lui, quels abîmes incompréhensibles pour l'homme et pour les anges ! En présence de cette grandeur, je me sens comme l'atome le plus minuscule, mais à sentir mon âme infinie, capable de recevoir un faible reflet de cette même grandeur, elle se dilate, toute joyeuse, de contempler la félicité, l'éternité, l'incompréhensibilité de l'immensité de son Dieu.

« Est-ce là qu'est le Verbe ? Et je me dis, toute émue : c'est de ce trône qu'Il descend vers un pauvre atome de la terre. O mon Dieu éternel, comment accepter une telle condescendance ?

« Jésus poursuivit : « Le Verbe, la seconde Personne de la Très Sainte Trinité, est descendu dans le sein très pur de Marie et, par l'opération du Saint-Esprit qui l'a rendue féconde, comme Je te l'ai dit d'autres fois, le Verbe s'est incarné et Il s'est fait homme ! Très profond abaissement que seul l'Amour d'un Dieu pouvait réaliser. Le Verbe a fait sienne la nature humaine. En même temps que son corps, Il reçut une âme sainte, très pure qui l'animait. Mais en devenant homme et en descendant sur la terre, Il n'en est pas moins resté une Personne divine dans son humanité de Rédempteur.

« J'entendais sur ce merveilleux et sublime mystère des choses si profondes que je dois garder pour moi seule, ne pouvant les expliquer à d'autres, faute de paroles...

— « Dis-moi, Jésus, quand je réfléchis sur ton Incarnation très sainte, je me demande, comment cela s'est-il accompli ? Voudrais-tu me l'expliquer ?

— « En Dieu, daigna me répondre le Seigneur, bien qu'il y ait trois Personnes distinctes, il n'existe qu'une seule volonté, une même substance, une même puissance. Cette volonté, cette toute-puissance ont réalisé ce mystère de l'Incarnation du Verbe, en ce sens que le Saint-Esprit, l'Esprit du Père et du Fils, est Celui qui l'a accompli... La troisième Personne est le lien de Lumière et d'Amour, la source divine de toute fécondité. Ainsi, étant moi-même aux bords du Jourdain, à la vue de tout le monde, apparut une colombe, symbole de l'Esprit-Saint ; et la voix du Père se fit entendre, disant : « Voici mon Fils Bien-Aimé, en qui J'ai mis toutes mes complaisances » (Mt. 7, 17 pp.) (J. 25 février 1897).

Et voici la merveille des merveilles :

La Génération éternelle du Verbe

« Une nuit, le Seigneur m'invite à faire oraison, élevant mon âme à ces sommets de la divinité qui me faisaient peur à cause de ma grande misère. Cette nuit-là, j'ai résisté le plus possible. Comme par punition, mon âme demeura d'un froid glacial.

« Le jour suivant, aussitôt après la communion, je sentis une impulsion divine. Je résistai encore, autant que possible, mais ne pouvant méditer, je finis par ouvrir mon âme à Dieu, m'abandonnant pleinement à sa volonté. A peine eus-je fait cela que je me suis sentie submergée dans un abîme de lumière, de clarté, de ce quelque chose d'inexplicable qui emportait en moi tous mes sentiments, laissant mon âme comme en suspens fixée sur un seul point, et ce point était : Dieu ! Dieu ! abîme de pureté et d'infinies splendeurs !

« Là, je vis, (je dis bien : je vis, pour mieux m'expliquer), je vis, je sentis, ce qui ne m'était jamais arrivé : la Génération éternelle. Je ne savais pas qu'il y avait en Dieu une génération. Je n'y avais jamais pensé. Une Génération éternelle ! Une Génération divine ! Oh ! si je pouvais exprimer tout ce que je sens dans ces paroles, ce qu'elles ont laissé de traces dans ma mémoire et dans mon cœur. L'impression que j'ai ressentie et expérimentée alors sur cette Génération divine fut si vive que j'en tremble encore et que j'en demeure comme muette.

« Je vis un grand foyer d'une très vive et très pure lumière. De cette lumière incréée jaillissaient des rayons éblouissants de clarté divine. Tout était divin. C'était une même divinité dans une éternité sans commencement. Alors mon âme, comme transportée dans ce lieu, contempla ce torrent de lumière, de feu, de vie qui retournait pour ainsi dire vers le foyer même dont il était parti, comme refluant sur soi et se reflétant sur lui-même. Je ne sais comment m'exprimer. Mon Dieu ! Dans cet éblouissement de lumière, de feu, de vie, d'une identique divinité, je compris comment se produit la Génération du Verbe, de ce Verbe qui, dès le commencement était !

« Je sais parfaitement qu'aucune de ces Trois Personnes divines n'est antérieure à l'autre, mais je ne parviens pas à expliquer ce que j'ai vu ni de quelle manière.

« Dans cette production du Verbe, revêtu de toutes les perfections du Père et formant deux Personnes divines en une seule substance, une même volonté, une seule puissance, une seule beauté, une même lumière et une même vie, en cet unique instant s'établit entre ces deux Personnes divines une complaisance, une félicité, une union d'amour, oui, une union qui produit la Troisième Personne divine : l'Esprit-Saint. Lui-même parachève tout. Il est le Lien indispensable entre le Père et le Fils. Sans Lui, Ils ne pourraient exister. Cette indivisible Unité est si belle, si parfaite, si pure qu'on ne peut le comprendre adéquatement sur la terre ni même dans le ciel, en dehors de Dieu lui-même. Cette Unité divine constitue la félicité des saints, la pureté des anges, la flamme ardente des séraphins.

« O Trinité ! Trinité bienheureuse ! Lumière de Lumière en qui n'apparaît pas la moindre petite ombre, rendez-moi pure comme un cristal, pure pour laisser transparaître en moi les rayons de votre divinité. O Génération éternelle ! O Père, Fils et Saint-Esprit ! Je me réjouis dans le secret sublime de votre Félicité incompréhensible. Je vous aime tellement, que s'il m'était donné d'augmenter d'un atome votre béatitude, même au prix de ma vie et de ma damnation — pourvu que se soit sans péché — je le ferais. Je ne sais, non, je ne sais ce que j'éprouve à contempler ce foyer de bonheur dans lequel Ils vivent la même Vie. Je voyais les Trois Personnes divines, distinctes mais unies en un même Centre, un même amour, une même substance, un même bonheur et les mêmes perfections » (J. 17 juillet 1897).

En présence de telles élévations dogmatiques, je ne pus m'empêcher de dire un jour, à Rome, à son Eminence le cardinal de Mexico, qui a connu personnellement la servante de Dieu : « Cela n'est pas d'une femme mais d'une inspirée de Dieu. » Il acquiesça pleinement.

XIII. « On m'assure que mon esprit est de Dieu »

Malgré la discrétion personnelle de la servante de Dieu dans la fondation des Œuvres de la Croix, ce cas exceptionnel de Conchita, entouré de confidences secrètes, d'accueil enthousiaste ou d'oppositions, ne pouvait manquer de poser certains points d'interrogation. L'archevêque de Mexico fut consulté. Il prescrivit un examen de sa vie et de ses écrits. Conchita se montra toujours docile aux enseignements et aux directives de l'Eglise : « Je crois en Elle, en sa divinité, en son indéfectibilité ; je donnerai mon sang pour défendre la pureté de sa doctrine et de ses dogmes » (J. 31 mars 1900).

En octobre 1900, Conchita fut examinée par des théologiens et des hommes de grande expérience.

« 1er octobre 1900. Aujourd'hui, après un rigoureux examen et après avoir prié, le R.P. Melé, Visiteur de la Congrégation du

Cœur de Marie, m'a assuré que mon esprit était de Dieu et qu'il était disposé à l'attester. »

Le lendemain, 2 octobre, elle ajoute simplement : « Aujourd'hui, le Père del Moral, Visiteur et Provincial des Paulins, m'a confirmé que mon esprit était de Dieu. »

3

Veuve

«O nuit de solitude
de douleurs,
de souffrance !...»

I. La mort de mon mari

« Le 17, à sept heures moins cinq du soir, le Seigneur m'a repris l'époux qu'Il m'avait donné sur la terre durant seize ans, dix mois et neuf jours. Le Seigneur me l'avait donné, le Seigneur me l'a enlevé, que son saint Nom soit béni ! Le terrible coup de poignard intérieur de la nuit du 11 m'avait fait pressentir, sans vouloir le comprendre, que le Seigneur allait me demander le sacrifice de la vie de mon mari, auquel mon âme était disposée, mais que mon cœur de chair refusait, en résistant. Au cours de cette cruelle douleur intérieure, je me suis prosternée, m'offrant à la volonté de Dieu, sentant grandir en moi, de plus en plus, et la mesurant clairement, toute l'étendue du sacrifice.

« Que de luttes... que de peines... que de souffrances ! Ce poignard transperçait mon âme sans aucun adoucissement, sans consolation. Cette nuit-là, le Seigneur me présenta le calice et me le fit boire goutte à goutte jusqu'à la lie. Durant ces jours, je m'en allais auprès du Tabernacle pour y puiser soutien et force. Oh ! si je n'avais pas été soutenue par Lui ! ma grande faiblesse eût succombé ! Je voyais, je constatais, moment par moment, que mon mari perdait la vie. Quel modèle d'époux, de père ! Quel homme droit ! Quelle finesse, quelle délicatesse dans ses rapports avec moi, si respectueux en tous ses actes, si chrétien dans ses pensées, si honnête, si parfait en toutes ses actions ! Mon Dieu ! Mon cœur était déchiré par la peine et aussi par le remords que j'éprouvais de ne lui avoir pas révélé les secrets de mon âme. A mesure que je voyais approcher la séparation, la tendresse de mon cœur envers lui prenait des proportions de plus en plus considérables. Je sentais que je n'avais plus ni tête, ni foi, ni raison, mais seulement un cœur. J'éprouvais comme de l'horreur pour la vie spirituelle... Quelles journées !... Quelles heures !... Quelles nuits !...

« Oh ! grâce de Dieu, de quoi es-tu capable ! Il est certain que durant ces jours-là je ne pus faire d'autre oraison que celle-ci : « Que votre volonté soit faite sur la terre comme au ciel ! » Mais dès cet instant, j'ai senti la force de l'Esprit-Saint pour accepter avec sérénité le coup terrible qui venait directement frapper mon cœur et enlever leur père à mes enfants. » (J. 27 septembre 1901).

« Déjà je m'étais préoccupée de le faire confesser et lui faire recevoir le saint Viatique... J'ai récité, à plusieurs reprises, les prières des agonisants et la recommandation de l'âme. Je l'ai exhorté, autant que je l'ai pu, jusqu'à l'instant de sa mort, par des oraisons jaculatoires, des actes de contrition, des actes d'amour, de foi et d'espérance, pour lui donner force et courage. Je les ai répétés mille fois de toute mon âme. Ainsi ai-je passé des heures jusqu'à ce qu'il expire, mon cœur souffrant avec lui au cours de sa terrible agonie... Mais non, je n'étais pas seule à souffrir. Dieu était avec moi qui me soutenait.

« Quatre de mes enfants, les aînés, entourèrent son lit et le virent mourir. A ce moment si solennel, j'ai imposé silence et deux prêtres lui ont donné une absolution. Puis, j'ai récité la prière des défunts. Mon Dieu ! Ce que mon cœur a ressenti !... Toi seul, Tu le sais. Je tombais immédiatement à genoux et j'ai fait au Seigneur, de tout mon cœur, l'offrande d'une chasteté perpétuelle.

« Après cela je lui ai demandé pardon pour tout ce qui aurait pu lui faire de la peine. Maintenant qu'il voyait toutes choses, il devait comprendre, me semblait-il, le pourquoi de mes secrets spirituels avec lui. Après l'extrême-onction, je lui avais demandé de donner ses derniers conseils et de bénir chacun de ses huit enfants, puis, à mon tour, je lui ai demandé sa bénédiction, nous accordant mutuellement le pardon. Dès qu'il eut expiré, ses enfants se sont approchés de lui, un par un, et je leur ai demandé, devant le cadavre de leur père, de me promettre d'être bons et d'imiter ses vertus pour obtenir une bonne mort. Puis avec mon fils aîné, nous avons déposé dans le cercueil celui qui fut mon compagnon...

« Oh ! nuit de solitude, de douleur et de souffrance !... (J. 27 septembre 1901).

II. Visite au cimetière

« Quel jour très douloureux pour mon cœur d'épouse et de mère, que ce jour de la fête de mon mari. Dominant ma nature je suis allée à son tombeau avec mes enfants pour y passer la matinée, tout près de sa dépouille, priant et pleurant... Je me suis souvenue alors du Seigneur pleurant sur Lazare... Quelle réalité, mon Dieu, quel thème de méditation ! Que la mort est quelque chose de terrible et de sérieux ! Là, on pèse le temps et l'éternité, le bien et le mal, le fugitif et l'éphémère avec le réel et l'éternel. Mon Dieu ! Combien j'ai réfléchi, souffert et compris. La terre qui recouvre celui que j'ai tant aimé, est encore humide et récemment remuée. Les larmes de mes enfants et les miennes mouillèrent cette terre, dont nous avons été formés et à laquelle nous retournerons. Alors repassèrent dans mon imagination, en un vol rapide, les années écoulées et leurs souvenirs : peines, joies, et rêves. En un instant tout s'était évanoui, comme une fumée, au souffle de la mort.

« Oh ! que la vie est éphémère ! Combien notre existence est courte ! Combien sont proches le présent et le passé ! Que faisons-nous quand ce temps n'est pas employé pour Dieu seul ? » (J. 4 octobre 1901).

III. Portrait de mon mari

« Ainsi était mon mari : très bon, un chrétien, un gentleman, honnête, droit, intelligent et un grand cœur. Il était sensible au malheur, plein de tendresse avec moi, excellent père de famille, qui n'avait pas d'autre distraction que ses enfants. Ils étaient son bonheur et il souffrait beaucoup quand ils étaient malades. Très soigné dans sa tenue, fin, très poli dans ses manières, plein d'attentions à mon égard, un homme de foyer, très simple, rempli de déférence et de délicatesse. Un caractère fort, énergique, qui avec le temps, s'est adouci. Il me manifestait une grande confiance, me parlait souvent de ses affaires, me demandant mon opinion, bien qu'elle ne vaille rien. Un homme d'ordre et de méthode.

« Dès le lendemain de notre mariage jusqu'à sa mort, il me laissa communier chaque jour. Je lui avais posé cette condition le jour de mon mariage. Il tint fidèlement sa promesse et me gardait les enfants jusqu'à mon retour de l'église. Plus tard, déjà frappé gravement par la maladie, il me disait : « Va communier ». J'habitais alors en face de l'église de l'Incarnation. Je m'y échappais au moment de la consécration et vite, je retournais près de lui. Jamais il n'a lu ce que j'écrivais. Parfois il me trouvait en train d'écrire mon « Journal intime » (Cuenta de conciencia). Il me disait : « Ce sont des choses spirituelles que tu écris ; moi je n'y entends rien ».

« Il fallait bien accepter d'aller parfois avec lui au théâtre ou au bal, surtout quand nous habitions à San Luis, lui n'y allait jamais seul.

« Il avait une grande peur de la mort. Quand je lui lisais quelques passages de l'Imitation de Jésus-Christ, nous tombions souvent sur le chapitre « sur la mort ». Il croyait que je faisais exprès. Deux ans avant sa mort, j'eus le pressentiment qu'il ne tarderait pas à mourir. Je le lui ai dit, le suppliant de faire davantage pour son âme.

« Il était un peu jaloux. Quand j'étais gravement malade, ce qui arriva en de multiples occasions, il m'assistait le jour et la nuit, sans vouloir personne pour me veiller. Tous les dimanches il se rendait à la Basilique (sanctuaire national) pour se recommander à Notre-Dame de Guadalupe.

« Avant de mourir, il fit une confession générale et sa crainte se changea en un parfait abandon à la volonté divine. « Selon moi, disait-il, c'est le moment où je vais manquer le plus à mes enfants, mais Dieu sait ce qu'Il fait et je veux faire sa volonté ». Je l'ai aidé à bien mourir. A ce moment-là, mon front appuyé sur le front de celui qui fut si bon pour moi, je me suis consacrée à Dieu pour être toute à Lui. » (Aut. I, 379-381).

IV. Seule avec mes huit orphelins

Les premiers jours de son veuvage furent terribles pour Conchita. Les médecins crurent qu'elle allait mourir. La pensée de son mari la suivait partout. « Ce qui me console le plus au souvenir du drame qui vient de se passer en sa réalité cruelle et qui a déchiré mon cœur de mille manières, c'est non seulement d'avoir accompli la volonté de Dieu, mais aussi la parfaite conformité de la part de mon mari à accepter la volonté divine. D'autant plus qu'il jugeait lui-même, qu'humainement parlant, sa mission n'était pas achevée, laissant des enfants si petits. « Dieu sait ce qu'Il fait ». Quand je lui disais que mon cœur était accablé de douleur, il me répondait : « Pourquoi ne penses-tu pas à la volonté de Dieu ? ». (J. 27 septembre 1901).

Une autre version, plus détaillée, nous a conservé le souvenir émouvant de ses derniers entretiens intimes avec son mari : « Concha, me disait-il, je meurs »... « Non, tu vas voir Dieu ». (Aut. IV, 66). « Après avoir reçu le Viatique, il donna sa bénédiction à ses enfants... Il me recommanda avec insistance le plus petit, Pedrito... Ensuite, je lui ai demandé sa bénédiction, le suppliant de me pardonner, si j'avais pu le blesser. A son tour, il fit de même et me demanda de le bénir. J'ajoutai : « Je me suis toujours efforcée de te faire plaisir. Si Dieu t'appelle, je veux suivre ta dernière volonté. Que désires-tu de moi ?

— « Que tu sois toute à Dieu et toute à tes enfants. » (Aut. IV, 60).

La mort de son mari changea brusquement sa vie, la laissant à la fois courageuse et désemparée : « Aujourd'hui, mon fils aîné accomplit ses seize ans. Même quand je me domine, je traverse des moments d'accablement ; mes larmes coulent très souvent sans pouvoir les retenir. Mon cœur de chair se rappelle de mille tristes souvenirs. Je souffre, buvant la douleur à larges traits. Que Dieu soit béni pour tout !

« La plainte de mes enfants pleurant leur père me transperce l'âme... Mon corps est épuisé ; c'est maintenant que je ressens la fatigue, car je ne m'étais pas éloignée de mon malade ni le jour, ni la nuit, lui prêtant personnellement assistance en tout, jusqu'à la mort. J'ai des enfants malades, le plus petit surtout. Que le

Seigneur me soutienne avec sa croix. » (J. 28 septembre 1901).

Le 30 septembre, elle ajoute douloureusement : « Aujourd'hui s'achève le mois pendant lequel j'ai le plus souffert de ma vie. »

Dans son désespoir, elle se tourne vers Marie : « Souviens-toi, ô ma Mère, qu'on n'a jamais entendu dire qu'aucun de ceux qui ont eu recours à toi ait été abandonné... J'espère en toi, j'ai confiance en toi, je me réfugie sous ta protection, Marie, aide-moi avec mes huit orphelins » (J. 3 octobre 1901).

V. Rencontre providentielle avec le Père Rougier

C'est au moment où Conchita avait besoin d'un appui spirituel nouveau, qu'elle connaît le Père Félix Rougier. Chacun d'eux a rapporté, dans son Journal spirituel, cette rencontre providentielle d'où devait naître la fondation des « Missionnaires du Saint-Esprit », appelés par Dieu à devenir, pour l'époque actuelle, les apôtres d'une rénovation du monde par la Croix sous l'impulsion de l'Esprit-Saint.

A Mexico, les Missionnaires du Saint-Esprit conservent, comme une précieuse relique, le confessionnal où se fit cette rencontre.

« Le 3 (février 1903), j'ai appris qu'il y avait à l'église du Collège de Filles (nom donné à la Paroisse française) un prêtre, Supérieur des Pères Maristes, de très bon esprit. Cela arriva vers quatre heures de l'après-midi, et je ne sais quelle anxiété s'empara de moi de lui parler de la Croix.

« Le lendemain 4, une force intérieure me poussa à cette église. J'y suis allée. J'ai fait un appel en pressant le bouton électrique. Un prêtre inconnu, que j'ai à peine entrevu, est descendu. Je me suis approchée du confessionnal et je me suis confessée. J'ai senti une impulsion extraordinaire à lui ouvrir mon âme, à lui parler de la Croix, des délices de la souffrance, des merveilles de la douleur. Je voyais, je sentais la résonance de mes sentiments dans son âme. Je me rendais compte que mes paroles pénétraient à fond. Je crois qu'à ce moment-là ce n'étaient pas mes paroles à moi ; je m'apercevais que je parlais avec une flamme, une facilité, avec quelque chose qui me dépassait moi-même : cela venait de l'Esprit-Saint.

« Je lui ai parlé des Œuvres de la Croix et j'ai senti qu'il s'enthousiasmait pour elles. Je vis le fond de son âme et ses dispositions actuelles. Je compris aussitôt que cette âme rendrait à Dieu une grande gloire par ses Œuvres. Je l'ai senti blessé par la Croix, touché au plus profond de son âme. Je le sentais très vivement impressionné, saintement touché au plus vif de son cœur. Je lui ai parlé du cloître. Il me demanda immédiatement s'il en existait à Mexico et s'il y en avait pour les hommes. « Non, il n'en existe pas pour les hommes, lui ai-je répondu, mais il y en aura. »

« Je revins donc à la maison, très impressionnée par cette rencontre surprenante et qui paraissait pour la gloire de Dieu. Pourtant j'ai longtemps demandé au Seigneur que, si ce n'était pas sa volonté, le Père ne puisse pas me rencontrer ni même trouver la maison. En se renseignant et je ne sais comment, il est venu. Nous nous sommes salués sans nous connaître. Aussitôt nous avons commencé à parler de Dieu et des Œuvres de la Croix. J'ai continué à voir les impressions que mettait le Saint-Esprit dans son âme et ses désirs de perfection. Je lui ai proposé, s'il le voulait, de faire au Seigneur une offrande totale de lui-même. Il accepta, désireux de sa perfection. Je résolus de lui écrire cet acte d'offrande pour le lendemain. Je l'ai invité à se présenter au Monastère le jour suivant, à dix heures du matin, puis nous nous sommes dit adieu » (J. 4 février 1903).

Le résultat de cette rencontre avec le Père Félix fut que, par des signes manifestes, il devint directeur spirituel de Conchita. Il entra ainsi dans sa vie pour toujours. Il fut d'abord le conseiller des contemplatives de la Croix à une heure difficile et délicate où, à la main de fer de son premier directeur, qui n'admettait pas d'autre directeur que lui, Dieu substitua auprès d'elle l'appui d'un homme compréhensif et sage, qui l'aida beaucoup dans sa montée vers Dieu et dans l'orientation des religieuses de la Croix. Le Père Félix, parfait religieux, appartenant lui-même à la Congrégation des Maristes, rendit compte loyalement à ses supérieurs de cette rencontre inattendue où il croyait découvrir un appel particulier de Dieu sur lui. Le Père Général des Maristes en jugea autrement et le retint en Europe, où le Père Félix, dans une obéissance héroïque et une foi inébranlable « comme celle d'Abraham », attendit, en silence, l'heure de Dieu.

Dieu avait placé auprès de Conchita un saint. Quand, après dix ans d'éloignement, le Père Félix la retrouve, ses premiers mots furent simplement : « Je suis toujours le même pour les Œuvres de la Croix. » Au moment où, de retour au Mexique, il débarquait à Veracruz le 14 août 1914, il rencontra des évêques mexicains (chassés par la persécution) qui allaient prendre le même bateau. Ils le connaissaient et l'aimaient. Ils ne lui cachèrent pas leur surprise, mais le Père leur répondit courageusement : « Le Seigneur veut que je fonde son œuvre pendant l'agonie de la nation. »

Le Père Félix n'était pas un rêveur mais un homme équilibré et réaliste, d'un solide bon sens, inébranlable comme le roc des Monts d'Auvergne, son pays d'origine, l'âme d'un saint. Le Révérendissime Père Gillet, Maître Général des dominicains, qui avait connu à Paris, à Rome et au cours de ses voyages à travers le monde, d'éminentes personnalités, attestait, en 1938 : « De tous les hommes que j'ai rencontrés dans ma vie, personne ne m'a produit une aussi grande impression de sainteté. »

Jusqu'au soir de leur vie le Père Félix et Conchita travaillèrent ensemble à la fondation et au développement des Œuvres de la Croix, se demandant mutuellement conseil, se visitant l'un l'autre pour leurs projets communs et pour parler longuement de Dieu, dans une très pure et sainte amitié, comme celle de saint François de Sales et de sainte Jeanne de Chantal.

VI. « J'AI SENTI LE BISTOURI DIVIN COUPANT TOUT CE QUI M'ATTACHAIT A LA TERRE. »

A travers souffrances et joies quotidiennes, sans que rien de spécial n'attire l'attention sur sa vie de veuve, toute simple, entièrement vouée à l'éducation de ses enfants, Dieu poursuivait dans cette âme d'élite son œuvre de purification et d'union, préparant en elle un modèle pour les foyers chrétiens. La mort de son mari l'avait brisée. « J'ai senti le bistouri divin dans mon âme coupant tout ce qui l'attachait à la terre. » Elle comprit aussitôt qu'elle devait se rapprocher de Dieu. C'est là le vrai sens de la vie. « Une grâce puissante me pousse à entreprendre, dans mon nouvel état, une voie nouvelle de perfection, de sacrifice, de solitude, de vie cachée... Je comprends que le Seigneur veut me purifier pour que je sois plus à Lui » (J. 27 septembre 1901).

« En un clin d'œil, j'ai senti mon existence changer. Une page s'était définitivement tournée dans le livre de ma vie » (J. 9 octobre 1901). « Je touche du doigt maintenant combien mon cœur était attaché à la terre, combien j'aimais mon mari, d'un amour véritablement pur et saint, mais sans en mesurer, sans même en soupçonner l'intensité jusqu'au moment où je l'ai perdu... Dans mon existence d'enfant, en famille, que d'imperfections ! Et dans ma vie d'épouse, sur combien de points j'ai des regrets. Je n'ai su être ni fille, ni épouse : voyons si, comme veuve, je vais poursuivre ma perfection et devenir une sainte en accomplissant les devoirs sacrés d'une mère. » (J. 9 octobre 1901).

Son chemin de la perfection à elle n'est pas celui d'une religieuse mais d'une mère, dans le plein sens du mot. Par là Dieu l'élèvera rapidement jusqu'aux plus hauts sommets de la sainteté.

VII. Faveurs divines

Ainsi elle avance vers Dieu. Ses enfants la retiennent à la maison. Sans jamais négliger son devoir d'état, elle trouve encore du temps pour continuer son apostolat de la Croix. Elle prie, elle écrit son Journal en obéissant toujours à son directeur spirituel. Elle chemine vers Dieu, à travers des alternances de lumière et d'obscurité, de difficultés quotidiennes et de joies. La grâce divine l'envahit de plus en plus. Elle en fait la confidence à un évêque qui fut pour elle un père et un ami :

« Oui, innombrables sont les faveurs que le Seigneur a daigné m'accorder malgré mes ingratitudes.

« Il me porte, il m'enveloppe dans son immensité et dans ses attributs. Il découvre le voile des mystères et, je ne sais comment, Il me fait sentir et comme toucher, le mystère de la Très Sainte Trinité, la félicité de Dieu à l'intérieur des communications des trois Personnes divines, la Génération éternelle, l'origine très élevée des vertus théologales et de la virginité... cet ensemble indivisible de la substance divine, du Verbe, de l'Esprit-Saint, de la grâce, de la lumière, enfin des choses ineffables qui, si elles ne sont pas de Dieu, viennent du diable ; dans tous les cas pas de moi.

« Il me communique continuellement des lumières sur la connaissance de moi-même qui me permettent de ne pas m'exalter au-dessus de ma propre misère. Parfois sa présence devient sensible, surtout pendant la communion, me pénétrant de sa lumière, de ses rayons et me purifiant. Il m'a dicté ainsi de sa voix divine, malgré ma résistance, tout un traité des vertus parfaites et des vices. Il m'a ordonné de l'écouter, et même quand je fais semblant de ne pas l'entendre, Il ne me laisse pas de repos jusqu'à ce que j'ai tout écrit.

« Il me dit qu'Il m'a dotée du don de la pureté et de l'humilité et mes confesseurs m'assurent qu'il en est ainsi, car certainement, je ne sais pas ce qu'est l'impureté. Je ne puis m'en glorifier. C'est uniquement la grâce divine. Cela vient de Lui, de Lui seul. Au milieu de tant d'obligations, autrefois envers mon mari, et depuis quatre ans que je suis veuve, avec mes enfants, le Seigneur ne me laisse pas tranquille. Il me pousse, par l'acceptation du sacrifice, à me crucifier, à désirer la souffrance, le martyre, à donner de mon sang tous les jours pour le salut des âmes et pour les Œuvres de la Croix qui Lui procureront tant de gloire.

« On m'a ordonné de faire examiner mon esprit par plusieurs jésuites, dont deux Provinciaux, par le Père Visiteur des Missionnaires du Cœur de Marie, et par d'autres prêtres, hommes de science et de vertu, avec la permission de mon confesseur. Après m'avoir fait revenir et avoir demandé la lumière dans leurs prières, ils m'ont tous assuré que mon esprit est de Dieu, que les Œuvres de la Croix viennent de Lui, que je dois avoir confiance et attendre, prenant les moyens qui me sont offerts pour les réaliser.

« Dans les papiers que j'ai écrits sur des choses si élevées que je ne les comprends pas moi-même, par exemple sur le Verbe, sur le Saint-Esprit, sur les effets spirituels etc., ils m'ont affirmé qu'il n'y a aucun désaccord avec les enseignements et la doctrine de la Sainte Eglise que j'aime plus que ma vie et à qui je veux me soumettre sans réserve, de tout mon cœur.

« Je dois suivre les impulsions du Seigneur et mon existence de martyre, selon mon vœu de « toujours souffrir », que le Seigneur m'a demandé de faire, il y a quelques années, et qu'Il m'aide à accomplir.

« Voilà les faveurs divines : elles sont surpassées par mes péchés et mes misères. Je ne comprends pas comment le Seigneur s'est servi de ce pauvre instrument pour y faire passer ses grâces. » (Relation faite à Mgr Leopoldo Ruíz y Flores, en 1905).

VIII. La « grace centrale » de sa vie spirituelle

L'heure est venue, à quarante ans, où les préparations divines vont aboutir à la « grâce centrale » de sa vie spirituelle : *l'incarnation mystique.* Durant de longues années le Seigneur lui avait fait pressentir cette grâce des grâces, source d'une multitude d'autres charismes et faveurs divines, toutes convergeant vers l'identification aux sentiments intérieurs de l'âme sacerdotale du Christ.

Conchita est revenue souvent dans ses écrits sur cette grâce insigne mais le récit principal, le plus près de l'événement, le plus immédiat et le plus spontané est donné dans son Journal. On y discerne nettement trois aspects successifs : sa préparation, sa réalisation, ses multiples conséquences pour sa vie personnelle et son rayonnement apostolique.

Préparation

« Je veux que tu te prépares pour le jour où l'Eglise fête l'Incarnation du Verbe Divin ; ce jour-là je suis descendu pour m'unir avec Marie, en me faisant chair dans son sein très pur, pour sauver le monde. Ce même jour je veux m'unir spirituellement avec ton âme et te donner une nouvelle vie, vie divine et immortelle, dans le temps et dans l'éternité.

« Prépare-toi, purifie-toi, parce que le bienfait que je te prépare est très grand, immensément grand... » (J. 17 février 1897).

Après avoir compris cela, le 14 février 1897 elle sentit un nouvel élan, une impulsion du ciel, une grande soif de perfection et de pureté d'âme ; elle comprend qu'elle doit être sainte, et, année par année, elle se préparait pour recevoir cette promesse.

Conchita entra en retraite le 20 mars 1906, avide de silence et de recueillement, résolue à se convertir. Le prédicateur était le Père Mariano Duarte, S.J.

Dès les premiers jours, le Seigneur prépare Conchita à cette grâce suprême, dans la plus pure ligne de sa vocation particulière à la Croix. « Me voici en retraite... Déjà Il me pousse à la pratique des vertus. Déjà je sens que sa présence m'absorbe... Oui, ô ma vie, parle à ce cœur qui t'appartient tout entier, parle lui dans la solitude de ton cloître, dans l'ambiance de ta Croix... De toute éternité, par ta grâce, tu m'as fait sortir du néant... Depuis ma plus tendre enfance tu m'as attirée vers la souffrance ; tu m'as rendue folle d'amour pour ta Croix ; tu m'as transformée en elle ». (J. 21 mars 1906).

« Seigneur, écoute à cette heure le cri de mon âme, au cours de cette retraite et de ce silence. Ce cri est plus puissant, sans mélange d'amour propre. Tu vas donc l'écouter : « Jésus, Sauveur des hommes, sauve-les, sauve-les, qu'ils ne périssent point ! Qu'ils ne tombent pas en enfer... Que ta Croix les arrête et que l'Esprit-Saint les sanctifie » (J. 22 mars 1906).

Conchita en retraite ne pense pas à elle-même. Elle porte dans son âme l'angoisse du salut du monde. Elle voudrait sauver tous les hommes, ses frères.

« Je sens en moi, venant du ciel, un élan vers la perfection, vers une vie nouvelle » (J. 23 mars 1906).

L'appel du Christ se fait entendre avec plus de force que jamais : « Je veux que tu sois toute mienne... Je veux que tu m'appartiennes entièrement, que tous tes sentiments d'affection soient pour Moi. Je veux que ton cœur, ce lieu de mon repos, soit absolument pur. » (J. 23 mars, 1906).

Le 24 mars, elle est saisie par le mystère de l'Incarnation du Verbe, que la liturgie doit fêter le lendemain : « Le Verbe s'est fait chair »... Cette méditation me fait frémir ! J'éprouve un attrait spécial pour ce Verbe qui est à moi, depuis longtemps » (J. 24 mars, 1906).

Réalisation

Puis, sans emphase, avec une simplicité évangélique, Conchita décrit cette haute faveur divine, datant avec soin cet événement majeur de sa vie.

— « 25 mars : l'Incarnation du Seigneur.

« Tu m'as amenée à ces saints exercices à l'encontre de tout conseil de prudence humaine. Tu m'as donné la santé. Tu m'as demandé aussitôt, dès le premier jour, les plus grands sacrifices du cœur. Tu m'as demandé ensuite de purifier mon âme de toute poussière et affection de la terre, que je sois toute à Toi. Tu désirais que je t'appartienne entièrement. Puis tu m'as accordé la contrition de mes péchés et le très vif désir de purifier ma pauvre âme le plus possible. Tout cela est passé. Hier je me suis confessée de toutes les fautes de ma vie. Toujours dans l'attente, d'année en année, j'espérais pour aujourd'hui et en tremblant, ce quelque chose que m'avait promis le Seigneur. Je m'humiliais, pensant que c'était de l'orgueil d'espérer voir se réaliser ce qu'il y a huit ou neuf ans le Seigneur m'avait offert ou demandé.

« Vers minuit et quart, je me suis levée, la face contre terre, je fêtais ce sublime mystère de l'Incarnation qui, je ne sais pourquoi m'a toujours comblée d'émerveillement. A quatre heures dix, je me suis étendue sur « les roses » (épines) pendant une heure. Puis j'ai voulu faire ma méditation sur le mystère de l'Incarnation, mais impuissance totale. Selon les « Exercices », je devais faire ma méditation sur la fuite en Egypte.

« Avant la Messe, prosternée devant le tabernacle, je me suis humiliée le plus possible. Je Lui ai demandé pardon, j'ai renouvelé mes vœux, je Lui ai promis de ne plus laisser envahir mon cœur par les choses de la terre comme je l'avais fait jusque là. Ainsi, l'âme vide de tout le reste, je l'ai reçu dans la communion. Je voulais Lui dire bien des choses à « l'Incarnatus est », mais je ne me suis pas rendu compte, le moment venu. En effet, aux premiers diptyques de la Messe, je fus prise par la présence de mon Jésus, tout près de moi, écoutant sa voix divine qui me disait : — « Me voici, Je veux M'incarner mystiquement dans ton cœur. J'accomplis ce que je promets. De mille manières je t'ai préparée à cette grâce. L'heure est arrivée de réaliser ma promesse : Reçois-Moi ».

« Je sentis alors une confusion inexprimable. Je m'imaginais que déjà j'avais reçu le Christ dans la communion, mais Lui, comme devançant ma pensée continua : — « Non, non, ce n'est pas ainsi, c'est d'une autre manière aujourd'hui que tu m'as reçu. J'ai pris possession de ton cœur. Je m'incarne mystiquement en lui pour ne plus me séparer jamais. Seul le péché pourrait m'éloigner de toi. Je t'avertis également, toute créature qui viendrait l'occuper, diminuerait en lui ma présence réelle, je veux dire en ses effets, car Moi je ne puis subir aucune diminution. Et Il ajouta : « C'est là une grâce très grande que t'a préparée ma bonté. Humilie-toi et remercie ».

— « Seigneur, ai-je osé Lui dire : Ce que tu m'avais promis, ce que tu m'avais demandé, était-ce les fiançailles ?

— « Déjà elles sont passées. Il s'agit d'une grâce infiniment plus grande.

— « Serait-ce le mariage spirituel, mon Jésus ?

— « Bien au-delà. Le mariage est une forme d'union plus extérieure ; la grâce de M'incarner, de vivre et de grandir dans ton âme, sans plus jamais en sortir, te posséder et être possédé par toi comme en une même substance, sans que évidemment, tu me donnes la vie ; au contraire, c'est Moi, qui la communique à ton âme en une compénétration qui ne peut se comprendre : c'est la grâce des grâces.

« C'est là une union mystique très grande et élevée, la plus grande qui puisse exister. Elle n'est pas d'une autre nature que l'union du ciel, sauf qu'en paradis disparaît le voile qui cache la Divinité, mais comme la Divinité ne se sépare pas de Moi, l'union, la rencontre intime du néant avec le Tout c'est la même chose. »

« Moi je sentais vraiment mon union avec Lui d'une manière vivante et palpitante dans le tréfonds de mon âme avec les mêmes effets que laisse la communion eucharistique, mais avec plus d'intensité. Cependant je lui dis : — « Seigneur, et si cela était imagination et mensonge ? » Il me répondit : — « Tu discerneras tout cela par les résultats qui en découleront. » Il poursuivit : — « Quelle fidélité parfaite j'exige de toi : car tu gardes toujours ma présence réelle et effective dans ton âme. Quelle grâce de prédilection ! Pour toi j'ai prodigué mes grâces, car j'ai mes desseins sur ton âme. »

— « Je ne mérite pas cela, mon Jésus. »

— « Personne ne le mérite. Aime-Moi, me répondit sa voix enchanteresse. Imite-Moi. Ne te sépare pas de Moi. Ce genre d'union est très profond, très intime et, si ton âme demeure fidèle, ce sera une union éternelle. Tu croyais que tu allais mourir, en t'accordant cette faveur que Je t'avais promise. Je te communique une vie nouvelle. Aspire-la. Elle est toute de pureté et de sainteté : c'est la vie de ton Jésus. C'est Lui-même Celui qui est la Vie, ton Verbe qui, dès l'éternité t'aimait et te préparait ce jour. »

« Je sentis mon esprit innondé de fraîcheur, de paix, de délices infinis, mais était-ce vrai ? Oui, à coup sûr, d'année en année je me suis vue humiliée avec cette promesse jamais réalisée en apparence. Je n'y comprenais rien. Mes larmes coulaient, une telle condescendence me paraissait impossible. Que faire, oui, que faire pour y correspondre ? Seigneur, Seigneur, que ferai-je sinon m'humilier et supplier Marie de te remercier à ma place et de l'imiter elle-même, redisant, dans ma bassesse et mon néant : « Voici la servante du Seigneur ; qu'il soit fait selon ta Parole. » (J. 25 mars 1906).

Conséquences

Dans l'itinéraire spirituel de Conchita, l'incarnation mystique occupe une place centrale. D'où l'importance majeure d'en saisir toute la signification historique : non seulement sa préparation et sa réalisation, mais ses conséquences sur tout le reste de sa vie. Conchita en fut la première bénéficiaire, elle comprit mieux le sens plénier de sa vocation et de sa mission : être victime pour l'Eglise en union avec le Christ-Prêtre et Hostie. Toute la doctrine spirituelle de Conchita est marquée par ce caractère sacerdotal. L'incarnation mystique réalise d'une manière éminente le « sacerdoce royal » de tous les membres de la famille du Christ.

— « En M'incarnant dans ton cœur j'avais mes desseins : te transformer en Moi, « homme de douleurs ». Tu dois vivre de ma vie et tu sais déjà que le Verbe s'est incarné pour souffrir, non pas comme Verbe mais dans ma nature humaine et dans mon âme très sainte. Une mère donne la vie à son fils en lui communiquant sa propre substance, Moi Je la donnerai à ton âme mais plongée dans la souffrance. Cette union pour une large part, sera douloureuse, te configurant à Moi-même, si tu te laisses faire. Dans cette union intime t'attend un chemin de souffrance ; parcours-le sans réfléchir. Que le Saint-Esprit soit ta force. Il a joué un grand rôle dans cette union mystique et réelle avec ton âme, sache lui correspondre et tu seras heureuse.

— « Que faire, mon Jésus ?

— « Vivre de ma vie et être docile à ma volonté. Cela exige de toi une parfaite et totale fidélité à chacune de mes inspirations.

— « Cela me fait peur, Seigneur.

— « Si tu m'aimes, tu triompheras de tout ; si tu ne ramasses pas de poussière, tu seras mon repos et dans une vie cachée, recueillie et fidèle, tu percevras ma voix divine qui, toujours, te soutiendra. »

« Et moi, de mon côté, je sentais naître comme une vie nouvelle en moi, un total abandon, un détachement de tout le créé, un amour immense. » (J. 26 mars 1906).

Immédiatement après l'incarnation mystique, Dieu lui inspira la « Chaîne d'amour » (Cadena de amor) qui doit susciter une élite spirituelle toute consacrée à Dieu, au service de son Eglise.

— « Tu es à la fois autel et prêtre puisque tu possèdes la Victime très sainte du Calvaire et de l'eucharistie et que tu as le pouvoir de l'offrir continuellement au Père éternel pour le salut du monde. C'est là le fruit le plus précieux de la grande faveur de mon incarnation mystique en ton cœur. Je t'ai donné ce qu'il y a de plus grand au ciel et sur la terre : Moi-même, et précisément dans ce but, j'ai voulu pour cela que tu commences la « Chaîne d'amour ». J'ai placé dans tes mains un dépôt d'une immense valeur avec lequel on achète le ciel. Seule, que pourrais-tu faire ? Mais avec Moi, unie à Moi, par les mérites de ce même prix de rachat, le Verbe lui-même, tu pourras continuer à sauver les hommes, des milliers et des milliers d'âmes. Tu n'as rien par toi-même, mais avec Moi, tu possèdes tout. Comprends-tu le pourquoi de la grâce déjà accordée ?

— « Oui, mon Jésus adoré, je vois maintenant que je ne pourrai accomplir ma mission de sauver les âmes qu'en Te possédant et en T'offrant à toi-même.

— « Tu seras mon autel et en même temps ma victime. Offre-toi en union avec Moi, offre-Moi à chaque instant au Père éternel, dans le but si élevé de sauver les âmes et de Le glorifier. Oublie tout et surtout oublie-toi toi-même ; que ce soit là ton occupation constante. Tu as reçu une mission sublime, la mission de prêtre. Admire ma bonté et montre-toi reconnaissante. Sans que tu le saches, je t'ai donné ce que tu désirais tant, et même bien au-delà : le pouvoir d'être prêtre, non pas pour me tenir dans tes mains mais dans ton cœur et sans plus jamais me séparer de toi. Réalise la finalité grandiose de cette grâce. Comme tu le vois, elle n'est pas pour toi seule mais universelle, t'obligeant avec toute la pureté possible, à être en même temps autel et victime, consumée en holocauste avec l'autre Victime, l'unique Hostie qui soit agréable à Dieu et qui puisse sauver le monde.

« Cette grâce est l'écho du cri de ton cœur qui m'avait profondément ému et qui avait obtenu la fondation des Œuvres de la Croix, vouées au salut du monde. Tu me demandais de sauver les hommes. Je suis de nouveau revenu en ton cœur pour les sauver. Par l'intermédiaire des Œuvres de la Croix, des millions d'âmes vont s'unir à ce nouvel élan de ma bonté. Mon cœur y trouvera une grande consolation, mon Eglise un soutien, mon Père sa gloire, et l'Esprit-Saint : des âmes ! » (J. 21 juin 1906).

Cette grâce de l'incarnation mystique, grâce de plénitude débordante sera pour Conchita le signal de lumières extraordinaires appelées à se répandre sur l'Eglise entière. Il se passa en elle quelque chose d'analogue aux grâces sublimes et aux charismes reçus par St Jean de la Croix dans la prison de Tolède, après les terribles nuits mystiques et son élévation à l'union transformante, dont il sortit changé en un autre homme, un saint, un maître dont le rayonnement spirituel et la synthèse doctrinale sont appelés à illuminer l'Eglise jusqu'à la fin des siècles.

De même, le « Journal » de Conchita, en cette période qui suivit la grâce de l'incarnation mystique, est d'une incomparable richesse. Ses grands thèmes spirituels révèlent une ampleur jusque là inégalée, embrassant dans une synthèse vivante et concrète les plus vastes horizons des mystères de la foi.

Les lois de la psychologie religieuse nous découvrent qu'il y a dans l'existence des grands serviteurs de Dieu un point indivisible qui éclaire et harmonise tout :

— chez Isaïe la vision inaugurale, révélant au Prophète la transcendante Sainteté de Yahveh ;

— dans la Mère de Dieu, le jour de l'Incarnation du Verbe, au moment de l'Annonciation, quand Marie devint simultanément, par son « fiat », la Mère de Dieu et la Mère des hommes ;

— chez saint Paul, au cours de sa conversion sur le chemin de Damas, quand Dieu le Père lui révéla la filiation divine de Jésus et son identité avec tous les membres de son Corps mystique.

Plus près de nous, les apparitions de la Vierge Immaculée à Bernadette de Lourdes opérèrent dans son âme un changement radical. Par un phénomène de mimétisme surprenant, par ses faits et gestes, par ses sentiments intérieurs, Bernadette devint dans son corps, dans son sourire et dans son âme, comme un reflet de l'Immaculée. Bernadette elle-même disait, manifestant ainsi le secret de sa sainteté : « Je veux vivre comme la vision. »

Nous savons également par « l'Histoire d'une âme », qu'en la fête de la Très Sainte Trinité, Dieu se révéla à Thérèse de Lisieux avec un visage rayonnant d'amour et de miséricorde, fondement dogmatique de l'enfance spirituelle qui a entraîné une multitude d'âmes à s'offrir, comme Thérèse, à l'Amour miséricordieux dans une réponse totale d'amour.

L'incarnation mystique, le 25 mars 1906, fut pour Conchita la « grâce centrale » de sa vie, la clé de sa doctrine spirituelle et de sa mission dans l'Eglise de Dieu.

Elle pouvait conclure à la fin de ces « exercices spirituels » : « Mon âme semble s'éveiller d'un songe. Il me semble qu'en pénétrant dans mon âme, mon Verbe m'a introduite dans une demeure nouvelle, plus secrète et cachée, plus intime et plus lumineuse, où habite le Bien-Aimé...

« Maintenant je vais retourner dans ma maison pour y accomplir mes obligations et revoir des créatures qui me dérobent un temps qui est à Toi et pour garder un certain contact indispensable avec le monde. Mais puisque toi Tu le veux, moi aussi je le veux...

« Je suis venue ici seule, je repars avec Lui. » (J. 30 mars 1906).

IX. Voyage en Terre-Sainte et a Rome

Plusieurs évêques mexicains, constatant les bienfaits de l'Apostolat de la Croix et la ferveur des contemplatives, désirèrent ardemment une fondation similaire des Prêtres de la Croix, dont Conchita était également l'inspiratrice. Ils adressèrent à Rome une pétition, motivée par les besoins pastoraux du Mexique. Après réflexion, Rome accorda la permission demandée. Mais alerté par des manœuvres diffamatoires et calomnieuses de Mexico, un télégramme suspendit la mise en application du rescrit accordé, jusqu'après l'examen des révélations privées, liées à la fondation de la Congrégation des hommes.

Par ordre de la Congrégation des Religieux, Conchita dut envoyer à Rome neuf volumes de sa Vie où, utilisant son Journal spirituel, malgré ses répugnances, en toute simplicité et loyauté elle découvrit tous les secrets de son âme et de sa vie à l'autorité suprême de l'Eglise.

Le Saint-Père lui-même écrivit à Mgr. Ramón Ibarra, archevêque de Puebla, son directeur spirituel, comme à un frère et à un ami : « J'ai lu votre lettre où vous vous lamentez du retard apporté à la permission de fonder la Congrégation des Prêtres de la Croix. Je vous prie de me pardonner ainsi qu'à la Congrégation des Religieux, si dans une affaire aussi grave nous avons cru devoir procéder sérieusement avant de concéder une approbation. Pour le reste, Nous vous donnons la certitude que cette affaire sera soumise promptement à l'étude de la Sacrée Congrégation et qu'avec le secours de Dieu, une solution sera apportée selon vos désirs et celui de vos frères (dans l'épiscopat). Ayez donc bon courage, car une œuvre agréée par Dieu, malgré toutes les difficultés, ne peut être arrêtée par aucune opposition. Dans cette espérance Nous vous donnons la Bénédiction apostolique, Frère très aimé. 2 mars 1910. Pie X, Pape. »

Pour hâter cette solution définitive, au moment opportun, Mgr. Ramón Ibarra prit la résolution de conduire Conchita à Rome, pour un examen direct, à l'occasion d'un pèlerinage mexicain en Terre-sainte. C'est ainsi qu'elle partit pour l'Europe et l'Orient. Elle voulut amener avec elle deux de ses enfants, ravis de ce grand voyage : Ignacio, un solide garçon de vingt ans et Lupe, une très jolie fille de quinze ans.

Dans ce voyage devaient se jouer le destin de la Congrégation de la Croix et le retour du Père Félix, comme fondateur.

L'itinéraire

Dans la pensée de Conchita, cette randonnée constituait avant tout un « Pèlerinage à Lourdes, Terre-Sainte et Rome », comme indique le titre d'un opuscule détaillé et plein d'humour, où elle a consigné le récit. C'était un très beau voyage en perspective, avec un itinéraire inspiré par un souci de dévotion mais également de tourisme, de culture et par le désir d'une solution par Rome d'une affaire pour l'avenir qui engageait une œuvre primordiale de l'apostolat de la Croix. Le voyage devait durer plus de six mois.

Le départ du Mexique

« 26 août. A 6 heures 30 du matin, nous sommes sortis de

Mexico pour Veracruz... J'ai éprouvé de la peine à quitter les miens.

« 27 août. Pancho et Elisa sont venus nous faire leurs adieux. J'ai communié dans l'église paroissiale et à 3 heures 30 de l'après-midi, le vapeur est parti avec grande majesté, s'éloignant de la terre. J'ai beaucoup souffert en quittant mes enfants. Nos Seigneurs les archevêques Ibarra et Ruiz, l'évêque Amador et trente deux prêtres ont prié pour demander un bon voyage et nous avons chanté l'hymne si émouvante au Saint-Esprit.

« 30 août. Arrivée à La Havane. Je ne suis pas descendue, étant malade.

« 31 août. Veillée en l'honneur de la fête de Mgr Ibarra, avec le concours du Capitaine. (J. août 1913).

En route vers l'Europe

Mer très mauvaise, terrible, toute la faïence se casse. Conchita souffre horriblement du mal de mer. Ce doit être l'un des supplices de l'enfer, dit-elle en riant.

Après dix jours d'une traversée mortelle, voici Cadix, le passage avec une vue splendide sur le détroit de Gibraltar, puis Barcelone.

Le 22 septembre : émerveillement en présence du sanctuaire de Notre Dame de Montserrat. Panorama unique. Crise d'appendicite de sa fille. Elles rejoindront le groupe des voyageurs par Marseille, sur un vapeur allemand.

Egypte

« 7 octobre. Arrivée à Alexandrie. Nous allons par train rapide vers le Caire. L'Egypte ! me disais-je en moi-même. Me voici sur la terre qu'ont foulée de leurs pas et où respirèrent et souffrirent les divins exilés (de la Sainte Famille). Mon âme est bouleversée d'émotion. Tout le long du chemin je rends grâces à Dieu, admirant les chameaux, les palmeraies, les bédouins traversant le Nil à plusieurs reprises, me rappelant les passages si émouvants de la Sainte Ecriture. Je me souviens, profondément émue, des Patriarches, des Prophètes, des Pharaons, des Israélites, en voyant les champs fertiles de sycomores, d'orangers, d'acacias où travaillèrent les captifs. J'ai senti une autre ambiance, une autre atmosphère qui imprégnait mon cœur de souvenirs et qui élevait mon âme jusqu'à Dieu. » (J. 7 octobre 1913).

Visite détaillée du Caire, de l'université musulmane Al-Azhar, avec ses cinq mille étudiants qui scrutent le Coran. Tombes des Mameluks : « J'ai prié pour eux. » Matarieh et les souvenirs de la sainte Famille. Merveilleux coucher de soleil sur le Nil. Départ du Caire par Port-Saïd. Un vapeur turc les conduit à Jaffa : « Seigneur, j'approche déjà de la terre que tu as habitée, où tu as répandu ta doctrine et ton sang, pour moi, misérable » (J. 13 octobre 1913).

Jérusalem

« 13 octobre. Heureux et très grand jour de ma vie ! Mon Dieu, sois béni ! Nous avons pris la direction et traversé d'immenses bosquets d'orangers et d'oliviers, rencontrant de nombreux troupeaux avec leurs pasteurs turcs. Nombreux départs de chameaux. Passage à travers des colonies hébraïques et des sites historiques. Quand nous est apparue la Cité Sainte, nous sommes tombés à genoux. Personnellement j'ai récité un Te Deum. A l'arrêt du train, Mgr. l'Archevêque a baisé la terre et avec lui, tous les pèlerins. Nous sommes arrivés à la « Casa Nova ». Dans ma chambre je me suis mise en oraison rendant grâce à Dieu de toute mon âme.

« A trois heures, en chantant et en procession, nous avons fait notre visite au Saint-Sépulcre. Quelles saintes émotions ! Mes larmes coulaient tandis que je l'embrassais.

« 14 octobre. J'ai vu le Calvaire ! Quelles impressions, mon Dieu ! Moi, sous l'autel, le front dans le trou de la Croix. Mes larmes coulaient en abondance. Là, Il a prononcé les sept paroles, d'un cœur infini ; là, Il m'a donné Marie comme Mère ; là, ils ont transpercé son Cœur. Là, le Bien-Aimé de mon âme est demeuré cloué ; je suis restée là, autant que j'ai pu. Je ne voulais pas m'arracher de ce lieu béni. J'ai mis mon bras dans le trou de la Croix. J'ai fait en sorte que mes larmes tombent à l'intérieur. J'ai touché les aspérités du rocher. J'ai vu de mes propres yeux le lieu où se tenaient la Très Sainte Vierge et Marie-Madeleine au pied de la Croix.

« J'ai vu l'endroit où ils dépouillèrent Jésus de ses vêtements, là où ils le clouèrent sur la Croix. Nous avons vu le lieu où se trouvait mon Amour en attendant qu'on Le crucifie. J'ai embrassé bien des fois la pierre de l'onction. Les émotions se succédaient et mon cœur était trop petit pour les soutenir.

« Dans l'après-midi, je me suis rendue sur le mont où mon Jésus a enseigné le « Notre-Père ». Il y a des religieuses (carmélites) et le Pater est écrit en carreaux de faïence colorée en trente cinq idiomes différents dans le cloître. Puis nous sommes allés au Jardin des Oliviers et dans la grotte de l'agonie. De là nous nous sommes rendus au tombeau de la Très Sainte Vierge qui se trouve près du jardin. Nous l'avons visité remplis de joie. C'est de là que notre Mère Immaculée s'est élevée au ciel, comblée de bonheur » (J. 13-14 octobre 1913).

Séjour dans la Ville Sainte et visite des autres lieux saints des environs : Bethléem, où le Sauveur du monde est né, dans une crèche ; Ain-Karim avec le souvenir de Jean-Baptiste et du Magnificat de la Vierge Marie en réponse à la salutation de sa vieille cousine Elisabeth. Le 22 octobre, adieux à Jérusalem et départ vers Jaffa, Nazareth et les autres Lieux-Saints de Galilée ; Nazareth domine tout : c'est la cité de la Vierge, le lieu où s'est réalisé le plus grand des miracles, où s'est passé l'événement le plus important de l'histoire des hommes et de l'univers : l'Incarnation d'un Dieu.

Nazareth

« 25 octobre. De très bon matin je me suis rendue à la sainte grotte où s'est effectuée l'Incarnation du Verbe de Dieu. Ce que j'ai senti là, je ne pourrais l'expliquer. Il y a un autel et au-dessous une inscription, annonçant « Ici le Verbe s'est fait chair ». J'étais dans le ravissement. J'ai entendu plusieurs messes et les heures où j'ai pu rester là, je les ai passées heureuses dans ce lieu si aimé !

« Ce n'est pas par hasard, me dit le Seigneur, que tu es venue dans ce lieu. Ma bonté t'y a attirée pour te faire une nouvelle grâce. Ici tu te consacreras d'une manière tout à fait spéciale à la Très Sainte Trinité. L'incarnation mystique dans ton âme n'est pas un mensonge, bien que tu n'aies pas su l'apprécier. C'est une réalité qui se répandra sur ce monde refroidi et plus spécialement parmi les prêtres en vue de saintes finalités : l'amour du Verbe de Dieu par l'Esprit-Saint afin d'honorer par là le Père » (J. 25 octobre 1913).

La visite de la Terre-Sainte s'achève par Damas et le Liban. Maintenant c'est vers Rome que l'on se dirige : Beyrouth, Port-Saïd, Alexandrie et l'Italie : Brindisi, Naples, Pompéï, Capri, Sorrente : noms célèbres qui ont marqué l'histoire du bassin méditerranéen.

Rome

« Enfin nous voici à la Cité Sainte. Depuis Jérusalem c'est là tout ce qui m'intéresse. C'est ici que vont s'engager les combats, avec le triomphe ou la déroute des Œuvres de la Croix. Ce sera le point final, définitif. Mais pourquoi douter puisque le Seigneur a voulu que je vienne. Il m'a annoncé que je supporterai des humiliations et des souffrances mais que les Œuvres bientôt triompheront. Foi et confiance ! Dieu sait accomplir ses promesses et Il n'abandonne jamais celui qui se confie en Lui.

« Nous sommes arrivés le soir. Mgr. Ruíz était à la gare et me communiqua de mauvaises nouvelles sur la situation ici des Œuvres de la Croix. Patience et confiance en Dieu. J'espère contre toute espérance. Mon Dieu ! Quelle Cité remplie de tant de souvenirs ! Combien de saints ici ont répandu leur sang ! C'est le berceau de notre religion. Mais tout ceci n'est que la conséquence de Jérusalem. S'il n'y avait pas eu là un Sauveur, il n'y aurait ici ni Sauveur, il n'y aurait ici ni Eglise, ni martyrs, ni confesseurs, ni personne qui aimerait Dieu. Je pense à Néron, aux Césars, à l'histoire païenne et chrétienne de ce centre du christianisme.

« Quelle impression dans mon âme à l'arrivée dans cette Cité Sainte ! Depuis Naples je venais, faisant oraison, et j'ai tressailli en voyant ce lieu de tant de mes rêves, lieu redouté et d'où l'Eglise seule peut approuver les Prêtres de la Croix. Me voici donc tout près du Pape. Cela me paraît incroyable. Je désire le voir et je tremble à cette seule pensée. Mon Dieu, je suis à ta disposition jusqu'au martyre, si telle est ta volonté » (J. novembre 1913).

Audience pontificale

« Hier, dans la soirée, j'ai appris que l'audience privée avec le Pape était fixée pour 10 h. 30, aujourd'hui. Heureuse surprise !

L'instant venu, on m'appela et je me présentai au Vicaire de Jésus-Christ sur la terre. Je ne sais quelle émotion j'ai ressentie. Il était à son bureau avec Mgr. Ramón Ibarra devant lui. Je me suis agenouillée en pleurant et il me parla. Enfin, je me suis ressaisie et il me demanda ce que je désirais. « Je prie Votre Sainteté d'approuver les Œuvres de la Croix ». J'ai formulé cela sans retirer sa main appuyée contre ma figure.

« Elles sont approuvées, n'ayez crainte, et je vous donne une bénédiction toute spéciale pour vous, pour votre famille et pour les Œuvres ». — « Très Saint Père, lui ai-je dit, je ne veux pas être un obstacle pour ces Œuvres. Que l'on m'écarte et que l'on ne tienne plus compte de moi. » — « J'ai parlé avec Monseigneur ; tout sera réglé cette année. »

« Il me regardait dans les yeux de son regard pénétrant et doux, et moi je me sentais comme si j'étais aux pieds de Notre-Seigneur. Plusieurs fois il me bénit : « Prega per me », me disait-il. Il posa sa main sur ma tête, il me regarda longuement. Je m'enhardis à prendre sa croix pectorale et à la baiser. J'ai baisé son pied et de nouveau il m'a bénie. Je sortis radieuse et heureuse en rendant grâces à Dieu. Oh ! date inoubliable ! Mon Dieu, sois béni ! » (J. 17 novembre 1913).

Entrevue décisive

Enfin arriva l'heure, si redoutée par Conchita, d'une entrevue avec Mgr. Donato Sbaretti, secrétaire de la Congrégation des Religieux. Il l'interrogea sur son pays, sur sa vie. Par-dessus tout il lui demanda des explications sur les origines de l'Apostolat de la Croix et sur les religieuses contemplatives. Il lui demanda également si elle-même avait écrit les volumes manuscrits envoyés à Rome. Il voulut se rendre compte si elle écrivait avec facilité : « Je lui ai répondu que « Oui », bien que je ne connaisse pas la grammaire. Mais il ne voulut pas le croire » (J. 7 décembre 1913). Il lui fit préciser le mode de ses visions, de l'Esprit-Saint, du Cœur de Jésus, de la Croix de l'Apostolat. Voyait-elle tout cela avec ses yeux de chair ? Elle lui fit le récit du monogramme, des « dictées » du Seigneur, du schisme qui vint diviser les premières sœurs de la Croix. Conchita lui affirma qu'elle ne vivait pas avec les religieuses, mais qu'elle habitait avec ses enfants : ce dont il fut content... « J'ai compris que sur divers points il voyait clair. Je le suppliais de toute mon âme que l'on m'écarte des Œuvres de la Croix, que je ne désirais ni être, ni apparaître engagée avec elles, que j'obéirais en tout à la sainte Eglise » (J. 7 décembre 1913).

Conchita écrivit à Rome à Mgr Sbarreti lui envoyant, selon son désir, l'édition espagnole de son livre « Ante el Altar », « Devant l'autel », le suppliant de lui renvoyer ses manuscrits : « choses intimes de sa conscience », qu'elle désirait reprendre, s'abandonnant cependant à la décision du Saint Siège.

« Je vous le redis, Excellence, mon plus grand désir est d'être une fille soumise et aimante de la Sainte Eglise, lui obéissant en tout ce qu'Elle jugera bon de commander. Jamais je n'ai voulu tromper ni m'illusionner moi-même, demeurant toute disposée à suivre la voix de Dieu dans son Eglise, qui ne se trompe jamais, tandis que moi je puis me tromper. Grâce à Dieu, je me suis toujours laissée guider par l'obéissance.

« Je n'ai pas d'autre ambition qu'une vie cachée et obscure. Je suivrai de tout mon cœur le chemin que me tracera la Sainte Eglise. Je me recommande à vos prières, Excellence, que je sache élever chrétiennement mes enfants » (9 décembre 1913).

Pour faciliter toutes choses, d'accord avec elle, Mgr. Ibarra proposa de changer l'appellation de « Prêtres de la Croix » en celui de « Missionnaires du Saint-Esprit », que Pie X personnellement approuva.

« Mon âme déborde d'allégresse. Je crois rêver. Mon Dieu, le Dieu de ma vie, voilà dix-huit ans que tu me l'avais annoncé. Que de peines, de souffrances, de pénitences, d'espoirs déçus ! Que de sang, de prières, de calomnies, de sentiments d'envie, de persécutions et de larmes tout cela a coûté. Mais tout cela est peu de chose en pensant que c'était pour purifier tes Œuvres pour ta plus grande gloire » (J. 17 décembre 1913).

« Tandis que je priais devant le Saint-Sacrement, le Seigneur m'a dit : « Remercie-Moi. Tout est définitivement conclu ». Et aussitôt j'ai dit le Te Deum. » (J. 22 décembre 1913).

A travers l'Italie et la France

Le but principal du voyage était assuré ! Après une dizaine de jours et de visites artistiques et religieuses dans la Ville Eternelle, les pèlerins visitent Florence, la ville la plus artistique du monde, Padoue, Venise et Milan dont elle admire la cathédrale. Par Genève, ils gagnent la France par Lyon et Paray-le-Monial, où l'attire sa dévotion ardente au Cœur de Jésus : « Je n'aurais pas voulu quitter ce lieu-là » (J. 9 janvier 1914). Ils se dirigent maintenant vers Paris où ils arrivent la nuit par les grandes avenues ! « Paris, quelle grande ville ! ». De Paris, Conchita se rend à Lisieux pour confier les Œuvres de la Croix à la « petite Thérèse ».

Lisieux

« 19 janvier. Je suis allée à Lisieux visiter le tombeau de Sœur Thérèse de l'Enfant Jésus, son couvent et sa maison. Il neigeait et il faisait un froid incroyable. Je suis allée la remercier parce que précisément je lui avais recommandé toutes les Œuvres de la Croix dont la cause vient de triompher. Petite Thérèse de mon âme, merci ! merci ! Nous avons visité le monastère, et sa sœur Pauline, actuellement prieure, nous a reçus.

« 20 janvier. Nous quittons Paris. Monseigneur s'en est allé ce matin, les autres pèlerins un peu plus tard ; en compagnie des dames Greville et Páz Fernández del Castillo, nous avons pris un train de nuit pour arriver à Lourdes dans la matinée à 11 heures. » (J. 1914).

Lourdes

« 21 janvier. Nous avons passé une mauvaise nuit dans le train, nous sommes arrivés à Pau à 8 heures et nous avons continué vers Lourdes. Quel panorama sur les cimes neigeuses ! Les Pyrénées sont enchanteresses.

« Nous arrivâmes en gare. Nous mangeons avec appétit, puis aussitôt, nous avançons sur une épaisse couche de neige de vingt centimètres. Nous avons visité l'église supérieure, la Grotte et la belle Basilique du Rosaire. Quelles douces émotions ! On sent ici la présence de la Très Sainte Vierge, son passage, sa protection toute particulière. Agenouillée dans la grotte, on ne se lasse pas de contempler ce site de toute beauté, ce lieu où s'est placée Marie, au cours de dix-huit apparitions. Ma pensée remontait aux temps passés et mon âme frémissait au souvenir du nombre de miracles et de grâces répandus ici.

« Combien je me suis rappelée ma mère qui me lisait avec enthousiasme, quand j'étais enfant, le livre d'Henri Lasserre ! Comme elle désirait venir sur le théâtre de ces événements religieux ! Toute ma famille a rêvé de venir ici et moi, la plus indigne, la plus misérable et sans aucun mérite, la plus tiède, voici que je contemple, émerveillée, ce lieu enchanteur. Des milliers de cierges brûlaient ; toute la Grotte est noircie de fumée, jusqu'autour de la statue de Marie, placée au lieu des apparitions. Seul, le rosier, aux pieds de la Vierge, garde sa fraîcheur et refleurit entre la neige et la fumée. Quelle merveille de Dieu !

« Nous avons récité le Rosaire le long des rampes... Nous nous sommes confessés à la crypte. J'ai beaucoup prié pour les Œuvres de la Croix, pour les miens, pour le pauvre Mexique. Que de douces émotions ! Quelle charité de la part de Marie ! A chaque heure les cloches chantaient les « Ave Maria » nous invitant à glorifier Marie. Cela produit une impression d'enchantement. On se sent si bien ici, à l'ombre de Marie, que l'on ne voudrait plus partir ». (J. 21 janvier 1914).

En Espagne avec son fils Manuel

Les voyageurs reprennent le train vers l'Espagne où son fils Manuel l'attend. Longues heures de joie et d'intimité. Ils vont prier ensemble à Loyola. Manuel fête ses vingt-cinq ans avec sa maman. Son frère Ignace et sa sœur Lupe sont là aussi : « Quelle bonté de la part de Dieu qui m'a conduite en ce jour avec lui. Nous nous sommes promenés paisiblement dans la campagne, avec de très beaux paysages. A l'orée d'un ruisseau je lui ai lu mon journal de voyage » (J. 28 janvier 1914). Mais tout passe ici bas. Bientôt ce sont les adieux. Ils ne se reverront plus qu'au ciel.

Sur le chemin du retour

Tout le groupe des pèlerins est là sur le chemin du retour : Saint Sebastien, Pampelune, Barcelone, Valence (11 février). Malaga, Cadix, Las Palmas, les îles Canaries, Porto Rico (1er mars). La Havane, Veracruz et Mexico (14 mars 1914).

De retour à Mexico, le premier souci de Conchita fut d'aller embrasser ses enfants, puis elle courut au sanctuaire de Notre-Dame de Guadalupe, pour remercier la Sainte Vierge de son assistance victorieuse.

Conchita revenait de Rome dans l'action de grâces. L'Eglise avait parlé. La Croix avait triomphé.

X. Educatrice de ses enfants

Le voyage en Terre-Sainte et à Rome avait assuré l'avenir des Œuvres de la Croix. Conchita n'oubliait pas ses devoirs de mère. A ses yeux, ils passèrent toujours au premier plan de sa vie. Elle adressait un jour à son directeur, le Père Bernardo (Mgr. Maximino Ruîz) cette déclaration capitale : « Il est un point sur lequel je ne parle pour ainsi dire jamais dans mon « Journal Spirituel », celui de mes enfants, alors qu'en réalité le souci de les élever occupe la plus grande partie de ma vie. Je les porte continuellement dans mon cœur, et plus leur âme que leur corps. Voici, à peu près, la prière que je fais pour chacun d'eux, plusieurs fois par jour :

— « Seigneur, conserve à Pancho sa rectitude, le jugement équilibré dont tu l'as doté. Qu'il soit toujours un homme d'honneur comme son père. Accorde-lui le nécessaire pour se marier, si cela lui convient, sinon libère-le de ces relations si cela n'est pas ta divine volonté.

— « Seigneur, Ignacio me donne du souci. Il est si jeune et au milieu de dangers... garde-le dans cette pureté de conscience que tu lui as donné.

— « Seigneur, que Pablo soit tout à toi. Développe son humilité et son obéissance.

— « Seigneur, que Salvador emploie la vivacité de son caractère pour son bien et pour ta gloire.

— « Seigneur, cette Lupe si vivante, si bien disposée pour la vertu, qu'elle ne dévie jamais de son devoir.

— « Seigneur à Manuel et Concha, ces deux âmes pures et crucifiées pour qui, dès leur jeune âge, tu as choisi la meilleure part, accorde-leur la persévérance, soutiens-les dans leur vocation. Utilise-les pour ta plus grande gloire...

— « Seigneur, mes deux anges qui sont dans le ciel, Carlos et Pedro, qu'ils t'assistent toujours auprès de ton trône.

« O Marie, Mère de mon âme, protectrice des orphelins, fais croître en Pancho sa dévotion à ton égard ; qu'elle grandisse aussi dans tous mes enfants ; je te les donne comme tiens. Couvre-les de ton manteau, garde-les toujours purs, garde-les dans le Cœur de ton Fils, accorde-leur des bonnes inclinations et l'amour de la Croix. Tu le sais, je ne sais pas les éduquer, je ne sais pas être mère, toi, tu le sais, ô Marie. Cache-les dans ton sein, conserve-les purs pour Jésus, pour Lui seul. » (J. 30 octobre 1908).

Sa vie d'union à Dieu n'a jamais éloigné Conchita de sa famille. Au contraire, jamais une mère ne s'est souvenue comme elle de tous ses enfants.

La mort de son premier enfant, à six ans, son petit Carlos, l'a laissée meurtrie pour toujours.

Devenue veuve, la mort tragique de son plus petit noyé dans le bassin d'eau de sa maison lui causa une douleur inconsolable.

Le cadavre de Pedrito

« Mardi-saint, 7 avril, jour terrible pour mon cœur.

« Pendant la messe j'étais inquiète, pressée intérieurement, sans savoir pourquoi, de retourner à la maison. Après quelques occupations, je me mis à coudre. Tandis que je me trouvais en train de faire cela, soudain j'ai entendu une voix qui me disait : « Pedrito est dans le bassin du jardin ». J'ai senti qu'il m'appelait et moi je répétais machinalement ces mêmes paroles : « Pedrito est dans le bassin du jardin ». Je courus, je volais et les enfants, qui m'entendirent, me criaient : « Oui, maman, il est ici ! ! ! ! ». Je ne vis plus rien, pendant quelques instants je ne me suis plus rendue compte de ce qui m'arrivait. Je l'ai pris dans mes bras, ruisselant d'eau, glacé... un cadavre.

« Quelques minutes auparavant, il était à mes côtés. En sortant de la chambre, m'ont expliqué les autres enfants, il leur a dit qu'il allait puiser un peu d'eau pour les pigeons... Il y avait trois domestiques près du bassin, mais personne ne le vit tomber... Je me suis sentie comme folle, luttant autant que je le pouvais pour le ramener à la vie, mais son cœur ne battait plus, il n'avait plus de pouls, et ses yeux, les pupilles dilatées et sans vie. Mon Dieu ! J'ai senti mon âme déchirée et, mon fils entre les bras, je l'ai offert au Seigneur, dans la douleur, l'amertume et le remords, pensant que c'était dû à une négligence de ma part, me souvenant combien, au moment de mourir, son papa me l'avait recommandé.

« On est venu du Commissariat dresser l'acte officiel. Vinrent aussi un médecin et son assistant mais tous les efforts furent vains. J'écrivis à ma mère et au Père Félix ce qui arrivait, mais Notre-Seigneur voulut que je reste seule ; ma mère ne put venir que cinq heures plus tard et le Père Félix seulement dans la nuit parce qu'on ne lui avait pas remis ma lettre.

« Je me suis rendue au pied de mon grand Crucifix et là, baignant ses pieds de mes larmes, prosternée, je lui ai offert le sacrifice de mon fils, lui demandant que s'accomplisse en moi sa volonté divine. J'ai passé la nuit, en veillant devant le cadavre de mon enfant. A minuit je l'ai déposé dans son petit cercueil. En le prenant dans mes bras, il était glacé. Cela m'a beaucoup impressionnée. » (J. 7 avril 1903).

La mort de Pablo

Plus tard ce fut Pablo, qui mourut entre les bras de sa mère, beau jeune homme de dix-huit ans, très pur, qu'elle affectionnait spécialement.

« 21 juin, en la fête de saint Louis de Gonzague. Aujourd'hui Pablo a reçu les derniers sacrements. Ce matin il a voulu que l'on appelle le Père Pedro Jiménez à qui il a fait très volontiers une confession générale. Quand il eut fini, son confesseur m'a dit : « Ne demandez pas la santé pour Pablo ; il ne connaît pas le mal, c'est une âme pure ; laissez-le aller au ciel, c'est un enfant, en quelques minutes il a achevé sa confession générale. »

« A trois heures trente (de l'après-midi) il reçut la sainte communion en viatique, avec une grande ferveur, répondant à toutes les prières. Pour ne pas le fatiguer, je lui ai fait faire l'action de grâces peu après. Il souffre horriblement de la tête, cela provient, paraît-il, de la typhoïde.

« 22 juin. Dès aujourd'hui dimanche, je l'ai déménagé de sa chambre. C'est une typhoïde terrible. Je souffre beaucoup. Lui est calme et résigné.

« Deux ou trois jours avant de tomber malade, après le souper, il m'avait dit : « Ma petite maman, bien vite, tu vas avoir, ici, un mort ». Je ne sais alors ce que j'ai ressenti, mais de très bon matin je me suis levée pour voir s'il était mort. Ces jours-ci j'en avais le pressentiment et à maintes reprises, je lui ai parlé tandis qu'il reposait dans son lit, pour voir s'il était vivant. Mon Dieu ! Est-ce possible ? Que ce calice s'éloigne de moi ! Cependant que ta volonté soit faite et non la mienne !

« 25 juin. Déjà il ne me reconnaissait plus. Je me tenais tout près de lui. Il s'écria : « Je veux ma maman ! Appelez ma maman ! » Je ne sais ce que je ressentis. Je me mis à pleurer. Tout son désir est de partir et moi je sens la mort. Jamais il ne ferme ses beaux yeux bleus. Pendant quelques instants il les a tenu fixés sur moi. Je garde son regard dans mon âme.

« 27 juin. Avec une grande force, qui n'était pas la mienne, je l'ai aidé à bien mourir. Je l'ai vu agoniser et expirer, puis, aussitôt après avoir baisé son front, je me suis mise à prier. Dès qu'il fut mort j'ai placé dans ses mains le crucifix que je porte toujours sur mon cœur. Je le lui ai retiré quand je l'ai déposé dans son cercueil. Je lui ai ouvert de nouveau ses yeux, couleur de ciel. J'ai baisé son front et je lui ai fait mes adieux. Déjà il n'était plus à moi. » (J. juin 1913).

« O Mère des douleurs, Mère qui comprends une mère qui vient de perdre un fils très aimé, par tes mains, par ton cœur sans tâche, offre mon propre fils à la Très Sainte Trinité afin qu'en mon nom et comme une chose que Dieu m'avait donnée, Elle soit glorifiée. » (J. 30 juin 1913).

XI. MANUEL : SON FILS JÉSUITE

On est émerveillé de voir avec quelle sollicitude et quelle affection cette mère vigilante suivait chacun de ses enfants dans la vie, respectant toujours leur personnalité et leur liberté. Deux d'entre eux s'orientèrent dès leur jeunesse vers la vocation religieuse : Manuel et Concha.

Manuel partit le premier. Conchita avait rêvé de le voir « Prêtre de la Croix », mais Dieu est le maître des vocations. Son fils entra, à dix-sept ans, dans la Compagnie de Jésus où il reçut une solide formation et se dépensa vaillamment, jusqu'à sa mort, au service de l'Eglise « pour la plus grande gloire de Dieu ».

La maman soutenait la ferveur de son fils et une abondante

correspondance réciproque nous les montre de plus en plus unis dans une affection à la fois très humaine et toute divine. Dès qu'elle apprend sa résolution définitive, elle lui trace le chemin de la sainteté religieuse : « Je vois la grâce travailler ton cœur et je ne sais comment remercier le Seigneur pour ses bienfaits. Comment correspondre à une telle bonté ? Livre-toi au Seigneur, en vérité et de toute ton âme, sans jamais te reprendre. Oublie les créatures, par dessus tout oublie toi toi-même. Fais le vide de tout ce qui n'est pas Dieu pour être élevé vers Lui. Aie une vie toute d'obéissance, d'humilité, et d'abnégation. Meurs à toi-même. Ne vis que pour Jésus. Qu'il règne dans ton âme.

« Je ne puis concevoir un religieux qui ne soit pas un saint. On ne doit pas se donner à Dieu à moitié. Sois généreux envers Lui. La vie est trop courte pour ne pas nous sacrifier à Lui par amour. Peut-être et sans tarder, les tentations, les luttes, viendront te harceler. Sois ferme, aime toujours la croix sous quelque forme qu'elle se présente. Elle est toujours aimable pour celui qui, sous son apparente rigueur, sait découvrir la très sainte volonté de Dieu.

« Il est évident que mon cœur de mère en a souffert, mais je suis heureuse de pouvoir offrir ce sacrifice au Seigneur en faveur de ton âme mille fois plus aimée que ton corps. Prie toujours, prie beaucoup pour moi... J'ai fait part de ta décision à toute la famille ; ils prieront pour toi. Tes frères t'écriront plus tard... Je t'ai enveloppé sous le manteau de Marie depuis ton enfance, elle sera ta Mère, aime-La sans limite... garde les pieds sur la terre mais que ton âme et ton cœur habitent là-haut dans le ciel... ! » (9 décembre 1906).

Quelques années plus tard, à l'occasion de son voyage en Terre-Sainte et à Rome, Conchita passe en Espagne pour embrasser son fils. La mère et l'enfant se revoient avec bonheur. Elle le retrouve « très cultivé et spirituel ». « Ensemble nous avons causé, nous avons ri et pleuré, nous avons remercié Dieu ». (Janvier 1914). « J'ai beaucoup souffert au moment des adieux, peut-être les derniers en ce monde. Lui aussi pleurait... Enfin nous nous sommes séparés. J'ai souffert terriblement, j'ai renouvelé à Dieu mon sacrifice pour son amour. » (2 février 1914). Quelques jours après elle quitte la péninsule Ibérique : « Adieu Espagne, c'est là que reste mon fils » (19 février 1914).

En décembre 1919, Conchita apprend que l'on ampute à Manuel une partie du doigt de la main droite. Pourra-t-il être prêtre ? Elle admire son enfant qui souffre « avec la résignation d'un saint » (4 mars 1920).

Il sera prêtre, mais le jeune jésuite, dans son âme ardente de missionnaire a demandé à ses supérieurs d'offrir à Dieu un grand sacrifice pour le Christ et les âmes. Il annonce à sa mère sa détermination agréée par ses supérieurs : (lettre juin 1920). « Ma petite et inoubliable maman. Je suppose que tu as bien reçu ma dernière lettre et que tu n'es pas tranquille, désirant savoir ce que je te laissais entrevoir de même que dans mes précédentes lettres, afin de préparer les chemins.

Maintenant que tout est réglé, c'est à toi la première, après mes supérieurs, que je communique cette nouvelle pour que tu m'aides par tes ferventes prières et que loin de m'adresser un reproche tu m'encourages à marcher par la voie du sacrifice. A voir les choses d'en bas, comme cela est naturel, cela va te faire mal et te causer de la peine, comme j'en ai souffert moi-même et douloureusement ; mais il ne s'agit pas de cela, il faut envisager les choses, comme il se doit, avec les yeux de la foi. Alors, la nouvelle que je vais te communiquer sera bien à ton goût puisque c'est un beau sacrifice, qui, je le crois, m'a été inspiré par Dieu, Notre-Seigneur. Après de longues années d'épreuve, l'obéissance l'a complètement approuvé.

« De quoi s'agit-il ? Je voulais sacrifier à Jésus Christ, à qui je dois tant, quelque chose qui me coûtât vraiment afin de lui rendre en retour quelque chose pour ses innombrables faveurs. Sous une inspiration divine, j'ai fixé alors mon regard sur toi, sur ma famille, sur ma patrie, vous tous, enracinés au plus profond de mon cœur aimant de fils, de frère et de mexicain. Malgré le poids de ma pauvre nature humaine, dans un grand élan spirituel, je me suis offert en holocauste faisant le sacrifice de ce triple amour si saint.

« Notre T.R.P. Général, au nom de Jésus Christ, dont il tient la place pour moi, a accepté mon sacrifice. Ainsi mon rêve de retourner vers toi, vers mes frères et toute la famille, de fouler sous mes pas cette terre bénie, sanctifiée par la présence et la protection de la Vierge du Tepeyac : tout cela pour moi est fini et à moins que tu ne viennes par ici, ce n'est qu'au ciel que je vous retrouverai.

« Triste nouvelle, n'est-ce pas, ma petite maman ? Oui, à ne considérer les choses que du point de vue de la chair et du sang, mais quelle chose belle et digne de mon cœur que ce désir d'aimer Jésus par-dessus toutes choses.

« Je sais que tu vas pleurer en lisant cette lettre. Tes larmes tomberont dans le plus profond de mon cœur de fils aimant. Unies au miennes, tu sauras les offrir au pied du Saint-Sacrement, avec celles de ton pauvre Manuel.

« Petite maman chérie, c'est toi qui m'as montré le chemin. Pour mon bonheur, dès tout-petit, j'ai entendu de tes lèvres l'exigeante et salvatrice doctrine de la Croix qu'en ce moment je mets en pratique. Que Dieu m'accorde d'aller avec Elle de l'avant sans me laisser arrêter jamais par le sacrifice de la seule chose que je possède, ma propre vie, pour la gloire de Dieu et le salut des âmes. Heureux serai-je s'il en est ainsi.

« Ils sont vraiment dignes de pitié les gens du monde qui, pour de l'argent ou pour autres aspirations plus viles, s'imposent des sacrifices analogues. Nous autres, c'est pour Jésus Christ et pour des fins plus hautes que nous le faisons. Ainsi sommes-nous et devons-nous être bien plutôt dignes d'envie. Tu le sais, petite maman, loin de diminuer avec l'absence, l'amour grandit. Tu peux donc imaginer combien mon amour pour toi, pour mes frères et pour le reste de la famille a grandi dès que j'ai reçu cette heureuse nouvelle. Nous sommes heureux de la félicité de la Croix, la seule qui soit vraie. N'ayons qu'un désir : n'en descendre jamais.

« Bientôt je t'écrirai de nouveau. Salue tous mes frères, avec ma plus affectueuse tendresse ; et toi, mon inoubliable maman, envoie ta bénédiction à ton Manuel afin que, dans son sacrifice, sa joie soit parfaite...

« Ton fils qui t'aime

Manuel S.J.

Conchita a recopié la lettre de son fils dans son Journal :

« Oui, cette lettre a arraché des larmes de mon cœur, mais avec l'aide de Dieu, j'ai accepté et offert ce sacrifice à Dieu de ne plus le revoir sur la terre, même quand je pourrai aller en Espagne. J'ai renoncé à la joie d'assister à la Messe de son ordination, d'écouter sa prédication, de recevoir de ses mains la communion, de me confesser à lui, et qui sait, peut-être de m'aider à bien mourir par une suprême absolution qu'il me donnerait. Que le Seigneur daigne accepter mon pauvre et imparfait sacrifice qui fait saigner mon cœur. Je ne suis pas digne d'un tel fils » (J. Juin 1920).

Conchita adressa aussitôt à Manuel une réponse sublime où la mère et l'enfant rivalisent d'héroïsme.

« Mon enfant chéri. Que te dirai-je, après ta lettre m'annonçant la nouvelle que j'attendais, car je te connais. Toute en larmes, j'ai fait monter vers Dieu d'infinies actions de grâces pour t'avoir inspiré et donné la force d'accomplir un si grand sacrifice. Je me suis rendue près du tabernacle, j'ai déposé ta lettre tout près. Je te l'assure, c'est de toute mon âme que j'ai accepté le sacrifice des sentiments d'affection, si profondément entrés en moi. Le lendemain, je portais ta lettre sur mon cœur en allant communier, afin de renouveler ma pleine acceptation.

« Heureux es-tu, mon cher enfant, d'avoir placé Jésus au-dessus de la chair et du sang, d'avoir su t'élever dans un regard de foi au-dessus de la terre. Le peu de bien que, dans la formation de ton cœur, tu as reçu de moi, n'est pas de moi, mais de Dieu, qui, dans sa prédilection infinie, t'a choisi pour lui dès ta plus tendre enfance en t'accordant la vocation religieuse. Je ne sais si tu as reçu l'une de mes lettres où pressentant ton sacrifice, je te disais que le Mexique a besoin de nombreux ouvriers et qu'il y a de vastes régions habitées par des Indiens encore païens où l'on pourrait étendre le règne du Christ au prix de grands sacrifices et de beaucoup de privations, par exemple dans le Tarahumara ou dans la région des Muzquiz. Je te disais dans ma lettre que même de retour ici, si tu le désirais, je ne te reverrai jamais plus. Il suffirait que tu me le manifestes. Maintenant l'obéissance a sanctionné tes désirs. C'est clair, il n'y a plus aucun doute : c'est la volonté de Dieu. Je l'accepte de toute mon âme, je la vénère et je l'aime.

« Oh ! Manuel, le fils de mon cœur, ce qu'il y a de plus grand après Dieu, l'unique chose divine que puisse faire la créature : c'est de l'aimer et de le glorifier en se sacrifiant. La devise de St Ignace est la suprême formule de l'amour « ad majorem Dei gloriam », « tout pour la plus grande gloire de Dieu ». Combien cet amour est méconnu sur la terre ! Heureux ceux qui ont reçu la lumière de la Croix. Pour le monde, aimer : c'est jouir. Dans son égoïsme il croit que l'amour consiste avant tout à recevoir, à être consolé, dorloté, à se satisfaire, alors que l'amour se nourrit du don de soi et d'immolation. Son aliment : c'est la douleur.

« Je m'arrête de discourir. Je veux simplement te féliciter mille fois d'avoir su trouver le véritable chemin du ciel. Sois toujours généreux avec Dieu, par pur amour, et tu seras toujours heureux sur la terre comme dans la patrie, là-haut.

« Tes frères ont éprouvé une très grande tristesse, ils iront te voir. Demande pour moi à Dieu que tu puisses me retrouver dans le ciel, bien que je sois très loin de le mériter, je te transmets le souvenir de tous tes frères, et en t'approuvant pleinement, je te donne ma bénédiction.

« Ta mère qui t'embrasse, heureuse dans son sacrifice » (J. juin 1920).

Deux ans après, Manuel va être ordonné prêtre. Le cœur de Conchita exulte de joie et de fierté.

« J'ai reçu de Manuel une lettre qui m'a profondément émue. Il désire avec ardeur son ordination. Il me dit entre autres choses : « Je n'oublierai pas une seule de tes intentions, ni notre inoubliable papa, ni aucun de mes frères, en ce jour où l'on dit avec raison que le Seigneur accorde tout à son nouveau prêtre. Tu le sais, par l'union spirituelle qui existe entre les âmes et le Seigneur Jésus, il n'y a pas de distance. Ce jour-là, je te le promets explicitement, toi et papa, comme cela est juste, vous aurez la primeur et le meilleur de mes intentions. Puis, ce seront tous et chacun de mes frères, afin que Notre-Seigneur déverse avec surabondance des torrents de grâces précieuses dans ce petit coin de mon âme, où, à mesure que passent les années, mon cœur aime de plus en plus mon inoubliable famille... Ma petite maman, tu me dis : « Souviens-toi, mon fils, lorsque tu tiendras dans tes mains la Sainte Hostie, tu ne diras pas : « Voici le Corps de Jésus » et « voici son sang » mais tu diras : « Ceci est mon Corps », « Ceci est mon Sang », c'est-à-dire que doit s'opérer en toi une totale transformation, tu dois te perdre en Lui, être « un autre Jésus ».

« N'est-ce pas le comble de la félicité sur la terre et dans le ciel ? Ainsi, ma petite maman, que je sois ordonné maintenant ou plus tard, parle-moi de cela dans tes lettres, apprends-moi à être prêtre, apprends-moi ce qu'est la joie immense de dire la messe. Je me remets entre tes mains, comme lorsque tout petit enfant, tu me cachais dans ton sein pour m'enseigner les noms si doux de Jésus et de Marie, car pour pénétrer dans ce mystère d'amour, d'une grandeur infinie, je me sens vraiment comme un bébé qui te demande la lumière, ta prière et tes sacrifices... » (23 juillet 1922).

Le jour approche de cette sublime consécration comme Prêtre du Christ, les effusions de tendresse se multiplient dans leur correspondance. « Il y a des heures dans la vie, où l'on ne peut rien dire, ni même sentir comme on le devrait. Voici l'un de ces moments pour toi et pour moi. A vous de suppléer à ce qu'il m'est impossible de traduire sur du papier. En ce jour bienheureux, vous autres et moi, moi et vous autres, toi surtout ma petite maman et moi, moi et toi, dans un lien indissoluble et très étroit, que ne pourra séparer ni la distance, ni l'absence, ni rien en ce monde, nous resterons unis dans la compagnie la plus sainte qui puisse exister, ici bas et là-haut, la compagnie de ce même Jésus...

« ... Dès que je serai prêtre je t'enverrai ma première bénédiction, puis je recevrai la tienne à genoux.

Tout à toi,
Manuel, S.J. »

A la date fixée, Conchita se lève la nuit, en tenant compte du décalage horaire entre l'Europe et le Mexique et, par la pensée, pour assister à la première messe de Manuel, et recevoir à travers l'espace, sa première bénédiction : « Te Deum laudamus ». Je suis mère d'un prêtre !... Je me sens anéantie. Comment me comporter, quelle sainteté, quelle vie de gratitude, quelle plénitude de vertus je devrais pratiquer ! Je ne sais que pleurer et rendre grâces, invitant tout le ciel à remercier pour moi, si incapable de le faire, moi, si misérable, si remplie de souillures et si indigne. » (Lettre à une amie, 31 juillet 1922).

Pendant des années encore une longue correspondance les tiendra unis l'un et l'autre. Conchita racontera dans ses lettres jusqu'au moindre détail de la vie de famille, de chacun de ses frères et sœurs, de tout ce qui les touche l'un et l'autre, des événements douloureux qui se passent au Mexique, de son inébranlable confiance dans la miséricorde de Dieu sur sa nation, héroïque dans la foi. Ce sont les lettres d'une mère, d'une amie, d'une confidente et d'une sainte qui déverse son cœur dans celui de son enfant.

Voici l'une de ses dernières lettres, peut-être la dernière :

« Aujourd'hui, en la fête du Christ-Roi, sera inaugurée la fondation des Missionnaires du Saint-Esprit à San Luis, ta terre natale et la mienne ! Dieu soit béni ! Fais monter vers Lui ton action de grâces. Que tout soit à sa plus grande gloire. » Elle lui parle des lois antireligieuses et des menaces du communisme athée. « Seule la Vierge de Guadalupe peut nous libérer. Mexico est à Elle et le sera toujours... Me voici à Morelia, et je dérobe au Seigneur quelques minutes pour t'écrire. Monseigneur Martínez m'a donné les « Exercices » comme chaque année. Cette fois-ci il a choisi comme thème « la joie parfaite dans la souffrance ». Demande à Dieu que j'en fasse profit. Ce sont peut-être les derniers. Je dois me préparer au grand voyage. Comme Il voudra !.

« Nous espérons que Dieu calmera les passions et que n'éclatera pas une guerre mondiale.

« Deviens un saint. La vie est trop courte pour s'arrêter en chemin, Quelle que soit la route de notre recherche de Dieu, elle passe toujours par la Coix. On dit que la Croix, avec majuscule, fut celle du Maître et en lettres minuscules : la nôtre. Aime-la puisqu'elle est l'instrument principal de notre salut »... Conchita a pris quelques instants sur sa retraite pour ce courrier urgent : « Maintenant l'heure est venue d'être avec Lui. Je vais beaucoup prier pour toi. Qu'Il règne pleinement sur ton cœur. Qu'Il remplisse toutes les capacités de ton âme. Qu'Il te transforme en Lui, faisant de toi, par Marie, un autre Jésus.

« Bénis-moi et reçois ma pauvre bénédiction avec ma grande tendresse. Ta mère qui ne t'oublie jamais » (J. 25 octobre 1936).

XII. Sa fille Concha, religieuse

Concha, venue après trois garçons, fut sa fille particulièrement choyée. Elle était le sourire du foyer. Son père l'adorait. Tombée gravement malade, à l'âge de six ans d'une typhoïde, elle ne fut sauvée que par les soins et le dévouement inlassable de sa mère. Elle devint une grande et belle jeune fille mais son âme restait toute à Dieu dans une inviolable pureté. A quinze ans elle fit vœu de virginité. Son charme personnel lui attira irrésistiblement toute une cour de jeunes garçons qui l'aimaient passionnément. Un instant elle fut troublée et déclara à sa maman qu'elle ne voulait plus entrer au couvent. Un drame d'amour se déroulait dans son cœur. Sa mère respecta sa liberté mais redoubla de prière et de pénitence : « Seigneur, si sa beauté est un obstacle, enlève-la lui. »

Au retour d'une retraite, Concha rentra radieuse à la maison : « Maman, j'ai choisi le Christ pour toujours. »

Une intimité d'âme, encore plus profonde, se développa entre la fille et la mère, jusqu'à la mort de Concha, devenue en religion Sœur Thérèse de Marie Immaculée. Une correspondance de plus de trois cents lettres en témoigne, sans compter de nombreuses visites. Leurs âmes vibraient dans la communion d'un même idéal d'amour pour le Christ et de sacrifice pour le salut du monde. Les traits spirituels de Conchita s'imprimaient spontanément dans l'âme de sa fille. Sa mère n'était-elle pas l'inspiratrice providentielle et la fondatrice des contemplatives de la Croix ?

Sa mère ne cessait de prier pour elle : « Qu'elle soit une parfaite religieuse de la Croix » (J. 17 avril 1908).

« Accorde-lui la persévérance (J. 5 octobre 1908). Quand le noviciat se déplaça de Mexico à Tlalpam, la mère accompagna sa fille jusqu'au tramway : « Je l'ai suivie du regard en murmurant un Magnificat » (J. 16 août 1909). Les visites les comblaient de joie toutes deux : « J'ai revu sœur Thérèse heureuse » (J. 3 mai 1908).

Ainsi passèrent les premières années. Conchita était fière de sa fille et remerciait Dieu : « Je suis enchantée de la vertu de Concha, maintenant Sr Thérèse de Marie Immaculée. J'ai rougi de honte de me voir déjà vieille et sans vertu tandis qu'elle-même a progressé comme un géant. » (J. 17 janvier 1915).

Le 23 octobre 1916 elle prononce ses vœux perpétuels. « Jour de bonheur inoubliable ! Thérèse de Marie Immaculée, ma fille Concha, est devenue à jamais l'épouse du Seigneur ! Dès qu'elle put parler, je lui avais appris à dire que lorsqu'elle serait grande, elle deviendrait « l'épouse du Christ ». Et voici que déjà cette union est consommée avec le Roi du ciel et de la terre. »

Sr Thérèse fit son entrée dans la chapelle, un cierge allumé dans la main, pure, modeste, tremblante d'émotion, radieuse de bonheur. Elle prononça ses vœux, d'une voix paisible et forte.

Elle avait une très belle voix. Quand elle chanta en solo, le « Veni Sponsa Christi », nous dit sa mère : « j'ai éprouvé une joie ineffable, une humiliation profonde et une gratitude sans limite » (J. 23 octobre 1916).

Sa mère contemplait avec émerveillement sœur Thérèse de Marie Immaculée : « c'est un ange... elle sera une grande sainte. » (J. octobre 1916).

La jeune professe était charmante. Elle fut pour ses sœurs qui l'aimaient beaucoup, une compagne très sympathique, fidèle et souriante. Elle était très appréciée de ses sœurs de Puebla et de Monterrey. Sa vie se déroulait sans histoire. Un moment elle traversa une crise grave de vocation mais son amour pour le Christ triompha. Bientôt la maladie vint la surprendre dans le climat très chaud et meurtrier de Monterrey. Elle cracha le sang. Ce furent des heures très dures pour la mère et pour la fille. On a transféré la malade à Mexico.

« La Mère Javiera a demandé à l'archevêque la permission pour moi de rester près de Thérèse. » (J. 11 décembre 1925). « En la fête nationale de Notre-Dame de Guadalupe, le 12 décembre, on lui fit prendre une rose bénite, portée de la Basilique, en suppliant la Très Sainte Vierge que Thérèse puisse recevoir le Viatique. Elle reprit l'usage de la raison et on lui administra les derniers sacrements. Elle se rendait compte de tout. Je ne sais comment remercier Dieu. Pour moi, c'était le principal : qu'elle reçoive Jésus ! Avec quelle ferveur elle l'a demandé. Elle me reconnut et me dit : « Ma petite maman chérie ». Pauvre enfant ! Mon âme a éclaté, mon cœur se fendait en morceaux en la voyant tant souffrir ! Elle répétait à Jésus : « Voici mon corps... »... « Voici mon sang ». Je la regardais, et je pleurais, l'offrant au Père éternel, le suppliant qu'Il la prenne si telle était sa Volonté » (J. 12 décembre 1925).

« A deux heures du matin, je suis allée en auto chercher un ballon d'oxygène. Mon Dieu. Mon Dieu, qu'elle ne meure pas asphyxiée ! « Je ne veux pas désespérer », disait-elle. Et elle entra dans une angoisse indicible, répétant : « C'est pour les âmes, pour les prêtres, pour les Œuvres de la Croix ! ». Mon Dieu ! » (J. 17 décembre 1925).

« Hier, 19 décembre, à une heure trois quarts de l'après-midi, Thérèse est morte ! Dieu de mon cœur, sois mille fois béni !

« Après vingt-neuf jours de maladie et de souffrances aiguës dans tout son corps, est morte la fille de ma vie...

« Ce fut un ange, une victime, une sainte. » (J. 20 décembre 1925).

XIII. Les quatre enfants survivants

Trois fils et une fille de Conchita sont encore vivants : Pancho, Ignacio, Salvador et Lupe.

Pancho est un beau vieillard, droit comme un I, prenant facilement l'avion pour les besoins de la firme de machines à écrire qu'il a fondée et qu'il dirige encore. C'est un homme d'affaires mais surtout un homme d'honneur et un grand chrétien. Ses frères et sœurs, qui lui doivent beaucoup, l'aiment comme « un second père ». A la mort de son papa, il avait dix-sept ans et se mit courageusement au travail pour aider sa mère à élever ses sept autres orphelins. Il traversa des heures difficiles, n'hésitant pas à faire de grands périples en Europe et en Amérique : Etats-Unis, Brésil, Argentine, Bolivie, Chili, Pérou. Conchita avait en lui une entière confiance et s'appuya beaucoup sur lui pour l'éducation de ses autres enfants.

Ignacio, après avoir élevé une très belle famille chrétienne, avec son épouse Chabela, très aimée de Conchita, achève sa vie, entouré de l'affection des siens, dans la maison où mourut sa mère, à San Angel. Il prie dans le souvenir d'une sainte maman qui l'aimait beaucoup et qui disait de lui : « C'est celui de mes enfants qui ressemble le plus a son père. »

Salvador, fut le dernier des garçons. La mère veillait sur lui avec beaucoup de tendresse, suppliant Dieu de lui faire trouver une femme qui le rendrait heureux : « Donne une situation à mon enfant chéri Salvador » (J. 31 mai 1924). Après son mariage, Conchita écrivait dans son Journal : « Tout s'achève pour moi... mais une mère se réjouit du bonheur de ses enfants » (J. 24 septembre 1929).

Lupe fut une fille très personnelle et charmante. Salvador et elle furent les deux enfants terribles de la famille, avec l'un et l'autre un grand cœur.

Conchita aimait tous ses enfants et les suivait chacun dans sa propre vie. Je n'ai jamais trouvé sur leurs lèvres le moindre reproche à l'adresse de leur mère. Elle-même leur a rendu le plus beau témoignage quand elle disait : « Je ne suis pas digne des enfants que Dieu m'a donnés. »

XIV. Portrait d'une mère par ses enfants

Depuis 1954, j'ai eu l'occasion de dialoguer avec ses enfants. Voici le portrait vivant de leur mère tel qu'il ressort des témoignages authentiques, que j'ai pu recueillir, et auquels je joins les réponses orales à un interrogatoire en règle, fidèlement sténographié.

Ce qui m'a le plus frappé en interrogeant ses enfants ce fut de constater leur identité de vues sur leur mère malgré la diversité de tempérament de chacun. Tous reconnaissent le caractère élémentaire de sa première instruction faisant contraste avec la sublimité de ses écrits. « Son instruction, à San Luis, fut celle de toutes les jeunes filles de la société de l'époque. Il n'y était question que de fanfreluches, broder, jouer du piano, etc. Ce n'était pas comme aujourd'hui » (Pancho). Son fils Ignacio, m'a fait remarquer que sa mère était « supérieurement intelligente ». Il est certain qu'avec la formation féminine du monde actuel, Conchita eût brillé par ses qualités intellectuelles, par sa puissance de synthèse, allant droit à l'essentiel.

Le Christ, son Maître, suppléera à tout et, sous sa « dictée », son génie mystique se développera. « Tout ce qu'elle a écrit le fut par inspiration divine », déclarait son fils aîné.

Sa fille, Lupe, recueillit de la part de sa mère, de vraies confidences, sur sa vie d'intimité avec son mari. Depuis le temps de leurs fiançailles, elle était attirée vers lui par un grand amour. Elle voyait en lui un époux chrétien, d'une grande moralité, un être d'un caractère fort, que le temps se chargea d'adoucir. « Ma mère a toujours accompli les obligations de son état. Elle se montrait très attentive et pleine de tendresse avec mon père, toujours soumise et cherchant à lui faire plaisir en toutes choses. Mon père fut son unique amour.

« En retour, mon père fut pour elle un mari exceptionnel : il ne se mêlait de rien, en lui donnant toute liberté ; il ne l'empêchait pas d'écrire et la laissait en paix. » (Pancho).

Tous ses enfants témoignent de sa fidélité à ses devoirs d'épouse et de mère. « Elle envisageait ses relations conjugales avec une grande simplicité. Leur vie conjugale se déroula toujours dans la paix. Ce fut une vie vraiment chrétienne, dans une mutuelle compréhension. J'ai entendu dire qu'elle n'avait jamais perdu l'innocence baptismale. Certes, elle insistait beaucoup sur la pureté dans notre éducation, mais j'ai compris qu'elle jugeait des choses humaines, sans voir partout des péchés. Elle jugeait tout cela comme très naturel. Elle comprenait la vie, qui est une chose bonne. C'est nous qui sommes mauvais. Plus tard, elle m'a parlé de mes devoirs conjugaux avec mon épouse. Je me suis rendu compte alors que son sens de la pureté n'était pas ignorance » (Ignacio). Ce témoignage d'un père de famille de huit enfants mérite d'être retenu.

« Aucune cachotterie entre eux. Ils étaient sûrs l'un de l'autre » (Lupe).

Maîtresse de maison

Même attestation de la part de ses enfants sur l'attitude parfaite de Conchita auprès des familiers de la maison et des gens de service, comme il y en avait dans toutes les grandes fermes et « haciendas » du Mexique, à cette époque. J'ai interrogé une vieille servante et des employés, tous parlaient de la Señora Concepción Cabrera de Armida avec une grande vénération. Elle était d'une extrême cordialité envers tous, ferme, se fâchant quelquefois mais sans jamais blesser.

Sa manière de vivre

Pour la voir vivre au milieu de ses enfants, rien ne vaut le témoignage direct de chacun d'eux.

Le témoin majeur reste l'aîné : Pancho. C'était une mère de famille « merveilleuse ». « Nous l'adorions, mais comme une maman ordinaire, tout à fait normale, non comme un être extraordinaire. C'est à dessein, je pense, que Dieu l'a permis. Il n'eut pas été commode de vivre avec une sainte, avec une personne qu'il faut entourer de vénération, sans pouvoir la traiter à « tu et à toi », comme nous faisions avec maman. Chez elle tout était normal. Aucune exagération dans sa conduite : non, jamais. Par exemple, quand elle assistait à la messe, certes elle manifestait une grande dévotion, mais comme toute autre personne. N'allez pas vous imaginer qu'elle parlait directement avec le Seigneur, en notre présence. Nous autres, nous ne nous rendions compte de rien. »

« Dans ses relations sociales, elle enchantait tout le monde. C'était une personne très aimable et très agréable. Elle avait une vie de famille et sociale tout à fait normale, à tel point que nous, qui vivions dans son intimité, nous ne nous sommes pas rendu compte de sa sainteté. »

Mère de famille et éducatrice

Ses enfants ne tarissent pas d'éloges sur ses qualités d'épouse, de mère et d'éducatrice. « Nous avons été neuf enfants. Je puis affirmer, comme fils aîné, que ma mère fut un modèle sous tous ces aspects. Comme épouse d'abord, car mon père était exigeant pour tout ce qui touchait à la vie du foyer. Comme mère, elle veillait à donner à chacun une formation complète sur tous les plans : non seulement religieux, mais profane, culturel et social. Après la mort de mon père nous n'étions pas riches. Son frère Octaviano nous a aidés. Elle même s'est imposé de grands sacrifices pour assurer notre éducation dans les meilleurs collèges : chez les jésuites pour les garçons et chez les Dames du Sacré-Cœur pour les filles. A titre de frère aîné je l'ai aidée dans cette tâche difficile. Elle-même, la première, nous donnait l'exemple et nous corrigeait avec énergie, sans jamais perdre sa sérénité. Malgré tout le temps qu'elle passait aux questions spirituelles, elle ne négligea jamais ses devoirs d'épouse et de mère au foyer. Aucun de ses enfants n'a dévié » (Pancho).

« Le plus admirable dans la vie de ma mère c'était le naturel et la simplicité de son existence. Son oraison et ses communions m'ont paru normales. Elle ne dérobait pas des moments libres à ses obligations pour sa vie de prière. Je n'ai jamais constaté de phénomènes extraordinaires dans son comportement quotidien. Je pense que mes frères diront la même chose. En société elle était à son aise avec les grands comme avec les petites gens. Je n'ai rien noté de spécial dans son alimentation, constituée par ce que l'on mange habituellement dans les familles mexicaines. Tout en elle était absolument normal. Je dois confesser que durant toute l'existence de ma mère, je fus enveloppé comme d'un voile qui ne m'a pas laissé découvrir sa sainteté. Ce n'est qu'après sa mort que nous avons compris la mère que nous avions.

« Je ne puis me souvenir de ma mère sans la revoir en train d'écrire. Elle a écrit des livres qui se sont vendus en grande quantité. Elle avait aussi une volumineuse correspondance. »

En terminant, son fils aîné eut un mot magnifique, qui nous livre le secret de cette vie : « Elle aimait Jésus Christ par-dessus tout. »

Ignacio Armida a la même vision que son frère, mais selon son propre tempérament : « J'ai eu la joie de vivre avec elle quarante deux ans de ma vie, ayant quarante quatre ans lorsqu'elle est morte. Pendant les deux premières années de mon mariage, je ne vivais pas avec elle mais nous avions nos deux habitations voisines et l'on se voyait à l'heure des repas. » C'est donc un nouveau témoignage d'une exceptionnelle valeur que nous pouvons recueillir avec lui. Conchita s'était retirée dans sa maison, au milieu de ses huit enfants, et mourut entre ses bras. « Maman était une femme très active. Elle recevait à tout instant des visites. Elle était d'une activité incroyable. Pas de phénomènes extraordinaires en elle. Rien d'éclatant ou d'insolite. Elle avait un caractère très doux mais ferme et énergique. Quand elle avait décidé de marcher dans telle ligne, aucune puissance humaine ne pouvait l'en détourner... Avec elle il fallait obéir. De même dans les œuvres qu'elle entreprenait. Elle avait son plan, son inspiration, son idéal et le suivait jusqu'au bout.

« Sa vie était la plus normale du monde. Toujours joyeuse, très joyeuse, elle multipliait les traits d'esprit, « los chistes » comme nous disons au Mexique. Elle les recueillait même sur un carnet et elle les sortait avec beaucoup de grâce et de naturel. Quand elle allait à San Luis Potosî auprès de son frère Octaviano, homme important et riche, qui recevait beaucoup, maman était toujours le centre de ces réunions. Elle parlait avec les invités, dirigeant habilement les conversations, les acheminant vers le Christ. Elle les entretenait avec beaucoup de charme. Si on l'invitait à se rendre dans une « hacienda » pour une promenade à cheval, elle était disposée à tout... Toujours avec les pauvres : dès que l'un d'entre eux allait mourir, fût-ce un être indésirable, elle était là... pour tous les services. A ses yeux cela importait peu... Je ne sais si un jour on la proclamera sainte ou non, mais sans aucun doute, c'était une âme de Dieu. Toujours le sourire. C'était un sourire qui lui attirait la sympathie. Et ses yeux bleus, couleur de ciel ! Quand elle vous les plantait dans vos yeux, vous vous sentiez deviné. Elle pénétrait au-dedans, j'en suis sûr.

« Un équilibre absolument parfait ! Oui, elle était très équilibrée. Dans les situations difficiles, sa sérénité pacifiait tout. Personne ne pourra dire qu'elle était déséquilibrée, ni qu'elle était nerveuse, excessive, jalouse. Très sensible pour compatir aux souffrances des autres, mais cela me paraît une grande vertu.

« Avec elle, la vie de famille n'était pas triste, ni douloureuse ou avec larmes. Certes, elle souffrait beaucoup mais elle le gardait pour elle.

« Voilà, mon Père, les souvenirs conservés sur ma mère. C'était une maman comme la vôtre, comme toutes les mamans.

Salvador, le benjamin, m'a répété les mêmes choses à sa manière : « un grand équilibre dans ses jugements. Beaucoup la consultaient : elle ne se trompait jamais. Rien d'excentrique dans sa conduite ; la vie la plus ordinaire, la plus normale du monde. Devenue veuve, elle sortait fréquemment, visitait les gens, les autres membres de la famille, les amis. On venait souvent la voir. Elle était très affectueuse, mais reprenait avec force quand on agissait mal. Elle aimait beaucoup la Sainte Vierge et se rendait souvent à la Basilique de Notre-Dame de Guadalupe.

« J'ai vécu avec elle jusqu'à mon mariage à trente trois ans. J'étais le témoin de son caractère, joyeux, simple, équilibré. Sa charité envers les autres fut vraiment admirable. Elle ne pouvait pas découvrir une peine sans y remédier dans la mesure de ses possibilités.

« Elle pratiquait la charité avec tout le monde, même avec les personnes qui l'offensèrent ou firent opposition à ses œuvres. Quand elle apprenait que certaines personnes restaient distantes ou fâchées, elle s'arrangeait pour les rencontrer. Avec les malades de sa famille ou étrangers elle se montrait d'une extrême tendresse, faisant tout pour les soulager dans leurs infirmités. Elle s'offrait toujours pour assister les mourants, allait à leur enterrement, même quand il s'agissait de personnes de sa famille qui ne l'estimaient pas... Elle se prêtait volontiers à tous les offices et travaux d'une domestique. Tout le monde l'aimait. »

Voici enfin le témoignage de sa fille Lupe, toujours franche et spontanée... un témoignage féminin découvre bien des détails qui échappent aux regards des hommes. Elle aussi a gardé de sa mère le souvenir d'une femme comme les autres, parfaitement équilibrée. Elle la connaissait intimement. « J'ai toujours vécu et couché avec elle, depuis la mort de mon papa jusqu'à mon mariage. Elle m'a toujours paru la femme la plus normale du monde. Elle m'a fait bien des remontrances. Nous ne l'avons jamais vue en extase. Un modèle de belle-mère ; une fois mariés, elle ne se mêlait jamais de nous faire la morale, nous laissant pleine liberté. »

Sa fille Lupe, a recueilli un jour une confidence capitale de Conchita à sa bru, la femme de Salvador : « J'ai été très heureuse avec mon mari. » Sur tous les points le témoignage de Lupe rejoint celui de ses frères : sur ses qualités d'épouse, de mère et de maîtresse de maison, sur son entrain et sa sociabilité, sur sa force d'âme au milieu des difficultés de la vie, sur sa grande piété.

« Elle nous est apparue tout le long de sa vie d'une admirable spontanéité naturelle. Durant son mariage sa soumission à mon père fut absolue. Elle avait coutume de dire : « Tout d'abord ce que veut Pancho. » Elle était pour lui très attentive et pleine d'amabilité. Aux familiers de la maison, elle payait toujours ce qu'elle leur devait. Quand je me suis mariée, elle m'a bien recommandé de faire de même, m'indiquant par écrit le juste salaire que je devais moi-même donner. Elle manifestait toujours de la reconnaissance pour les moindres choses.

« Chacun se sentait aimé auprès d'elle, même les personnes étrangères qui l'approchaient. » Le seul défaut que soulignait sa fille Lupe dans sa mère, était un faible pour la gourmandise : « Elle aimait beaucoup, probablement trop, les douceurs, « los dulces » : « Si je passe devant une bijouterie, cela m'est égal, mais quand je passe devant la confiserie de Celaya, l'eau me vient à la bouche », disait-elle.

« Une vie absolument normale, comme tout le monde en famille et en société. Elle riait, disait des plaisanteries, bavardait, jouait du piano, chantait et amusait ses neveux et nièces plus que leur propre maman. Elle passait à travers tout avec le sourire et me donnait ce conseil : « Ce que Dieu te demande, accomplis-le avec le sourire ». Elle nous répétait : « Tout passe, excepté d'avoir souffert pour Dieu par amour. »

Pour moi, je l'ai toujours sentie présente à tous les moments de ma vie.

— Et maintenant, Lupe, la sentez-vous toujours présente ?

— Oui, mon Père, elle nous protège et nous garde à l'ombre de la Croix. »

XV. — Le testament d'une mère

Conchita était souvent malade. Se sentant plus particulièrement en danger, elle adressa à ses enfants une lettre admirable, testament d'une mère et d'une sainte :

« Si je meurs, si déjà Dieu m'appelle, je vous recommande, mes enfants, de rester des chrétiens vaillants et pleins de foi, sans respect humain, pratiquant avec une inviolable fidélité, les enseignements de l'Eglise, fiers de lui appartenir.

« Ayez soin d'accomplir ses préceptes. Soyez généreux envers Jésus qui vous aime tant, à qui vous devez tant et qui veut vous sauver. Je vous supplie de transmettre votre foi à vos enfants par vos enseignements et par vos exemples, ne reculant devant aucun sacrifice pour leur assurer une éducation chrétienne, prenant soin tout particulièrement de former leur âme et les instruire de leur religion.

« Par dessus-tout je vous recommande l'union, l'union, l'union... » (Lettre, 28 juin 1928).

XVI. Mexique : une terrible persécution approche

Il existe, dans la cité de Mexico, à Tlaltelolco, une « Place des trois cultures », révélatrice des trois civilisations qui expliquent les origines, les conflits et la grandeur de la nation mexicaine, héritière des vieilles civilisations indiennes, surtout aztèques et mayas, enrichies par la colonisation espagnole qui vint la marquer d'une empreinte européenne, évocatrice aussi d'une grand avenir à cause du dynamisme créateur de son génie moderne.

C'est dans ce contexte qu'il faut replacer le film de la vie de

Conchita. C'est une femme sainte attachée à sa nation par toutes les fibres de son être, comme le Christ, à travers sa Personne divine, portait les traits d'un oriental. Comme une sainte Rose de Lima, patronne du Pérou, Conchita ne s'explique adéquatement que par son milieu. On ne peut comprendre ses réactions psychologiques, l'expression et les formes de sa piété ou de sa pénitence que par l'ambiance et les coutumes du Mexique.

Au moment où elle avait atteint sa maturité, le Mexique traversait une période de mutation décisive dont Conchita fut le témoin et dont nous retrouvons l'écho dans son « Journal spirituel ». En 1914, la révolution sociale prend un accent antireligieux qui inquiète son âme de « fille de l'Eglise ».

« Août 1914. Nous commençons ce mois-ci dans les angoisses de la guerre, avec en plus une persécution qui approche. Que Dieu nous aide ! Je n'ai aucune nouvelle de mes frères qui sont à San Luis, à Oaxaca et à Queretaro.

« 15 août. Jour d'angoisse. On voudrait réquisitionner la « Casa de la Cruz » (le couvent des contemplatives) comme quartier général et pour le logement des officiers. Aujourd'hui sont entrés vingt mille « carrancistas » ; il en manque trois ou quatre fois plus. J'ai senti dans mon âme une tristesse mortelle, comme si Satan était entré à Mexico. Une oppression terrible. C'est le fléau de Dieu. La guerre déchaînée contre l'Eglise, s'accentue. Mon directeur spirituel a été obligé de se cacher. Les prêtres se mettent en civil. Une persécution approche, effrayante. Dieu a placé près de nous des voisins, membres du gouvernement, qui aiment les sœurs et offrent de les sauver.

« 17 août. Les choses empirent chaque jour. D'horribles blasphèmes, outrages, morts, pillages de maisons, et fusillades sont à l'ordre du jour. Enlèvements de jeunes filles. On a peur de sortir. Cruauté du peuple. On sent venir une hécatombe de prêtres. On a expulsé les religieux. On va confisquer les biens de l'Eglise. Emprunts obligatoires et mille choses lamentables. » (J. août 1914).

Persécution contre le clergé

« Les événements politiques empirent. Mille excès et la guerre contre le clergé dans toute sa splendeur. Oh mon Dieu ! le Dieu de mon cœur ! En toi nous avons placé notre espérance, nous ne serons pas confondus ! Pauvre Mexique ! C'est l'heure du châtiment de Dieu et j'espère que nous saurons en profiter » (J. 27 août 1914).

L'épreuve passera

« Nous sommes entrés aujourd'hui dans un nouveau mois avec mille inquiétudes. Puebla au pouvoir des anti-cléricaux. On a profané cette cathédrale si chère à mon cœur ! On a expulsé les chanoines et brûlé les confessionnaux. Ils vivent installés dans le palais épiscopal et commettent mille vexations contre les prêtres. Les outrages commencent et il se passe des horreurs !

« Me plaignant au Seigneur de ce qui se passait à Puebla, Il m'a dit : « L'épreuve passera ! » (J. 1er septembre 1914).

En 1926-1927 réapparaît le même thème dans son Journal au moment où la persécution touchait au paroxysme.

L'Eglise du Mexique est persécutée

« L'Eglise du Mexique est combattue, tyrannisée, persécutée. On veut réduire le nombre des églises et des prêtres. Les communautés religieuses sont expulsées, les prêtres étrangers recherchés et chassés avec une sauvagerie inconcevable. Les évêques sont dans la peine, un grand nombre de séminaires fermés. Dieu de mon cœur, Verbe de Dieu, aie pitié du Mexique ! Vierge de Guadalupe, Mère remplie d'amour et de tendresse, obtiens-nous le pardon ! » (J. 9 mars 1926).

Les horreurs de la persécution continuent

« Aujourd'hui on est venu voir s'il y avait des religieuses dans le Mirto. Elles cachèrent Jésus et rien ne se passa. Ils virent la chapelle couverte de terre et dirent : « Ici, il n'y a pas de culte. » L'enfer est déchaîné contre l'Eglise. Ces derniers jours, des prêtres prisonniers arrivent, amenés des autres Etats pour les concentrer ici à Mexico. Les évêques en grand péril. Révolutions, combats, beaucoup de jeunes pris par surprise, trahis et martyrisés. Dans la région de Leôn, à l'un d'entre eux qui louait Dieu et animait ses compagnons à mourir pour Lui, on lui coupa la langue avant de le fusiller » (J. 6 janvier 1927).

Nous avons un grand nombre de martyrs

« Nous avons déjà un grand nombre de martyrs au Mexique qui nous accordent des faveurs. Dieu soit béni. Il en connaît le nombre. Il faut adorer ses desseins. Pour Dieu tous sont des moyens desquels Il se sert, et combien de fois Il se plaît à réaliser les choses à l'encontre de tous les moyens humains afin de faire mieux resplendir sa gloire. C'est l'heure de souffrir et de prier mais nous devons aussi adorer ses retards, accepter avec amour ses desseins et espérer contre toute espérance le triomphe et la paix qu'Il nous apportera sans aucun doute. Le Mexique ne perdra pas la foi tant qu'il restera attaché à Marie » (Lettre à une amie, 26 mai 1927).

Tous ces extraits de son Journal ou de la correspondance de cette époque nous permettent de constater qu'elle jugeait de tous les événements, même les plus tragiques, à la seule lumière de sa foi. Au lieu de maudire les persécuteurs, elle priait et offrait sa vie pour leur conversion, les confiant à la miséricorde de Dieu. Ses supplications ardentes s'élevaient vers Dieu surtout pour les prêtres :

« *Offre-toi en victime avec Moi pour l'Eglise* »

« Offre-toi en victime pour mes prêtres. Unis-toi à mon sacrifice pour leur gagner des grâces. Il est nécessaire qu'en union avec le Prêtre Eternel, tu accomplisses ton rôle de prêtre, M'offrant à mon Père pour obtenir de Lui grâce et miséricorde pour l'Eglise et pour ses membres. Te rappelles-tu combien de fois je t'ai demandé de t'offrir en victime, en union avec la Victime, pour mon Eglise bien-aimée ? Ne vois-tu pas que tu es toute sienne parce que tu es mienne et que tu es à Moi parce que tu es toute à Elle ? Précisément, à cause de cette union spéciale qui te relie à mon Eglise, tu as le droit de participer à ses angoisses et le devoir sacré de la consoler en te sacrifiant pour ses prêtres. » (J. 24 septembre 1927).

Elle cache souvent et courageusement des prêtres, des évêques, des religieux et religieuses dans sa maison.

Pas un mot d'amertume ou de récrimination mais la plus pure charité chrétienne envers tous. Depuis sa fondation l'Eglise du

Christ passe dans toutes les nations par des heures de souffrance, de persécution, de trahison et de martyres. C'est le Christ, toujours crucifié dans les membres de son corps mystique, qui sauve le monde.

XVII. Solitude du soir

« Au retour des obsèques de Mgr. Ramón Ibarra, le front appuyé contre le tabernacle... le cœur déchiré, je me suis offerte à la volonté divine. Alors a commencé pour moi la grande « solitude » et avec elle, la dernière étape de ma vie. »

A la mort de son directeur, le 2 février 1917, le Seigneur lui-même avait annoncé à Conchita : « Il te reste à parcourir l'ultime étape de ta vie par l'imitation de ma Mère pour obtenir des grâces aux Œuvres de la Croix. Des tempêtes viendront sur elles comme sur mon Eglise, mais elles triompheront et seront ta couronne. Courage et vaillance !... Poursuis ta mission, imite les vertus de Marie dans sa « solitude » qui firent grandir en Elle son union avec Moi, son adhésion à ma volonté et son désir du ciel. »

La route était tracée par le Seigneur. Conchita acheva son existence sur la terre, comme la Mère de Jésus après son Ascension, dans la solitude et l'isolement du soir : vingt ans de « soledad », du 2 février 1917, au 3 mars 1937, jour de sa mort.

Elle verra diminuer son apostolat extérieur progressivement. Désormais elle sera apôtre par la prière et l'immolation. Dieu la détachera de tout. Elle connaîtra, de plus en plus, la solitude du cœur, et surtout la solitude de l'âme, par un éloignement apparent de Dieu, comme Jésus fut abandonné par son Père sur la Croix.

L'un après l'autre, chacun de ses enfants se marie, la laissant de plus en plus seule. C'est la loi inéluctable de la vie ; mais le cœur sensible de Conchita en souffre douloureusement, parfois même à l'excès. Ses enfants l'entourent d'affection et de prévenances, mais ils ont leur travail, leurs propres responsabilités dans leur nouveau foyer et dans leur lutte pour l'existence. Elle se sent de plus en plus seule quand vient le soir.

Tout passe

« Je suis dans la solitude de l'âme la plus complète, mais c'est la volonté de Dieu et Dieu, pour moi, n'est que là où se trouve sa volonté. Je ne comprends plus rien, je suis un chaos. Cette nécessité d'exprimer mon âme, mes désirs, mes impressions, même sur le papier, tout cela a disparu. Je tends à laisser secrètes mes impressions, mes goûts et même ma souffrance et mes larmes. Je veux tout cacher en Jésus ; tout pour Lui seul. Quel changement s'est opéré en moi ! Je vois clairement que tout passe, change, s'achève ; tout ce qui n'est pas. Sur la terre tout est de la terre, tout est ombre, vanité et mensonge. Le réel, le vrai, ce qui a de la valeur, ce qui dure, ce qui est, tout cela est dans le ciel. La terre avec toutes ses choses, toutes, ne sont qu'un appui pour s'élever vers Lui. Tout se perd en Dieu : les amours, les douleurs, les rêves, les espérances, les désirs, les élans, tout, tout, disparaît en Lui.

« Si je parcours ma vie passée, si je consulte mon cœur, je découvre ses affections. Elles ont passé. Ses désirs les plus ardents, ils ont passé. Ses vanités et jusqu'à ses fautes et ses actes désordonnés, ses ardeurs exagérées pour telle ou telle chose, tout cela est passé, définitivement passé. J'ai beaucoup aimé mon mari. C'est passé. J'ai désiré avec ardeur être religieuse, maintenant tout m'est égal : être ou ne pas être, mourir là, ou mourir dans une cour misérable, dans ma maison, seule ou entourée, aimée ou abhorée ou méprisée. Je n'ai plus qu'un seul désir : que s'accomplisse en moi la volonté divine » (J. 16 novembre 1917).

Il serait injuste de penser que son cœur d'épouse ou de mère est détaché de toutes les affections légitimes. Au contraire, plus Conchita avance dans la vie et dans l'union divine, plus elle nous apparaît humaine, tous ses amours sont alors transfigurés dans le Christ. Son cœur est fidèle à tous les anniversaires de famille, aux moindres fêtes et réunions de ses enfants, à leurs joies, à leurs épreuves. Elle reste la maman de tous et de chacun. Quand leurs affaires sont menacées en 1931 par la crise financière américaine, elle supplie Dieu de les sauver ; ils sont honnêtes, ils ont travaillé toute leur vie, ils luttent avec vaillance contre les conséquences de la dévaluation du dollar : « La maladie ne m'a pas quittée, souffrances intimes et peines de famille, voyant chaque jour approcher la ruine de mes enfants, accompagnée d'humiliations. Cela torture mon cœur, bien que j'aie accepté et que j'accueille la très sainte volonté de Dieu. Pourtant, cela ne m'enlève pas ma douleur matérielle qui enveloppe tout un monde de souffrances » (22 mai 1931). « Des peines profondes, comme une épée me transpercent le cœur. J'ai vu pleurer un de mes fils qui, après trente ans de travail, se voit menacé par la ruine dans ses affaires, qui nous touche à tous.

« Chacun de mes fils, en plus de la honte d'une liquidation prochaine dans leurs affaires, se retrouvera à la rue avec une famille ... Seigneur je ne te demande que de me donner la force nécessaire, et soutiens la foi de mes enfants » (J. 28 mai 1931).

Cette mère admirable, âgée de soixante-neuf ans, consommée en sainteté, fait monter vers Dieu un cri de détresse et une supplication ardente : « J'ai de la peine à voir souffrir mes enfants. Il semble que Dieu ne veuille point que s'arrangent leurs affaires, et qu'ils courent à un désastre. Seigneur, que ta volonté soit faite, bien que mon cœur soit broyé et crucifié. Pour moi, ô mon Jésus, je ne désire rien. Rejette-moi dans la misère, délaissée, vivant de la charité. Je puis ne plus penser à moi, mais je ne puis oublier mes enfants. Je pleure de les voir pleurer, je souffre de les voir souffrir. » (J. 11 novembre 1931).

Comment Dieu aurait-il pu repousser ce cri d'une mère, Lui, qui, à la prière de sa propre Mère, fit son premier miracle à Cana ? Le courage de ses enfants redressa victorieusement la situation.

Ainsi s'écoulent douloureusement les dernières années de Conchita. Après le mariage de son dernier fils, elle notait tristement dans son Journal : « Maintenant tout est fini pour moi, Dieu m'a donné neuf enfants, Il m'a repris les neuf. Qu'Il soit béni ! Les uns religieux, les autres morts ou mariés, tous, l'un après l'autre ont été arrachés à mon cœur maternel. Je me suis dépouillée de dix lits, y compris celui de mon mari et me voici maintenant seule, seule. Mais non, je ne suis pas seule, je possède le Christ qui ne meurt pas, qui ne s'éloigne pas et qui ne me quittera jamais.

« Une mère n'est plus pour ses enfants qui se marient qu'un supplément de tendresse, souligne-t-elle, mais leur mère est heureuse dans son sacrifice ; dans sa solitude, elle se réjouit du bonheur de ses enfants. » (J. 24 septembre 1929).

Jamais elle n'oubliera son mari. D'année en année, le 17 septembre, anniversaire de sa mort, son Journal marque la fidélité de son souvenir :

« Voici trois ans que mon mari est mort et qu'il manque à mes enfants leur père de la terre. Quels tristes souvenirs ! Seigneur, que ta volonté soit faite sur la terre comme au ciel. Mes enfants sont allés à sa tombe : moi, je n'ai pas pu à cause de mon mal au pied. Mon cœur lutte continuellement. En vérité, à la lettre, j'arrose de mes larmes le pain que je mange, le sol et mon Crucifix ! Oh ! mon Jésus ! Ce que tu veux, moi aussi je le veux... Je me sens dans une affreuse solitude. O Marie, ma Mère, aie compassion de moi. » (J. 17 septembre 1904).

« Voici vingt ans que je suis veuve. Seigneur, conserve et augmente la gloire de mon époux de la terre, si bon avec moi et qui ne m'a jamais empêchée de T'aimer. Remplis de Toi ce père de mes enfants, modèle de père, de gentleman, d'homme d'honneur et de chrétien. » (J. 17 septembre 1921).

« Voilà trente et un ans que je suis veuve, que Jésus m'a enlevé l'époux chéri qu'il m'avait donné sur la terre. Seigneur, augmente sa gloire et va le saluer de ma part. N'est-ce pas ? Bien sûr que tu le feras. Toi qui es si bon pour faire les commissions ! Là-haut, dans le ciel, il y a avec lui quatre de mes enfants : Carlos, Pedro, Pablo, Concha. O Jésus, sois béni ! » (J. 17 septembre 1932).

Ainsi Conchita a passé sur la terre, toujours fidèle à son mari, à ses enfants et à Dieu.

La solitude de l'âme surpassait la solitude du cœur. Cette solitude d'âme atteignit des proportions effrayantes qui l'identifiaient de plus en plus aux souffrances intimes du Cœur du Christ et à son abandon dans la Croix, au cours de ces vingt dernières années de sa vie. C'est alors que Conchita connut par révélation les immenses mérites de la « soledad » de la Mère de Dieu, après l'ascension de son Fils, au service de l'Eglise militante (1917), qu'elle reçut les « Confidences » du Christ sur la grandeur et la misère du Sacerdoce (1927-1932), enfin, qu'elle recueillit les suprêmes clartés sur « la consommation » de tout l'univers « dans l'Unité de la Trinité ».

XVIII. Le visage du Crucifié

Quand on porte un regard rétrospectif sur le déroulement du film de la vie de Conchita, on est émerveillé de l'unité de son itinéraire spirituel. A travers tous les événements Dieu imprime en elle l'image du Crucifié. « Toute ma vie est marquée du sceau de la Croix » (J. juillet 1925). On peut suivre, tout le long de son existence, l'emprise progressive du Crucifié.

— « O Jésus ! que je meure pour toi, désolée, abandonnée, désemparée, crucifiée. » (J. 1893).

— « La pensée du Crucifié me rend légères toutes les pénitences corporelles et toutes les souffrances intérieures. » (J. mars-avril 1894).

— « J'ai rencontré Dieu sur la Croix. » (J. 26 août 1894).

Dès 1895, alors que Conchita est une jeune femme de trente trois ans, le Seigneur lui trace clairement son programme de vie spirituelle : être un reflet du Crucifié.

« Je veux être un miroir qui reflète le Crucifié »

Jésus m'a dit : « Comme Je suis en mon Père, ne faisant qu'UN avec Lui, ainsi je veux que tu sois vraiment « un » avec Moi. Je veux que tu sois comme un miroir très pur où se reproduise l'image de ton Jésus Crucifié. Je veux me refléter en toi, tel que j'étais sur la Croix. De ton côté, abandonne-toi simplement pour recevoir en toi mon image. Je veux que tu sois comme Je suis : couronnée d'épines, flagellée, clouée sur la croix dans la désolation, transpercée, désemparée... Médite une à une toutes ces choses et sois mon portrait vivant afin que mon Père trouve en toi ses complaisances et répande à flots ses grâces sur les pécheurs. » (J. 6 avril 1895).

Les années passent. Toutes les grâces que Dieu lui accorde, l'incarnation mystique surtout, tendent à opérer en elle sa transformation dans le Christ Crucifié :

— « Je dois reproduire en moi le Christ Crucifié. » (J. 16 septembre 1921).

C'est ce que Dieu va réaliser en elle au cours des dernières années de sa vie et surtout au moment de sa mort. Souffrances physiques et morales, maladies, et angoisses intérieures, tentations contre la foi et l'espérance, heures d'abandon feront d'elle un reflet du Crucifié. Conchita consent à tout. Elle rappelle cette identification totale au Crucifié du Calvaire. Elle partage toutes les conditions de l'incarnation humaine et du vieillissement mais son âme resplendit, de plus en plus divine. « Je suis toute de Jésus ! Mon corps, mon âme, ma vie, mes souffrances, mon temps, qu'Il dispose de tout ce qui est à Lui, en pleine liberté, en faveur des prêtres ! » (J. 31 janvier 1929).

Après sa dernière retraite à Morelia, auprès de son directeur spirituel, sur « la joie parfaite dans la souffrance », Conchita retourna à Mexico, et passa les derniers trois mois entre son lit et son fauteuil, en d'atroces douleurs physiques : broncho-pneumonie, érysipèle, urémie, sans compter les pénitences supplémentaires que dans son amour ardent pour le Christ et les hommes, elle imposait à son pauvre corps épuisé.

Dans son âme : c'était la désespérance. Sa prière se réfugiait dans l'oraison du Christ à Gethsémani. Elle communiait aux sentiments du Crucifié, abandonné par son Père. Pour elle, son Jésus Bien-Aimé avait totalement disparu : « C'est comme si jamais nous ne nous étions connus », répétait-elle à ses intimes. Deux de ses enfants, Ignacio et Salvador, soulevaient chacun un bras de leur mère, pour faciliter la respiration. « On eût dit le Christ en agonie sur la Croix. » Il y eut même, au moment de la mort, un phénomène étrange, que m'ont attesté avec fermeté les témoins : ses fils et le Père José Guadalupe Treviño, M.Sp.S., confirmé d'ailleurs par les autres témoins.

Le phénomène se produisit, à la mort de Conchita, imprimant en elle comme le sceau de Dieu sur sa vocation personnelle et sa mission d'Eglise, synthèse concrète et bouleversante de la spiritualité de la Croix : on vit les traits de Conchita se transformer : ce n'était plus une figure de femme mais le Visage du Crucifié.

DEUXIÈME PARTIE

Les grands thèmes spirituels

«Tous les Mystères
se retrouvent
dans la Croix.»

1

L'écrivain mystique

«C'est par obéissance que je vais écrire...»

« Ce qu'il y a de plus admirable dans Catherine, plus encore que sa vie, c'est sa doctrine », déclarait le bienheureux Raymond de Capoue, confesseur de sainte Catherine de Sienne qui ne savait ni lire ni écrire. Nous n'avons d'elle que quatre lettres autographes, écrites à la fin de sa vie. Elle est Docteur de l'Eglise. Par ses paroles, ses enseignements et ses exemples, elle a illuminé l'Eglise du Christ jusqu'à la fin des siècles. On pourrait faire sur Conchita une réflexion analogue.

Son instruction de base fut élémentaire. Elle ne reçut jamais une formation littéraire ou théologique. Elle put entendre de son oncle, prêtre, Luis Arias, frère de sa mère, la traduction de l'Histoire de l'Eglise de Darras. Conchita, personnellement, aimait beaucoup la lecture, non pour développer sa culture mais afin d'y découvrir une nourriture pour son âme : « Toute ma vie, je me souviens d'avoir vu clair dans le fond de mon âme. J'avais une grande disposition à retenir tout ce qui concerne le spirituel, par exemple les lectures mystiques ou les sermons. Si je ne puis les retenir, à cause de ma mauvaise mémoire, pourtant ces vérités pénètrent au plus profond de mon âme... Ce sens mystique existe en ce qu'il y a de plus caché dans mon esprit et vibre comme une corde musicale au simple contact des choses de Dieu... J'ai toujours aimé lire et, dans les livres mystiques, j'ai rencontré repos, lumière et détente » (1er avril 1894). Conchita a un tempérament mystique, c'est là le trait caractéristique le plus constitutif de son être.

Elle rêva toujours d'écrire ; elle possédait une vocation d'écrivain : « J'ai toujours senti une inclination à écrire. Dès l'âge de seize ans, j'ai commencé le récit de l'existence, toute remplie de Dieu, que nous vivions à « Peregrina ». Je l'ai déchiré en grande partie » (Aut. 102). Plus tard elle demandera à sainte Thérèse d'Avila de lui obtenir la grâce d'écrire.

Ses directeurs lui prescrivirent d'écrire son « Journal ». Son premier directeur, le Père Alberto Mir S.J. lui interdit toute lecture spirituelle, exception faite de l'*Imitation de Jésus Christ,* lui ordonnant en même temps de ne pas relire ce qu'elle a écrit.

Conchita obéit avec grande fidélité.

Cet ordre met en relief l'intervention spéciale de Dieu et les illuminations du Saint-Esprit, Maître intérieur.

De ce que l'on peut connaître, Conchita n'a reçu aucune influence humaine dans sa doctrine spirituelle. Les circonstances si variées de son existence l'entraînèrent à écrire de nombreux ouvrages, petits ou grands, et une volumineuse correspondance s'échelonnant jusqu'à soixante-quinze ans. Par-dessus tout le Seigneur lui-même, à maintes reprises, la pressa de prendre la plume : « Ecris, écris, si tu veux me donner de la gloire » (J. 18 juin 1900).

Les « dictées » du Seigneur

Reconstituant, pour éclairer son nouveau et dernier directeur, Monseigneur Luis M. Martínez, son itinéraire spirituel, Conchita fait le bilan des grâces et des charismes reçus du Seigneur, tout le long de sa vie : « Combien et combien de fois mon Jésus m'a parlé, me « dictant » les Vices et les Vertus... Souvent Il m'a parlé de la Très Sainte Trinité, enlevant de mes yeux le voile des mystères ; je les vois d'une manière comme naturelle, sans spécial appel à mon attention, comme s'il devait en être ainsi. Me voici parvenue ou presque au quarante-cinquième tome de mes « cuentas de conciencia » (Journal spirituel). Il y a là tout un monde d'enseignements, de lumières, de conseils, de secrets de Dieu. Quelle condescendance ! Je L'ai entendu assez peu selon sa voix naturelle, parfois me *dictant* et me corrigeant, d'autres fois comme par une voix intérieure tenant en suspens tout mon être, sans qu'il soit possible d'en douter. Enfin, *Il peut, Lui, se communiquer de mille manières !* Que de grâces pour ma pauvre âme : méthodes, conseils, enseignements particuliers et manifestation de sa volonté de tant de façons. » (J. juillet 1925).

La formule « *dictées du Seigneur* » doit être bien comprise en un sens très large et très souple. Il ne s'agit pas d'une « dictée » mot-à-mot d'un professeur à son élève, mais d'un régime d'illuminations divines qui s'adapte au sujet récepteur selon son tempérament, sa culture, les circonstances et les modalités si variables de la vie. Les deux lois fondamentales de l'adaptation et du progrès, constatées au cours du développement historique de la Révélation divine aux prophètes et autres écrivains inspirés, se retrouvent proportionnellement dans les révélations privées. Dieu tient compte au maximum de la psychologie du sujet. « Il nous a parlé de diverses manières » (Hébreux 1, 1). Dieu ne parle pas de la même façon à Isaïe et à Amos, à Thérèse d'Avila, à Angèle de Foligno et à Conchita. Un texte décisif du Journal de Conchita marque la souplesse d'adaptation de la pédagogie divine : « Le mode dont Je me communique porte en lui-même la marque de l'Unité, parce que, en Dieu qui est Un, vont ainsi les choses, simplifiées de toutes parts. Par exemple : voici que, soudain, Je me reflète dans ton âme comme dans un cristal. Là s'impriment ces rayons divins et toi, sous cette impression, tu vois, tu contemples et tu comprends. Aussitôt, avec le concours de ton intelligence, tu leur donnes forme en des paroles, tandis que Moi-même, sans t'en avertir, Je te laisse t'adapter avec plus ou moins d'exactitude ; mais dès la première illumination, J'ai laissé en toi la substance, l'essence, la photographie de la chose communiquée. Tu la transcris alors de ton âme dans tes facultés intellectuelles et de là sur le papier. Selon ce mode de communication de Dieu avec sa créature, il n'y a, pour ainsi dire, pas d'erreur ; les passions humaines ne viennent pas s'y mêler, elles qui obnubilent et déforment jusqu'à les effacer, les traces de Dieu dans l'âme. C'est là un mode de communication de Dieu qui dérive de son Unité, s'imprimant d'un seul coup dans une pauvre créature et, ensuite, prenant forme en langage de la terre, encore que, pour cela, Je te le répète, demeure nécessaire la coopération divine.

« Quand une âme reçoit humblement ces communications et s'y prête dans la pureté de cœur indispensable, sans y mêler aucune passion, l'impression divine est claire, transparente, lumineuse ; il n'y a pas à craindre de se tromper. Il est évident que le divin, en passant dans l'humain revêt la forme et la couleur de celui qui reçoit ces communications ; mais ceci est tout à fait secondaire. L'essence, la substance et la forme même que Dieu a voulu communiquer reste identique.

« Puisque, dans ma bonté et en vue de mes desseins élevés, Je t'ai choisie comme instrument et canal, ne souille jamais le miroir de ton âme. Aujourd'hui, plus que jamais, tu dois garder en elle la pureté, la limpidité et la transparence, pour que soit communiqué le torrent des grâces de l'Esprit-Saint » (J. 16 mai 1913).

Dès les premières pages de son Journal, Conchita a l'expérience de l'action illuminatrice de Dieu et elle est consciente : que c'est Dieu-même qui se communique : « Ecoute », me dit Jésus, et elle ajoute : « oui, je sens que c'est Lui qui me l'a dit, je ne puis dire autrement » (J. 3 mars 1894) ; que c'est sa volonté qu'elle écrit : « Ecris, Je veux que tu écrives... Ecris parce que Je le veux. Quand Je ne le voudrai pas, même si tu le désirais, tu ne pourras le faire. » Et Conchita de répondre : « Permets-moi de te dire une chose : j'ai peur de négliger mes devoirs. » — « Si moi Je le voyais comme cela, Je ne te l'ordonnerais pas. Cherche le temps, tu peux bien le faire, arrange, prévois et ordonne, fais tout ce que tu peux de ta part et puis écris et fais oraison. » (J. mars 1894).

A ses derniers doutes en particulier, le Seigneur lui répond d'une façon catégorique : « Si cela (ce que tu écriras) est de Moi, ce sera pour ma gloire, si cela est du diable on t'avertira ; et si cela est tien on se moquera de toi, et tu gagneras par cette humiliation. »

Le Seigneur seul est le Maître des temps, du lieu et des modes d'intervention. Il passe, à son gré, de longs mois sans rien dire ; puis Il survient subitement et Conchita doit écrire, écrire. Elle-même est souvent prise par ses devoirs de famille et ses obligations sociales, ou par impuissance intérieure à faire oraison, devant subir aridités et sécheresses terribles. A d'autres moments, au contraire, elle lit dans la Trinité « comme dans un livre ouvert » (J. 18 juillet 1906) ou bien elle est éclairée par un simple regard de Jésus qui dit tout (J. 18 juillet 1906).

A certaines heures elle en a assez et le dit franchement. « Je voudrais ne plus écrire, tout oublier, tourner la page et changer de vie. Tel est, en ce moment, l'état de mon esprit, submergé de tentations et de souffrances. » Mais elle ajoute avec courage : « Je me domine, avec la grâce de Dieu. Je me renonce sans pitié et je vais de l'avant, dussé-je mourir dans la lutte » (J. 26 mars 1897).

Le Seigneur sait qu'Il peut compter sur sa fidèle servante. Son existence héroïque Lui appartient sans réserve au service de son Eglise. Il n'hésite pas à faire appel au don total de sa personne pour tout le temps qu'Il lui plaira, selon les desseins du Père : « Demande-Moi une longue vie pour beaucoup souffrir et beaucoup écrire... et Il continua : « C'est là ta mission sur la terre... Tu es destinée à la sanctification des âmes, plus spécialement celles des prêtres. Par ton entreprise beaucoup s'enflammeront dans l'amour et la souffrance... Fais aimer la Croix, par le règne de l'Esprit-Saint. Un jour viendra une pléiade de saints prêtres qui embraseront le monde du feu de la Croix... Je prépare mes chemins. Ils se formeront à une perfection singulière par la doctrine que Je t'ai donnée. J'accomplis ce que Je dis : tu seras mère d'un grand nombre de fils spirituels, mais ils coûteront mille martyres à ton cœur... Je sentais un grand feu dans mon âme et je Lui dis : « Qu'importe, Jésus, je veux être mère. Donne-les moi ; je les reçois afin qu'ils te couvrent de gloire » (J. 29 juin 1903).

Conchita était alors une jeune veuve de quarante ans. Elle accepta joyeusement de se laisser crucifier à sa plume et de souffrir de mille manières pour la gloire de son Maître jusqu'à l'âge de soixante quinze ans. Une longue vie d'écrivain, une longue vie de martyre surtout. Pas la moindre trace de vanité littéraire dans son œuvre écrite qui est immense. Si on l'avait écoutée, il n'existerait plus une seule page de son Journal. Dans toute la sincérité de son âme, elle suppliait son premier directeur spirituel de le détruire, dès qu'il apprendrait sa mort : « Je viens vous demander une faveur, à genoux et les bras en croix, au nom de Jésus, à qui vous ne pouvez rien refuser. N'est-ce pas ? Que *personne* au monde, hormis vous, ne regarde ces papiers. Jésus, Jésus-même, ne veut pas qu'aujourd'hui je les déchire, mais à ma mort, à *l'instant même*, si possible, qu'on les réduise en cendre et poussière, à l'image de sa propriétaire... Vous me le promettez ? Dites-moi que « oui » afin de ne pas m'enlever la liberté de déverser ici ma conscience et tout le reste. » (J. 1894).

Ses autres directeurs eurent la sagesse de lui interdire de brûler ses écrits. Monseigneur Luis María Martínez, qui la dirigea les douze dernières années de sa vie et qui fut lui-même l'écrivain spirituel le plus célèbre de l'Amérique latine, lui écrivait le 4 avril 1929 : « Ni vous, ni moi, ni personne ne sait les trésors contenus dans les Confidences. Bien des hommes et bien des années seront nécessaires pour les exploiter. » Et le 23 avril : « Je crois que vous-même ne pouvez-vous rendre compte des richesses renfermées dans le Journal... Vous savez que tant que je serai votre directeur, je ne vous permettrai jamais de détruire *une seule lettre* de ce Journal. »

L'ensemble constitue une œuvre écrite immense. On a soumis plus de cent volumes à l'examen du Procès de canonisation. Conchita est la mystique de l'Eglise qui a le plus écrit. Son Journal spirituel, la « Cuenta de conciencia », avec ses soixante-six tomes, constituant un ensemble plus vaste que la Somme théologique de saint Thomas d'Aquin, demeure l'ouvrage majeur et comme la synthèse de tout. C'est un trésor pour l'Eglise entière. Dieu s'est servi d'une femme mariée, mère de neuf enfants et simple laïque, pour rappeler au monde actuel l'Evangile de la Croix et le sens profond des principaux mystères chrétiens.

2

La doctrine de la Croix

« La doctrine de la Croix :
c'est mon évangile. »

I. L'Evangile de la Croix

Tous les courants créateurs de la spiritualité chrétienne ont jailli par ressourcement à l'Evangile. Ainsi ont apparu, à travers l'histoire de l'Eglise, la spiritualité monastique, celle des Ordres Mendiants et toutes les formes modernes de la spiritualité d'action. Par exemple, la spiritualité dominicaine est une expression, à la fois évangélique et originale, en vue de continuer la mission confiée par Jésus à ses Apôtres : « Allez, enseignez toutes les nations. » Toutes les valeurs de spiritualité et d'organisation de l'Ordre des Prêcheurs sont ordonnées à l'évangélisation du monde, selon le texte des Constitutions primitives dictées par le Fondateur lui-même : « Que les Frères se comportent partout en hommes qui cherchent leur salut et celui du prochain, en toute perfection et esprit religieux. Comme des hommes d'Evangile, qu'ils suivent les pas de leur Sauveur, « ne parlant qu'avec Dieu ou de Dieu » (Constitution fondamentale). Il en est de même de toutes les familles religieuses et des plus grands maîtres spirituels. L'ascèse totalitaire d'un saint Jean de la Croix : « rien, rien, rien, et sur la montagne : rien » est une forme éminente du renoncement évangélique toute dominée par la primauté de l'amour. La « Montée du Carmel » et les « Nuits » ne prennent tout leur sens qu'à la lumière du « Cantique spirituel » et surtout de la « Vive Flamme d'Amour » qui fait passer à travers toute son œuvre le souffle personnel de l'Esprit-Saint.

Pareillement, la doctrine spirituelle de Conchita, qui inspire les Œuvres de la Croix, est toute centrée sur l'amour : « Amor y dolor. » Pas le moindre dolorisme dans le message de la Croix qu'elle a mission de rappeler au monde, mais une authentique mystique de l'amour s'immolant à l'image du Crucifié pour la gloire du Père dans le salut des hommes. Ce n'est pas une dévotion particulière mais une véritable « vision d'univers », expression nouvelle de l'Evangile de la Croix.

II. Optique fondamentale : « Jésus et Jésus Crucifié » dans ses souffrances intérieures comme Prêtre et Hostie.

Tous les chrétiens sont prédestinés, chacun selon sa vocation personnelle et sa mission dans l'Eglise, à exprimer l'un des aspects du mystère du Christ. Dieu le Père disait un jour à sainte Catherine de Sienne : « J'ai eu deux fils : l'un par nature, mon Fils Unique, le Verbe éternel, l'autre par grâce, ton père Dominique. Il a reçu pour mission : l'office du Verbe. » Comme les Apôtres du Christ, les frères Prêcheurs doivent être les hommes de la Parole de Dieu. Chaque famille religieuse imite ainsi le Christ, selon sa grâce propre, spécifique : le soin des malades, l'instruction de la jeunesse, la promotion chrétienne et sociale, les milles formes de la vie active ou contemplative.

Quelle fut, pour Conchita, sa manière particulière d'imiter le Christ ? Les documents de son Journal nous découvrent comment lui furent révélés l'un après l'autre les traits de son Fils que le Père voulait imprimer en elle, sous l'action de l'Esprit-Saint. On voit se dessiner peu à peu le jeu de cette pédagogie divine visant à former en elle l'image du Christ.

Elle est attirée tout d'abord, dès son enfance, par *Jésus ;* puis par *Jésus Crucifié,* mais d'une façon originale, inédite : par les *douleurs intérieures* du Christ, *Prêtre et Hostie,* Prêtre et Victime en ses moindres actions, depuis son « Ecce Venio » jusqu'à son « Consummatum est » sur la Croix. Invitation à tous les hommes d'offrir continuellement le Christ à son Père et de s'offrir avec Lui selon ses mêmes finalités glorificatrices et salvatrices. Voici les étapes progressives de cette identification au Christ : être un autre Jésus, un Jésus Crucifié, surtout dans les douleurs intérieures de son Cœur de Christ, Victime des péchés du monde, Prêtre et Hostie, toujours présente au milieu de son Eglise par l'Eucharistie associant librement tous les membres de son Corps mystique, pour continuer en chacun d'eux, par l'incarnation mystique, sa mission de glorificateur du Père et de sauveur des hommes.

Jésus.

Après St Paul, tous les saints ont visé cette identification au Christ, chacun selon sa place et sa mission dans l'Eglise. Pour Conchita, comme pour Thérèse d'Avila ou Thérèse de Lisieux, la vie spirituelle c'est QUELQU'UN, c'est Jésus. Cette jeune femme mariée, remplie d'amour pour son mari et pour ses enfants, est irrésistiblement attirée par le Christ, Maître de son cœur et Règle suprême de tous ses amours : « Jésus, pourvu que je t'aime, où tu voudras je serai heureuse. Plutôt mourir mille fois que de commettre un seul péché véniel délibéré. Accomplir toujours le plus parfait, uniquement pour te plaire : voilà le soleil qui enflamme toutes mes actions, voilà la lumière illuminatrice, la force motrice, l'idéal dominant ma propre pensée. Le thème de mes oraisons et de toutes mes aspirations sera constamment, le jour, la nuit et à jamais, une résolution unique, poursuivie avec toutes les énergies de mon âme ; ce sera : « Ma vie : c'est le Christ. » « A partir d'aujourd'hui mon extérieur sera Jésus Christ... et mon intérieur Jésus Christ » (J. 1894).

Ce Christ Jésus n'est pas pour Conchita le mièvre « petit Jésus » dont on change la robe de couleur selon les divers temps liturgiques, comme on le fait là-bas...

Dans la lumière de sa foi, Conchita découvre en Jésus le Verbe Eternel, le Fils Unique du Père, le Chef de l'Eglise, le Prêtre éternel. Elle contemple avec amour les richesses infinies du Verbe incarné, vrai Dieu et vrai Homme. Elle adore en Lui la seconde Personne de la Trinité. Elle est éblouie par la génération du Verbe et par le rôle du Verbe dans la spiration de l'Eternel Amour. Elle trouve tout en Jésus Christ. Elle gémit de douleur à la pensée qu'un Dieu est mort par amour pour tous les hommes qui l'oublient. Quant à elle, son Journal est rempli comme son âme de cette Présence Souveraine et Théologale de Jésus : « L'âme qui a expérimenté cette vie d'union avec Jésus ne peut vivre seule » (J. octobre 1893). On la comprend... Mais elle ne s'arrête pas là...

Jésus et Jésus Crucifié

Parmi les mystères du Christ, c'est surtout le mystère de sa Passion et de sa Mort, qui capte toute son attention. Son regard reste fixé sur le Crucifié pour le faire passer dans sa vie. *Contempler pour reproduire.*

« Le Christ est comme un prisme dont la lumière se réfracte en des rayons lumineux différents.

— Quelle est la couleur qui doit dominer en moi ?

— La voici : « Ne pas avoir autre chose que Jésus et Jésus Crucifié,... Je dois reproduire Jésus en moi par la transformation qu'opèrent les vertus, c'est-à-dire par le moyen de la Croix, qui nous assimile à Lui au maximum. Jésus veut de moi, non un Christ dans la pauvreté de Bethléem... non un Christ dans la vie cachée de Nazareth, non un Christ déployant son zèle dans l'activité de sa vie publique, mais un Christ dans l'ignominie, dans l'abandon et le crucifiement du Calvaire et de l'Eucharistie. Je dois reproduire en moi le Christ Crucifié. » (J. 16 septembre 1921).

C'est net : « Je sens que je suis née pour servir le Seigneur, crucifiée avec Lui. Il m'a dit aujourd'hui que telle est la fin de l'union poursuivie par le Verbe : lui ressembler par la Croix » (J. 26 février 1897).

Dans ses douleurs intérieures

Sur ce thème, on pourrait multiplier les textes à l'infini. Sans doute, toutes les formes de la spiritualité chrétienne sont marquées du sceau de la Croix, mais Dieu découvre à Conchita le mode propre dont elle doit imiter le Christ : surtout dans les souffrances intimes de son âme, c'est-à-dire dans son Crucifiement intérieur. C'est là un aspect nouveau qui va marquer d'un sceau spécial toute la spiritualité de la Croix : « Je veux que l'on honore plus particulièrement les douleurs intérieures de mon Cœur, qui ont commencé dès mon Incarnation jusqu'à la Croix et qui se prolongent mystiquement dans mon Eucharistie. Ces souffrances restent insoupçonnées pour le monde. Pourtant Je te l'affirme, dès le premier instant de mon Incarnation, déjà la Croix, plantée dans mon Cœur, m'opprimait et les épines le pénétraient. Le coup de lance eût été un soulagement faisant jaillir un volcan d'amour et de douleur, mais Je n'ai consenti à cela qu'après ma mort. Je ne reçois que l'ingratitude. Voilà pourquoi mon Cœur débordant de tendresse sentira toujours les épines et la Croix... Dans le ciel, comme Dieu, Je ne peux souffrir. Pour rencontrer cette Croix qui, là-haut n'existait pas, Je suis descendu en ce monde et Je me suis fait homme. Comme Homme-Dieu J'ai pu souffrir à l'infini afin de payer le prix du salut de tant d'âmes... Durant ma vie Je n'ai jamais désiré autre chose que la Croix et encore la Croix, voulant montrer au monde qu'elle est l'unique richesse et le bonheur sur la terre, la monnaie avec laquelle on achète une félicité éternelle.

« Par l'Apostolat de la Croix on vénèrera les douleurs intérieures de mon Cœur représentées symboliquement par la Croix, les épines et une lance. J'attire les cœurs vers la Croix. Dans ces maisons, dans ces « Oasis » sera honoré cet océan de souffrances intérieures qu'un très petit nombre d'âmes connaissent aujourd'hui. Là, elles prendront mes épines et les enfonceront dans leur propre cœur ; elles allègeront le poids de la Croix qui traverse mon Cœur, devenant elles-mêmes des Croix vivantes. Leur vie demeurera toute recueillie à l'intérieur de la Croix de mon Cœur, vénérant, allégeant, faisant leurs ces douleurs intérieures qui, pendant trente trois ans, ne m'ont pas quitté un seul instant. Voilà l'idéal des Contemplatives de la Croix.

« Je ne suis resté cloué sur la Croix du Calvaire que trois heures, mais sur la croix intérieure de mon Cœur toute ma vie. Les monastères (Oasis) les vénèreront toutes les deux mais plus particulièrement ma Croix intérieure qui symbolise ces peines et ces souffrances intimes, incompréhensibles, qui oppressaient continuellement mon âme. Ces souffrances demeuraient voilées durant ma vie. Moi Je souriais, Je travaillais : seule ma Mère percevait ce martyre qui broyait mon Cœur aimant. Ma Passion extérieure n'a duré que quelques heures. Elle fut comme une rosée, un soulagement de l'autre Passion, terriblement cruelle, qui torturait sans arrêt mon âme ! » (J. 25 septembre 1894).

St Thomas d'Aquin enseignait la même doctrine : les souffrances intérieures et rédemptrices de l'âme du Christ furent incomparablement plus douloureuses que la douleur physique du Crucifié du Golgotha. L'intensité des souffrances intimes et secrètes de l'âme du Christ, en vue de l'expiation de tous les péchés des hommes, se mesurait à son amour infini, (3, 46, 6 ad 4). Ce n'est pas sans raison qu'une Thérèse d'Avila, comme Conchita, professait une dévotion exceptionnelle envers l'agonie du Christ à Gethsémani : « Mon âme est triste jusqu'à la mort » (Mc 14, 34). C'est dans l'âme du Christ que s'est joué notre destin.

Le Christ Victime pour les pécheurs

Très vite le Christ se révéla à Conchita comme la *Victime* qui s'est offerte pour l'expiation de tous les péchés du monde. Il la préparait par là à s'offrir elle-même en vue des mêmes fins rédemptrices. Cet aspect d'Hostie et de Victime expiatrice va lui apparaître l'un des traits caractéristiques du Crucifié. On en retrouve la formulation explicite dès le premier tome de son Journal : « Toi victime, et Moi Victime, avant que tu ne le sois toi-même et pour toi et pour le monde entier et continuellement. » (J. 1893-1894).

« Je veux que tu sois vraiment un avec Moi. Je veux que tu sois comme un miroir très pur où se reproduise l'image de ton Jésus Crucifié. Je veux me refléter en toi, tel que j'étais sur la Croix. De ton côté, abandonne-toi simplement pour recevoir en toi mon image. Je veux que tu sois comme Je suis : couronnée d'épines, flagellée, clouée sur la Croix, dans la désolation, transpercée, désemparée... Médite une à une toutes ces choses et sois mon portrait vivant afin que mon Père trouve en toi ses complaisances et répande à flots ses grâces sur les pécheurs » (J. 6 avril 1895). Très beau texte que nous avions déjà rapporté à propos de son itinéraire de transformation dans le Christ Crucifié, mais qui nous semble pareillement en place ici.

Le Christ : Prêtre et Hostie.

« L'Eglise est une : un seul Autel, une seule Victime... Toutes les âmes victimes doivent s'offrir en union avec cette grande Victime » (J. 20 juin 1898).

Par ces notions de *Victime* et d'*Hostie*, Dieu acheminera

Conchita vers la prérogative suprême du Christ Crucifié : son Sacerdoce, qui constitue comme la clé de voûte de la doctrine de la Croix. Cette révélation éclatera au moment de la *grâce centrale* de l'incarnation mystique. Ce jour-là, la vocation entière de Conchita lui sera clairement manifestée.

La spiritualité de la Croix a ainsi redécouvert et mis en grand relief le « sacerdoce royal » du Peuple de Dieu, cinquante ans avant Vatican II : « Voici le sacerdoce véritable : être victime avec la Victime » (J. 17 juillet 1906). Cette spiritualité porte au plus profond d'elle-même un caractère essentiellement sacerdotal, et rejoint la vocation la plus foncière du Peuple de l'Alliance : « peuple de prêtres et de rois ».

Le Seigneur avait dit à Conchita, quelque temps après l'incarnation mystique : « Tu es à la fois autel et prêtre, puisque tu possèdes la Victime très sainte du Calvaire et de l'Eucharistie et que tu as le pouvoir de l'offrir continuellement pour le salut du monde. C'est là le fruit le plus précieux de la grande faveur de mon incarnation mystique en ton cœur... Tu es mon autel et en même temps tu seras ma victime. Offre-toi en union avec Moi. Offre-Moi à chaque instant au Père éternel, dans le but si élevé de sauver les âmes et de le glorifier. Oublie tout et surtout oublie-toi toi-même. Que ce soit là ton occupation constante. Tu as reçu une mission sublime, la mission du prêtre. Admire ma bonté et montre-toi reconnaissante. Sans que tu le saches, Je t'ai donné ce que tu désirais tant et même bien au-delà : le pouvoir d'être prêtre, non pas pour me tenir dans tes mains mais dans ton cœur et sans plus jamais me séparer de toi. Réalise la finalité grandiose de cette grâce. Comme tu le vois, elle n'est pas pour toi seule mais universelle, t'obligeant avec toute la pureté possible à être en même temps autel et victime consumée en holocauste avec l'autre Victime, l'Unique Hostie qui soit agréable à Dieu et qui puisse sauver le monde » (J. 21 juin 1906).

A partir de l'incarnation mystique, Conchita eut pleinement conscience de ce caractère sacerdotal de sa vocation personnelle et de sa mission dans l'Eglise. « Pour moi, vivre c'est être Christ ». Dans la mesure de notre union avec le Christ, nous participons à sa vie et le Christ grandit en nous dans la mesure où nous disparaissons.

« Nous devons prendre le Christ comme Modèle, mais chaque âme, chaque saint, reproduit le Christ sous différents aspects. Comment chacun doit-il imiter le Christ ? C'est le secret de la direction spirituelle. S'unir au Christ comme Modèle, c'est vivre de sa vie et revêtir sa ressemblance. Certaines âmes doivent se modeler sur Lui comme Christ Enfant, d'autres comme Christ Eucharistique, d'autres comme Christ Crucifié... Pour moi je dois me modeler sur le Christ sous deux aspects qui s'identifient : le *Christ Prêtre,* souligne-t-elle, et le Christ Crucifié. De toute manière le Christ est Prêtre par référence à la Croix.

« L'aspect le plus sublime dans le Christ est son Sacerdoce centré sur la Croix. L'Eucharistie et la Croix constituent un même mystère. La première forme d'union consiste à vivre la vie du Christ par la grâce et la seconde par l'imitation. Pour moi, je le répète, l'aspect que je dois imiter, en vertu de l'incarnation mystique, c'est son sacerdoce centré sur la Croix. Les monastères de la Croix (Oasis) ne sont qu'une Messe immense » (J. 28 décembre 1923).

Le Christ eucharistique

Cette identification « de l'Eucharistie et de la Croix dans un même mystère » nous révèle le dernier trait caractéristique de la physionomie du Christ aux yeux de Conchita. Son Christ Crucifié : c'est le Christ Prêtre et Hostie, immolé sur la Croix, dont l'Eucharistie perpétue l'état de victime jusqu'à la fin des siècles, pour la gloire du Père et le salut du monde. La dévotion eucharistique n'est pas en elle quelque chose d'accidentel, c'est le « centre » même de sa vie. Comme pour l'Eglise, la forme suprême de sa dévotion au Crucifié, c'est le sacrifice eucharistique, qui n'est pas pur symbole mais le mémorial efficace qui rend le Crucifié Lui-même présent au milieu de son Eglise pérégrinante et militante, dans la vérité de son être et la réalité de sa substance, avec son Corps, son Sang, son Ame et sa Divinité. Avec sa Personnalité de Verbe, inséparable de la Trinité, le Crucifié du Golgotha se tient jour et nuit, élevé au-dessus de la terre, entre Dieu et les hommes pour la gloire de la Trinité et le salut du monde.

Le Christ glorieux, toujours présent devant la face du Père au sein de son Eglise triomphante, le même Christ qui cheminait autrefois sur les chemins de Samarie, de Judée et de Galilée, le même Christ né de la Vierge Marie, le vrai Christ de l'histoire, l'Unique Christ est toujours là au milieu de nous. Caché sous les apparences de l'Hostie, c'est la Présence de la plus haute réalité divine, la Présence authentique du Verbe Eternel et Incarné, reliant la terre et le ciel, le cosmos et la Trinité. Consciente de cette Présence, Conchita vivait, même dans sa maison, tout près de son Christ, son Sauveur et son Dieu, son suprême amour.

Est-il étonnant que les textes se multiplient dans son Journal traitant les problèmes les plus difficiles et les plus profonds sur le mystère de l'Eucharistie ? Elle commente les paroles de la Consécration: « Ceci est mon Corps, Ceci est mon Sang » avec la maîtrise d'un théologien de métier. Sa doctrine eucharistique, d'une impeccable orthodoxie, compte parmi les pages les plus sublimes de son Journal, écrites sous la « dictée » du Seigneur.

Dieu le Père a donc révélé peu à peu à Conchita les traits caractéristiques de la vrai physionomie de son Fils Jésus, Verbe Incarné et Crucifié, qui par ses souffrances intérieures plus encore que par sa Passion extérieure, nous a sauvés par la Croix, comme Prêtre et Hostie, laissant à son Eglise un mémorial efficace de sa Présence réelle et de son action incessante sur chacun de nous jusqu'à la fin des siècles, jusqu'à la « consommation » des hommes dans l'unité avec le Père, le Fils et le Saint-Esprit. La Trinité est le Principe et la Fin de cette économie du salut, mais le Christ-Médiateur, avec son « sacerdoce royal », participé par les siens, constitue la clé de voûte de sa mission de glorificateur du Père et Sauveur des hommes.

Dans les grandes synthèses de la pensée humaine, profane ou religieuse, on découvre toujours un centre de perspective, un angle de vision, qui rassemble dans l'unité d'un même regard tous les aspects particuliers, jusqu'au moindre détail. L'optique fondamentale de la doctrine de la Croix est incontestablement « Jésus et Jésus Crucifié ». Dans cette vision de synthèse du mystère du Christ, le sacerdoce domine tout.

III. Primauté de l'Esprit-Saint

Avant de quitter ses Apôtres, le Seigneur leur avait promis de la part de son Père de ne pas les laisser orphelins, mais de leur envoyer « un autre Paraclet, l'Esprit-Saint, pour les conduire à la plénitude de la vérité », et pour les soutenir dans leurs combats par sa Force invincible. Les Actes des Apôtres font resplendir cette assistance miraculeuse de l'Esprit-Saint dans l'Eglise primitive, à tel point que St Jean Chrysostome appelle les Actes : l'Evangile de l'Esprit. En continuité avec la tradition patristique, les grands théologiens du Moyen-Age ont réservé à l'Esprit de Dieu une place éminente dans leurs systématisations doctrinales. Dans sa « Somme contre les Gentils » (IV, 20, 21, 22), St Thomas d'Aquin nous a laissé le résumé de cet enseignement commun en trois chapitres justement célèbres. Après deux siècles de pur déisme, Vatican II a opéré un vigoureux redressement en faveur de « l'Eglise de la Trinité » où le rôle primordial de l'Esprit-Saint est remis en grand relief. A cause de la place prééminente du Saint-Esprit dans la spiritualité de la Croix, le texte conciliaire constitue la meilleure introduction pour marquer, selon les directives actuelles du magistère, la primauté de l'Esprit-Saint dans la vie de l'Eglise.

« Quand fut consommée l'œuvre que le Père avait chargé son Fils de réaliser sur terre (cf. Jn *17,* 4), l'Esprit-Saint fut envoyé, le jour de la Pentecôte, pour sanctifier sans cesse l'Eglise, et pour qu'ainsi les croyants eussent accès au Père, par le Christ, en un seul Esprit (cf. Eph *2,* 18). C'est lui qui est l'Esprit de vie, la source d'eau jaillissant pour la vie éternelle (cf. Jn *4,* 14 ; *7,* 37-39). C'est par lui que le Père rend la vie aux hommes qui étaient morts par le péché, jusqu'à ce qu'il ressuscite dans le Christ leurs corps mortels (cf. Rm *8,* 10-11). L'Esprit habite dans l'Eglise et dans les cœurs des fidèles comme dans un temple (cf. I Co *3,* 16 ; *6,* 19), en eux il prie et rend témoignage de l'adoption filiale (cf. Ga *4,* 6 ; Rm *8,* 15-16 et 26). Cette Eglise qu'il introduit dans la vérité toute entière (cf. Jn *16,* 13), il l'unit dans la communion et le service, il la munit de dons divers, hiérarchiques et charismatiques, par lesquels il la dirige et l'orne de ses fruits (cf. Eph *4,* 11-12 ; I Co *12,* 4 ; Ca *5,* 22). Par la vertu de l'Evangile, il rajeunit l'Eglise et la renouvelle perpétuellement, et la conduit jusqu'à l'union accomplie avec son Epoux. Car l'Esprit et l'épouse disent au Seigneur Jésus : « Viens » (cf. Ap *22,* 17).

« Ainsi l'Eglise tout entière apparaît comme « le peuple uni de l'unité du Père et du Fils et de l'Esprit-Saint ». (Lumen Gentium N° 4).

L'Esprit-Saint domine la Croix

Si la Croix est bien au centre de la doctrine spirituelle de Conchita, le Saint-Esprit est au sommet. Il domine la Croix et l'illumine d'en haut : « Cet Esprit-Saint est Celui qui gouverne le monde et l'Eglise, depuis que Je m'en suis allé. Après l'Ascension, Je l'ai envoyé ; mais si tu savais comme on l'honore peu et comme on le connaît peu ! C'est à peine s'il y a des temples en son honneur. On ne l'estime pas à sa valeur, on ne pense pas à Lui. On ne donne pas la gloire qu'Elle mérite à cette Personne divine. Moi, Je me cache à l'intérieur de cette Croix de l'Apostolat afin que Lui règne et qu'on l'adore. L'Apostolat de la Croix Lui édifiera des temples dans le monde entier. Dans ces églises, on rendra un culte de prédilection à l'Esprit-Saint. Sans Lui s'écroulerait cette Œuvre mais, avec son souffle divin, Il communiquera l'Esprit de la Croix. Dis tout cela à ton directeur afin qu'il réfléchisse et que la première oraison jaculatoire dans cet Apostolat soit une invocation au Saint-Esprit. Il couvrira de ses ailes cet Apostolat de la Croix et son influence divine est de la plus grande importance. » (J. mars 1894).

Un trésor caché et inexploité.

Pour beaucoup de chrétiens l'Esprit-Saint est un inconnu. Le Seigneur révèle à Conchita son identité personnelle au sein de la Trinité où il est l'Amour, et sa mission sur la terre : conduire les âmes au foyer de l'Amour ; d'où la nécessité du règne du Saint-Esprit et l'urgence d'une rénovation de son culte. La phrase nous rappelle que « sa mission dans le ciel, sa Vie, son Etre : c'est l'Amour ». Nous touchons ici à la racine de tout, à sa fonction propre *au dedans, ad intra.* Sa mission *ad extra,* en dehors du mystère trinitaire, reflète les propriétés de l'amour.

« Il existe un trésor caché, une richesse demeurée inexploitée et nullement appréciée à sa vraie valeur, qui est cependant ce qu'il y a de plus grand dans le ciel et sur la terre : l'Esprit-Saint. Le monde des âmes lui-même ne le connaît pas comme il convient. Il est la Lumière des intelligences et le Feu qui embrase les cœurs. S'il y a de la tiédeur, du refroidissement, de la fragilité, et tant d'autres maux qui affligent le monde spirituel et même mon Eglise, c'est parce que l'on ne recourt pas à l'Esprit-Saint.

« Sa mission dans le ciel, sa Vie, son Etre, c'est l'Amour.

« Sur la terre, sa mission consiste à acheminer les âmes vers ce foyer de l'Amour qui est Dieu. Avec Lui, on possède tout ce que l'on peut désirer.

« S'il y a de la tristesse, c'est parce que l'on ne recourt pas à ce divin Consolateur, Lui qui est la joie spirituelle parfaite. S'il y a de la fragilité, c'est parce que l'on ne s'appuie pas sur Celui qui est la Force invincible. S'il y a des erreurs, c'est parce que l'on méprise Celui qui est la Lumière. La foi s'éteint par absence du Saint-Esprit. En chaque cœur et dans l'Eglise entière, on ne rend pas à l'Esprit-Saint le culte qui lui est dû. La plupart des maux que l'on déplore dans l'Eglise et dans le champ des âmes vient de ce que l'on n'accorde pas à l'Esprit-Saint la primauté que Moi J'ai donnée à cette Troisième Personne de la Trinité qui a pris une part si active à l'Incarnation du Verbe et à la fondation de l'Eglise. On l'aime avec tiédeur, on l'invoque sans ferveur et en beaucoup de cœurs, même parmi les miens, on ne se souvient même pas de Lui. Tout cela afflige profondément mon Cœur.

« Il est temps que l'Esprit-Saint règne », me disait le Seigneur très ému, « et non pas d'un règne lointain comme une chose très élevée, bien qu'Il en soit ainsi et que rien ne soit plus grand que Lui puisqu'Il est Dieu, uni et consubstantiel avec le Père et le Verbe. Mais il faut qu'Il règne, là, tout près, en chaque âme et en chaque cœur, dans toutes les structures de mon Eglise. Le jour où circulera en chaque pasteur, en chaque prêtre, comme un sang intérieur, l'Esprit-Saint, alors seront rénovées les vertus théologales, maintenant languissantes, même dans les ministres de mon Eglise, par absence de l'Esprit-Saint. Alors le monde changera, car tous les maux dont on se lamente aujourd'hui ont pour cause l'éloignement de l'Esprit-Saint, son seul remède. Que les ministres de mon Eglise réagissent, par l'intermédiaire de l'Esprit-Saint, et tout le monde des âmes sera divinisé. Il est l'axe autour de qui tournent les vertus. Pas de vraie vertu sans l'Esprit-Saint. L'impulsion décisive pour soulever mon Eglise de l'état de prostration dans lequel elle gît, consisterait à aviver le culte de l'Esprit-Saint. Qu'on Lui donne sa place, c'est-à-dire la première dans les intelligences et les volontés ! Nul ne manquera de rien avec cette richesse céleste. Le Père et Moi, le Verbe, Nous désirons une rénovation ardente et vivificatrice de son règne dans l'Eglise.

— Seigneur, pourtant le Saint-Esprit règne dans l'Eglise, pourquoi te plains-Tu ?

— Malheur à Elle, s'il n'en était pas ainsi ! Assurément l'Esprit-Saint est l'âme de cette Eglise tant aimée ! Mais ce dont Je me plains, c'est que l'on ne se rend pas compte de ce don du ciel, on ne lui accorde pas toute l'importance que l'on doit. Sa dévotion dans les cœurs est routinière et languissante, tiède, secondaire. Cela entraîne des maux sans nombre tant dans l'Eglise que dans toutes les âmes. Voilà pourquoi les Œuvres de la Croix viennent rénover sa dévotion et l'étendre à toute la terre. Que l'Esprit-Saint règne dans les âmes, et le Verbe sera connu et honoré, la Croix prenant un nouvel élan dans les âmes spiritualisées par l'Amour divin.

« A mesure que règnera l'Esprit-Saint, le sensualisme, qui aujourd'hui envahit la terre, disparaîtra. Jamais la Croix ne prendra racine si auparavant le terrain n'a pas été préparé par l'Esprit-Saint. Voilà pourquoi Il t'est apparu le premier avant même la vision de la Croix. A cause de cela Il est au sommet de la Croix de l'Apostolat.

« L'un des principaux fruits de l'incarnation mystique est le règne de l'Esprit-Saint qui doit faire disparaître le matérialisme » (J. 19 février 1911).

Action du Saint-Esprit dans les âmes et dans l'Eglise

L'action de l'Esprit-Saint se fait sentir d'abord dans les âmes, mais elle s'étend aussi à toute l'Eglise.

« Il est la source de la grâce divine et Il ne demeure jamais inactif. De jour et de nuit, Il travaille dans les âmes qui se livrent à moi, et ces âmes progressent constamment dans les vertus. Mais quand les âmes résistent et ne se laissent pas faire, alors je me retire parce que mes grâces sont d'une trop grande richesse pour les gaspiller. Le travail de l'Esprit-Saint dans les âmes est très délicat, et bien coupable l'âme qui le dédaigne... Si elle ne répond pas à mes inspirations, à ce que j'exige d'elle, Je me retire. Il y a des âmes qu'il faut pousser à chaque pas, d'autres courent et volent. Selon la mesure de leur correspondance à la grâce, elles avancent, montant continuellement jusqu'au degré que je leur ai destiné. Sois vigilante, écoute ma voix. Tu sais bien que pour m'entendre il est nécessaire de garder ses oreilles attentives... Renoncement total à toi-même et continuel esprit de sacrifice.

« Sacrifie-toi pour mon Eglise », me répète souvent le Seigneur. En différentes occasions, Il m'a donné à entendre la relation si intime qui unit l'Eglise avec la Croix. Il m'a dit : « L'Eglise est née sur la Croix. » L'Esprit-Saint est venu après pour confirmer sa doctrine et lui donner la vie. Le Saint-Esprit me l'a affirmé : l'Eglise est la dépositaire de toutes ses grâces. Il a fixé en Elle sa demeure, Il l'aime avec passion et l'on n'entre en paradis que par Elle. L'Esprit imprime son sceau en toutes ses cérémonies.

Sans le sceau divin rien ne s'achève, aucun salut n'est possible » (Lettre à Mgr Leopoldo Ruíz y Flores, 23 juin 1904).

Le Saint-Esprit se tient tout près des âmes

Le Saint-Esprit habite au plus profond des âmes. « Il sera avec vous et Il sera en vous » (Jn. 14, 17). C'est toute la Trinité qui habite en nous : « Si quelqu'un m'aime, mon Père et Moi Nous viendrons en lui et nous établirons chez lui notre demeure » (Jn. 14, 23). Tous les baptisés, tous ceux qui possèdent la grâce, sont les « temples de l'Esprit-Saint » (I Cor. 6, 19).

« Les âmes s'imaginent que l'Esprit-Saint est très loin, se tenant sur des hauteurs très élevées. En réalité, Il est pour ainsi dire la Personne divine qui assiste de plus près la créature. Il l'accompagne partout, Il la pénètre de Lui-même, Il l'appelle. Il veille sur elle. Il la couvre de sa protection. Il en fait son temple vivant, Il la défend, Il l'aide, Il la garde contre tous ses ennemis. Il est plus près de l'âme qu'elle-même. Tout le bien qu'une âme accomplit, elle le réalise sous son inspiration, dans sa lumière, par sa grâce et son secours. Et pourtant on ne l'invoque pas, on ne le remercie pas de son action immédiate et si intime en chaque âme. Si tu invoques le Père, si tu l'aimes, c'est par l'Esprit-Saint. Si tu M'aimes avec ardeur, si tu Me connais, si tu Me sers, si tu M'imites, si tu ne fais qu'un avec mes volontés et avec mon cœur, c'est par l'Esprit-Saint.

On le considère comme inaccessible et Il l'est en réalité mais il n'existe rien de plus proche, de plus secourable à la créature dans sa misère que cet Etre d'une transcendance suprême, cet Esprit très saint qui reflète et qui constitue une même sainteté avec le Père et le Fils. Les siècles ont passé et Lui demeure toujours le Principe de toutes choses. Il grave son empreinte dans les âmes et le caractère dans le prêtre. Il communique la lumière de la foi et toutes les vertus. Il irrigue et féconde tout le champ de l'Eglise. Malgré cela on ne l'apprécie pas, on ne le connaît pas, on ne le remercie pas de son action perpétuellement sanctificatrice. Si le monde est ingrat envers Moi, combien plus envers l'Esprit-Saint !

« Voilà pourquoi Je veux qu'à la fin des temps se déploie sa gloire... L'une des douleurs intérieures les plus cruelles pour mon Cœur fut cette ingratitude de tous les temps, cette idolâtrie autrefois des idoles, et aujourd'hui dans l'adoration de l'homme par lui-même, dans l'oubli de l'Esprit-Saint. En ces derniers temps la sensualité a établi son règne dans le monde ; cette vie sensuelle obscurcit et éteint la lumière de la foi dans les âmes. C'est pourquoi, plus que jamais, il est nécessaire que l'Esprit-Saint vienne détruire et anéantir Satan qui sous cette forme pénètre jusque dans l'Eglise » (J. 26 janvier 1915).

L'âme du Christ sous la motion de l'Esprit-Saint

Le Christ est le chef-d'œuvre de l'Esprit-Saint. Comme Verbe, il est avec le Père, son Principe éternel. L'Esprit-Saint reçoit tout du Fils : son Etre en ses perfections infinies. Il est l'Amour en Personne qui procède indivisiblement du Père et du Fils dans l'Unité de la Trinité. Mais, en tant qu'homme, Jésus a tout reçu de l'Esprit-Saint : son incarnation, son être, sa vie, son action sur tous les membres de son Corps mystique.

« Tous les mouvements de mon âme en tant qu'homme ont été inspirés et accomplis sous la motion de l'Esprit-Saint. C'est Lui qui animait mes facultés, mes sens, ma volonté, les gardant en sa possession pour la gloire du Père à qui, Moi, Je rapportais tout... L'Esprit-Saint aime mon humanité avec une incomparable prédilection... Si tu savais avec quelle délicatesse, quelle tendresse, et quelle splendeur l'Esprit-Saint orne mon âme, mes facultés, mes sentiments, mon corps et mon cœur ! Plus encore qu'une mère Il est tout amour. Il a déployé sa puissance et toutes ses richesses à me former dans le sein de Marie, comme un parfait modèle de tout ce qui est beau, pur et saint. Toutes les richesses et trésors qui ornent mon Cœur, je les dois à l'Esprit-Saint. Je n'aime pas que l'on prenne la dévotion à mon Cœur comme une fin, mais seulement comme un moyen pour s'élever jusqu'à ma Divinité, comme un degré pour atteindre l'Esprit-Saint puisque c'est lui qui a créé, formé et enrichi mon cœur d'homme, qui a déposé en lui toutes les délices de son amour mais aussi toutes les souffrances intérieures et la manière de souffrir l'expiation universelle pour le pardon de l'humanité coupable. Le cœur de l'homme et son corps avaient péché : il fallait un autre cœur et un autre corps unis à la puissance d'un Dieu pour donner satisfaction à cet Autre qu'est Dieu. Ce plan, cette action, cette fin salutaire, glorificatrice de mon humanité et du salut du monde, on les doit à l'Esprit-Saint » (J. 29 janvier 1915).

La première place dans l'Eglise

Ainsi, dans un tour d'horizon grandiose, le Seigneur découvrait à Conchita la place unique et primordiale du Saint-Esprit dans les œuvres de Dieu. L'Esprit-Saint était là avant la création dans les conseils de la Trinité, orientant avec le Père et le Fils le sens du destin du monde. L'Esprit était là, préparant la venue du Fils et la réalisant au moment de l'Incarnation du Verbe, toujours présent et agissant dans son Eglise jusqu'à la fin des siècles. « Le Saint-Esprit prenait une part extrêmement active à l'élaboration du plan éternel de la Rédemption ; puis, en son temps il réalisa l'œuvre de l'Incarnation, après avoir éclairé les prophètes en la leur annonçant. Durant ma vie d'homme c'est Lui qui me soutenait, c'est Lui qui présentait à mon Père mon expiation infinie et touchait les âmes, les attirant vers la Vérité que Je suis moi-même. J'avais promis de L'envoyer et je l'ai fait, car, en chacun de ses actes, dans les sacrements et son action infaillible, l'Esprit-Saint occupe dans mon Eglise la première place » (J. 28 janvier 1915).

IV. L'INTUITION-CLÉ :
DE L'AMOUR A L'AMOUR PAR L'AMOUR CRUCIFIÉ

Les plus grands génies, souvent après de longues années de réflexion, découvrent soudain une pensée centrale revêtant la forme d'une intuition créatrice, et ils passent tout le reste de leur existence à l'approfondir pour l'intégrer à leur vie et en faire jaillir tout un monde d'applications pratiques au service des autres hommes.

Le même phénomène se retrouve dans la vie des saints. Une Thérèse de Lisieux a cheminé ainsi au milieu de nous à la recherche d'une « voie toute nouvelle » de sainteté : « Dans l'Eglise, je serai l'amour, et ainsi je serai tout. »

On constate quelque chose d'analogue en Conchita. Jeune veuve de quarante-et-un ans, elle se tourne de plus en plus vers le Crucifié. Elle accumule dans les brouillons de son Journal de Janvier 1903 toutes « les lumières sur l'amour » que lui a « dictées » le Christ son Maître : « D'un seul coup, tandis que j'écoutais une lecture, j'aperçus comme un trait de lumière dans mon intelligence ses effets salutaires rendus sensibles à mon cœur. » Comme Thérèse d'Avila dont la vie fut radicalement changée vers les quarante ans, Conchita reçut, brusquement par illumination directe de l'Esprit-Saint, les intuitions souveraines qui constitueront les données majeures de la spiritualité de la Croix :

au sommet : Dieu comme Amour,

au centre : le Christ Crucifié

et de sa part, en sa propre vie, une réponse d'amour dans une totale appartenance à l'amour.

C'est là, encore à l'état de germe, l'intuition globale de la doctrine spirituelle que lui inspirent le Saint-Esprit et l'expérience de son propre amour pour le Crucifié. Cette nouvelle vision d'univers, synthétique et originale, lui découvre dans une très haute vue de sagesse, les deux pôles du plan de la Rédemption : l'Amour infini et l'appel à rejoindre l'Amour et à s'identifier à Lui par la croix. On pourrait formuler ainsi cette intuition-clé : de l'Amour à l'Amour par le Christ crucifié par amour.

Dieu est Amour

Notre vie spirituelle est liée à notre conception de Dieu. Si la métaphysique est le fondement de la morale, le dogme commande la mystique. Le mystère de la Trinité et l'Incarnation du Verbe animent la spiritualité chrétienne. Toute la doctrine de la Croix dépend de la vision d'un Dieu crucifié par amour.

Le Dieu de St Augustin est le Bien suprême attirant tout à Lui. Le Dieu de St Thomas d'Aquin est le Dieu du Sinaï : « Je suis Celui qui est. » Le Dieu de Thérèse de Lisieux, c'est l'Amour miséricordieux. Le Dieu de Conchita, c'est l'Amour Crucifié qui nous conduit vers l'Amour Infini : « Je ne sais comment, j'ai compris l'essence de Dieu qui est tout Amour. Cela, mille fois je l'avais dit et entendu ; mais non, ce fut une chose surnaturelle, un mouvement qui fit frémir mon âme, une lumière qui, fulgurante comme un éclair, illumina le plus secret et le plus intime de mon esprit... Je vis comment Dieu est Amour. Non seulement Il possède l'amour, mais Il est l'Amour même, l'Amour éternel, l'Amour incréé, l'Amour infini... »

Le Dieu de Conchita, c'est le Dieu de l'Evangile, tel que nous le présente St Jean : « Dieu est Amour ». Voilà le fondement suprême de sa doctrine spirituelle. Son Dieu Crucifié est avant tout un Dieu d'Amour.

De ce Dieu transcendant mais qui est tout Amour, elle voit dériver par voie de participation toutes les richesses créées de l'univers visible et invisible : tout le bien qui existe en Lui, le monde des âmes, tout l'amour légitime et tous les grands horizons de la foi : les mystères de la Création, de l'Incarnation, de la Rédemption, de la mort de Jésus sur la Croix, de la souffrance elle-même et de la croix : « J'ai senti comment tout ce qu'il y a de bien descend de Lui et comment les âmes et toute la nature portent l'empreinte du sceau divin.

« J'ai vu comment tout amour légitime et saint, comblant le cœur de l'homme, est une goutte de cet Océan insondable, un rayon lumineux de cette immense lumière ! J'ai expérimenté comment l'amour procède et jaillit de ce foyer infini de charité que Tu es Toi-même et comment Tu te complais à déposer dans le cœur de l'homme cette soif d'aimer insatiable, que ne peut satisfaire ni le caduc, ni le fini mais l'impérissable et l'infini...

« J'ai senti comment les âmes sont comme une parcelle de

Dieu Lui-même, un souffle de son essence divine, une respiration produite par son Esprit-Saint.

« Oh ! que l'âme est quelque chose de grand, que sa valeur est immense ! Les âmes sont nées de l'amour et doivent vivre éternellement d'amour. C'est pour cela qu'elles sont créées. Elles sont le fruit de la Très Sainte Trinité, et, partant, immortelles. Elles sont filles du ciel, engendrées par l'amour, et par suite, inéluctablement elles tendent vers l'infini, vers ce qui est pur, saint, grand et divin.

« Cette enveloppe du corps lui est donnée pour lutter et pour mériter, mais l'âme — cet être immortel, ô quelle merveille ! — ne peut se rassasier de l'humain, lors même qu'elle s'efforce par son amour des créatures d'effacer l'image gravée au tréfonds de son être même. Cela est impossible. Un autre ordre de choses l'attire, un « au-delà » l'appelle constamment, une voix intérieure lui crie mille et mille fois : « Ce n'est pas là ta destinée. Plus haut, plus haut ! ». Cette soif de divin arrache son cœur à la terre, purifiant ses affections terrestres, même les plus saintes, les emportant dans cet abîme, cette immensité, cet océan sans fond et sans rivages, où elle est née... Je sens combien l'amour de mon mari, de mes enfants, de ma famille et de tous les biens matériels, s'est concentré en un seul amour... en Dieu.

« Je ne sais ce que j'éprouve à entrevoir ce foyer éternel qui a produit la création, réalisé la rédemption... fondé l'Eglise, qui la soutient et embrase tous les cœurs. Et Celui qui est l'Amour, qui est-ce donc si ce n'est l'Esprit-Saint, Terme de l'Amour ?... C'est Lui qui a inspiré la création, la rédemption... l'incarnation... la mort sur la croix, le règne de la souffrance... et l'Apostolat de la Croix. »

La Croix

Abordons maintenant le second volet de ce tryptique : la Croix. Son Dieu est un Dieu Crucifié : c'est le point central de son intuition. Elle n'en fera pas une analyse conceptuelle. Comme tous les mystiques, elle parle avec le cœur. Pour elle, la Croix est le signe suprême de l'Amour. Elle ne disserte pas sur la Croix et sur l'Amour. Elle en vit. C'est un va-et-vient continuel de sa pensée entre l'Amour et la Croix, inséparables l'un de l'autre. Elle voit les âmes qui fuient la Croix, pour leur malheur, puisqu'ainsi elles fuient l'Amour : « Montre-leur la Croix. Montre-leur l'Amour. » A ses yeux : c'est la même chose. Elle voudrait parcourir la terre « levant très haut l'étendard de la Croix », parce que la Croix est l'unique « chemin de l'amour ». Alors surgit le nom magique de « Jésus ». L'Amour c'est Lui, et Il est cloué sur une Croix. A la base de son intuition directrice et au tréfonds de sa vie : pour elle Jésus, c'est l'Amour Crucifié.

« Celui qui est l'Amour veut nous rendre heureux par la Croix, unique moyen qui, depuis le péché, nous conduit, nous presse, nous unit et nous identifie avec l'Amour même.

« Pourquoi cette erreur lamentable ? Les âmes fuient la Croix et, par suite l'Amour, se rendant elles-mêmes malheureuses.

« Pour moi, j'ai perçu ce que vaut une âme et, avec raison, le Cœur de Dieu se déchire et souffre en les voyant se perdre sans remède, elles qui sont *siennes* à mille titres d'amour.

« Maintenant je contemple, le regard rempli de lumière, dans tous les êtres créés un vestige de l'Amour... la trace de Dieu, les preuves éclatantes de son infinie Charité, qui ne se lasse jamais de se déverser dans l'homme, être vil et misérable qui ne mérite rien. Oh ! immensité de la grandeur de ce Dieu, abîme insondable de perfections ! Pourquoi ne lui donnons-nous pas tout notre cœur ? Pourquoi ne vivons-nous pas absorbés par Lui, confondus en Lui ?

« Amour, Amour ! me crie tout ce qui m'entoure... Quand je vois les créatures se gonfler dans les choses vaines de la terre, dans le vice et dans tout ce qui n'est pas Lui... je sens une peine immense qui me transperce, mon cœur est secoué et crie : « Sauve-les... Montre-leur la Croix... Sacrifie-toi pour elles dans le silence et l'obscurité... Et dans mon cœur un amour débordant de zèle grandit. Je voudrais courir et crier, je voudrais que ma voix soit entendue dans le monde entier et pénètre au fond des consciences pour émouvoir les cœurs. Je voudrais ôter le bandeau qui couvre les yeux des âmes et leur montrer l'Amour... leur dire que tout ce que l'âme perçoit n'est qu'une étincelle, un éclair, un rayon qui doit retourner vers son centre et se perdre en Lui pour nous rendre heureux. Je voudrais lever très haut l'étendard de la Croix et parcourir le monde, annonçant que c'est là le chemin de l'Amour, que c'est uniquement par les épines, le sang et la souffrance que l'on s'élève à l'union avec le Saint-Esprit... Celui-ci et Lui seul est la source qui puisse combler les aspirations infinies de l'âme.

« Douleur, croix : voilà la seule échelle divine par où l'âme puisse parvenir à la consommation de l'amour divin... L'éloignant de la terre et la rapprochant du ciel : du Cœur de Dieu... Viens, Seigneur, viens dans mes bras, cloue-moi en toi... je veux souffrir parce que c'est l'Amour-même qui a inspiré à Jésus de souffrir pour m'apprendre comment Il aimait Lui-même. De là une telle union entre l'amour et la souffrance que celui qui aime se réjouit de souffrir. Jésus a aimé et Il a souffert. Moi non plus, je ne veux pas l'amour sans la souffrance parce que sans le sacrifice, l'amour n'est ni pur, ni vrai, ni durable. Si la douleur est grande, l'amour doit être grand, et si l'amour est immense, la douleur doit être immense... Oui, je le répète, que vienne l'immolation, l'anéantissement complet, pour que l'amour vienne absorber ce qui est encore de la terre, toutes les scories des vices et les traces de souillures des créatures. »

Une réponse d'amour

« On ne répond à l'Amour que par l'amour », disait Thérèse de Lisieux. Chez Conchita, c'est la même ardeur héroïque à se livrer continuellement à l'Amour. Sa vie est une incessante offrande à l'Amour mais sur la Croix. Elle a ce cri audacieux : « Mon Dieu, si je pouvais enlever quelque chose à ton Etre, je te déroberais l'Amour pour t'aimer. »

« Je veux vivre d'amour, mais d'amour me crucifiant moi-même. Mon âme entre continuellement dans l'abîme de l'Amour. Mon esprit se sent comme absorbé en son Dieu et Seigneur, vivant pour ainsi dire en Lui, aspirant et respirant en Lui seul... Je me sens comme déifiée, dans une atmosphère pure et divine, avec de grands désirs de me sacrifier sur l'autel de l'amour par l'Amour-même.

« Oh ! quelle grande chose que l'amour ! Je voudrais ne parler que de cet Amour. Et tout ce qui m'entoure, tout le créé répète des millions de fois : Amour ! Amour !...

« Un jour que je m'en allais en tramway, soudain j'ai entendu la voix du Seigneur. Il me dit : « Tu enflammeras une multitude de cœurs avec le feu de l'Esprit-Saint, tu les blesseras avec le bois sacré de la Croix ». Je suis restée confondue et remplie de honte, mais je sentis que le Seigneur réaliserait tout cela, n'étant moi-même que pauvre et misérable instrument.

« Dieu !... Dieu !... Dieu !... Dans ces paroles je découvre des abîmes d'amour, de très pure et ardente charité. J'expérimente et je sens très fort dans mon âme que la Croix dérive de l'amour !

« Aime ! Aime ! me crient toutes choses, et une voix intérieure, qui jaillit des tréfonds de mon âme, me pousse à la souffrance, à l'humiliation, à souffrir continuellement. Quelle filiation admirable entre l'amour et la souffrance ! J'éprouve comme un remords de m'être élevée à ces régions de la charité divine, et je cherche la Croix... je veux être clouée en elle et m'abandonner entre ses bras aimés ; mais, chose étrange, saisie par la Croix et par ma propre misère, je me sens emportée avec mes misères et avec la Croix, et jetée en cet océan insondable de perfection.

« Seigneur ! Seigneur ! je n'ai à moi que pauvreté, fange et misère. Permets-moi de me prosterner à terre et de crier, du plus profond abîme de mes iniquités : Miséricorde ! Miséricorde !

« Les croix sont des témoignages d'amour qui nous attirent vers Dieu et nous font mériter.

« L'unique supplice de l'amour consiste à ne pas souffrir assez pour le Bien-Aimé... mais c'est là le grand secret de la Croix, qui n'est découvert que par les âmes qui, volontairement et amoureusement, se sacrifient, clouées en elle sans en descendre jamais...

« Que devrais-je faire, moi, plongée dans cet abîme de lumière et de feu ? Comme je devrais, pauvre de moi, correspondre à ce Dieu, Charité par essence et qui m'a tellement comblée ! Mon Dieu ! Mon Dieu ! je meurs de voir que je ne suis rien, et je T'aime ! Si je pouvais enlever quelque chose à ton Etre, je te déroberais l'Amour pour t'aimer...

« Oui, j'ai faim d'amour, j'ai soif d'amour ; je désire aimer et mon cœur est si peu de chose pour se rassasier de cette immensité d'amour qui déborde au-dedans et au-dehors de moi !

« Il est impossible de faire contenir l'Amour de Dieu dans ma pauvre âme ; ce que je fais, c'est me plonger dans cet Océan sans rivages... à l'intérieur de ce feu... dans le tréfonds sans limites de l'essence infinie de Dieu. Je ne sais faire autre chose que me perdre comme un point imperceptible dans l'immensité de la possession de Dieu. »

Les deux pôles

Ce tryptique se déployant comme une immense fresque sous son regard contemplatif, s'achève par une vision grandiose et dramatique qui lui découvre le plan de l'Univers de la rédemption rassemblé autour de deux pôles : Dieu et l'homme, l'Amour infini de Dieu pour l'homme et le refus d'amour d'une multitude d'êtres humains appelés à aimer. Entre les deux se dresse le Christ, cloué sur la Croix, entre les hommes et Dieu.

« Le plan de la Rédemption s'est comme dévoilé sous mes yeux. Je le vois comme avec une loupe grossissante et dans une prodigieuse lumière. Dans ce champ de vision, tout illuminé, se détache l'immense et incomparable Amour de Dieu pour l'homme et de l'homme pour Dieu : ce sont les deux pôles qui s'unissent dans l'abîme de sa grandeur.

« Je tremble à contempler ces choses, car il me semble que Dieu me demandera un compte rigoureux si je n'en fais pas mon profit en l'aimant et en le remerciant.

« Je découvre son admirable patience éternelle et l'incroyable dureté du cœur humain. Je crois rêver à voir les hommes dépenser tous leurs efforts à courir après les vanités de la terre, et qui ne s'arrêtent même pas à considérer leur dette redoutable d'amour, de souffrance et de sang...

« Comment ce que je vois est-il possible ? De quelle nature si insensible sommes-nous formés ? Non, ce qui insensibilise l'âme, c'est la vie des sens, cette sensualité qui ne cherche à se satisfaire que dans la mollesse et la facilité, enchaînant l'esprit et lui coupant les ailes.

« L'absence de la Croix est la cause de tous les maux. Et que faisons-nous, nous autres qui aimons ? Pourquoi ne pas courir et secouer nos âmes et les réveiller et les enflammer avec le bois sacré de la Croix ? Mon Dieu ! je me sens si impuissante à satisfaire ces ardeurs véhémentes de mon cœur que, à voir que je ne puis m'envoler ni faire entendre ma voix aux âmes, comme une immense clameur, je sens le désir de m'acharner contre moi-même, de me déchirer en morceaux, de me rassasier de la Croix, pour compenser en moi-même, dans la mesure du possible, bien que je ne vaille rien, cette nécessité de rendre gloire à Dieu qui consume ma pauvre âme misérable.

« Amour ! je me sens à peine au seuil de l'Amour et pourtant, il entraîne vers Lui mon cœur, mon âme, ma vie.

« Je vois dans une grande clarté, avec des éclairs rapides, tout ce qu'il y a de vain et de caduc dans cette terre et tout ce qu'il y a de grand, de divin et de saint dans les attributs de Dieu, pénétrant dans le détail tous ses mouvements, qui font comme grandir sa Bonté. Ce que je crois qui se passe c'est que le Seigneur daigne faire tomber certains voiles. Et aussi, il est évident que je découvre plus de lumière, plus de chaleur, plus de feu. »

Le rideau se lève

Conchita pouvait conclure : « Je sens que Jésus est derrière la porte de mon intelligence. J'expérimente aujourd'hui sa chaleur, son rayonnement, sa lumière, son éclat, et pour ainsi dire la compréhension de ses mystères, les voyant clairs, nécessaires, dans un ordre naturel ; mon cœur sentait aussi la nécessité de l'Eglise, la victoire réalisée par l'Œuvre de la Rédemption, et tout cela, d'un seul coup, comme lorsqu'on lève un rideau de théâtre et qu'on saisit tous les détails de la scène. » (J. janvier 1903).

Cette vision du monde, c'est le Christ présent dans son intelligence qui la lui a révélée par son Esprit d'amour. Elle n'est pas complète : il manque le sacerdoce du Christ, le rôle de Marie, de l'Eucharistie, de l'incarnation mystique, de la consommation finale dans l'unité de la Trinité. Ce n'est qu'une ébauche et comme une intuition créatrice encore inachevée. Conchita entrevoit déjà d'autres horizons : le mystère de l'Eglise et la victoire définitive de Dieu par l'Œuvre de la Rédemption. C'était tout de même un très beau spectacle sur Dieu et sur l'univers. Comme au théâtre la scène apparaît soudain en pleine clarté, le Verbe avait illuminé l'âme de Conchita, en lui découvrant comme en un éclair, au centre du monde, Sa Croix rédemptrice dans le rayonnement de l'Amour infini.

V. Le destin de l'homme

« Si une telle distance nous sépare, ô Jésus, si entre ce néant et ton Immensité il y a un abîme infranchissable, comment l'union est-elle possible entre ces deux pôles ?

« — Entre ces deux pôles, m'a répondu Jésus, Dieu et toi, Je suis là, moi, Dieu fait homme. Seul je puis les unir et très étroitement. Nul ne parvient à l'Immensité de Dieu, nul ne perçoit ma Divinité, sans passer par Moi. De même, sans Moi, nul ne peut s'abaisser ni prendre conscience de son néant. Je suis le centre, la porte, le chemin, la lumière qui donne la connaissance de soi et introduit à la contemplation de Dieu. Je suis le point de rencontre, le Rédempteur, la Lumière, la Vie, le Foyer de l'éternelle perfection. Etudie ce livre, ton Christ, et tu seras sainte en l'imitant.

« Il m'a expliqué comment, d'un côté, il tenait un bras appuyé sur la Croix et comment il atteignait le pôle opposé, et comment l'union de ces deux extrêmes se réalisait dans son Cœur » (J. 25 août 1895).

La vision d'univers de Conchita, comme celle des mystiques, ne vise pas à une connaissance scientifique des êtres créés, comme celle du philosophe et du savant, mais débouche sur un itinéraire spirituel qui conduit l'homme jusqu'à Dieu. C'est la « science des saints ». Elle appartient à la race des grands spirituels comme une Thérèse d'Avila, un St Jean de la Croix, une Thérèse de Lisieux, écrivant respectivement un « chemin de la perfection », un « sentier du rien » acheminant les âmes vers le sommet de la Montagne du Carmel, ou une Thérèse de Lisieux, révélant une « petite voie » toute nouvelle de confiance et d'amour pour aller à Dieu. Conchita conduit les âmes vers Dieu par la Croix. Pour elle, la Croix est l'unique « chemin de l'Amour ».

Une Catherine de Sienne dira que le Christ est le « pont » qui nous permet de rejoindre Dieu. Sous des images différentes, tous professent leur foi dans le Christ, « l'unique Médiateur entre Dieu et les hommes », comme l'enseigne St Paul. Comment le Crucifié ne serait-il pas au « centre » de cette doctrine de la Croix ?

Après avoir compris que l'optique fondamentale de cette spiritualité est « Jésus et Jésus Crucifié » entrevu à la lumière supérieure de l'Esprit-Saint, il reste à analyser les aspects multiples et les diverses étapes de cet itinéraire spirituel : l'homme pécheur s'éloigne du mal par l'expiation et la pénitence jusqu'à la mort de son propre « moi » ; il tend vers Dieu positivement par la pratique des vertus chrétiennes et les dons du Saint-Esprit, qui achemine les âmes jusqu'au plus haut sommet de la vie spirituelle : l'incarnation mystique dont l'acte principal et l'attitude fondamentale consisteront dans l'oblation continuelle du Verbe incarné à son Père, et dans l'offrande totale de notre propre vie par Lui, avec Lui et en Lui, pour la gloire du Père et le salut du monde. C'est là une présentation nouvelle de l'Evangile de la Croix.

Si l'on veut comprendre cette spiritualité de la Croix, il est capital de saisir que l'homme, sujet de la vie spirituelle, est un être essentiellement pécheur. La pensée moderne, toute centrée sur l'homme, nous présente l'homme marxiste, l'homme existentialiste, l'homme d'affaires, l'artiste, le savant, l'homme avide de liberté personnelle sans limite, l'homme indépendant de Dieu, et maître de sa destinée, dans un univers construit par lui et pour lui. Vision aberrante mais répandue sur presque tous les points du globe par les formes multiples de l'humanisme athée. Vatican II a répliqué par la présentation, à la lumière de la foi, de la vocation intégrale de l'homme, image de Dieu, appelé à se modeler sur le Christ, vrai Dieu et vrai homme, d'autant plus homme qu'il ressemble au Christ et qu'il entre en communion avec son mystère pascal. C'est la vision chrétienne de l'homme telle que déjà nous la révèlent les écrits de Conchita.

L'homme ne s'explique que par Dieu. Il tire son origine de la Trinité. Il passe sur la terre à l'imitation du Christ et va réaliser sa suprême destinée dans « sa consommation en l'unité de la Trinité ». Vision sublime, réalisatrice des plus hautes aspirations de la personnalité humaine.

« Dieu a créé l'homme, heureux de le former « à son image » pour l'attirer vers le ciel. » (J. 23 juillet 1906).

« Si l'homme comprenait sa divinisation, il ne pécherait plus. Il est le temple du Saint-Esprit, et, dans son âme, une image de la Trinité. Il a une origine divine, c'est pourquoi il est immortel. Il participe à Dieu en chacun de ses actes et mouvements. Il vit pour Lui. Par suite, comment ne pas vivre de Lui ? Tel est précisément le désordre dans la créature qui tente par le péché de se soustraire à Dieu, ce qui d'ailleurs est impossible, puisqu'elle ne pourrait pas vivre en dehors de Dieu ni effacer Dieu de son âme ni le reflet de Dieu, si grandes que soient la souillure et la noirceur de ses péchés. » (J. 23 avril 1913).

« Dieu a créé l'homme uniquement pour la joie mais le péché a renversé ce plan, car un être souillé ne peut être appelé à un bonheur immortel. Une purification est nécessaire : c'est précisément le rôle de la douleur de blanchir les âmes. La souffrance, unie à l'expiation divine du Verbe incarné, nous a ouvert le ciel, permettant de nouveau à l'homme de pouvoir posséder un éternel bonheur. » (J. 18 avril 1913).

« L'âme est immortelle ; elle porte en elle l'image de la Trinité, le germe de l'Unité, une tendance vers l'infini et le divin. Voilà pourquoi, sur la terre, elle ne trouve pas de satisfaction complète. » (J. 15 avril 1913).

« Je suis homme. Si je n'avais pas existé, l'homme n'aurait jamais existé. Dieu aime l'âme comme reflet de la Trinité et il aime le corps comme un reflet de Moi-même, homme parfait, type et modèle de tout homme. » (J. 27 juillet 1906).

Au travers de ces textes, glanés un peu au hasard dans le Journal de Conchita, on trouve les éléments d'une anthropologie chrétienne apportant une solution au problème si actuel de l'homme. Dans la lumière de la foi de son baptême, l'homme lui apparaît « une image de la Trinité ». Elle rejoint ainsi la conception des plus grands maîtres de la pensée chrétienne. St Augustin montre le cœur de l'homme insatisfait jusqu'à ce qu'il repose en Dieu, parce qu'il a été créé pour « jouir de la Trinité ». Et à la suite de St Augustin, un St Thomas précise : « La vision de la Trinité dans l'Unité est la fin et le fruit de toute notre vie », « Cognitio Trinitatis in Unitate est finis et fructus totius vitae nostrae. » (St Thomas, I Sent., d. 2, q. 1).

Comme Vatican II, pour comprendre l'homme, le Journal spirituel de Conchita nous invite à regarder le Christ. Plus on ressemble au Christ, plus on est homme. (cf. Gaudium et Spes § 41).

VI. Ascèse et pénitence

La vision chrétienne de la vie est réaliste. La foi nous découvre une humanité pécheresse. Tous les livres de la Bible, de la Genèse à l'Apocalypse, parlent du péché, sans pessimisme désespéré mais avec la conscience que le fait central de la Révélation divine est le dogme de la Rédemption : « Le Christ est mort pour nos péchés »

(I Cor. *15*, 3). Comme celle des prophètes de l'Ancien Testament, la prédication évangélique de Jésus et des Apôtres est une incessante exhortation au repentir et à la pénitence. De ce fait la spiritualité chrétienne est toute pénétrée de l'Esprit de la Croix et s'exprime par une antithèse vigoureuse, base de tout le christianisme et formulée par St Paul : mort et vie. La vie chrétienne est une mort au péché et une vie en Dieu, en communion avec le mystère pascal. Plus on meurt au péché, plus on ressuscite avec le Christ, pour la gloire du Père.

La lutte contre le péché est au cœur de la doctrine de la Croix comme de l'Evangile. Le Seigneur l'a rappelé avec vigueur à Conchita : « La pénitence est une grande vertu et l'esprit de pénitence est un don gratuit que Dieu accorde à qui Il lui plaît. » Son influence est universelle, non seulement pour libérer l'homme du péché, mais pour faciliter en lui la pratique de toutes les vertus : « Je te l'ai donnée à toi dès ta plus tendre enfance. La pénitence est le rempart qui protège la chasteté. La pénitence désarme la justice de Dieu et la transforme en grâces. Elle purifie les âmes, éteint le feu du purgatoire et reçoit dans le ciel une récompense très élevée. La pénitence rachète les fautes personnelles et celles des autres. La pénitence est sœur de la mortification ; les deux cheminent ensemble la main dans la main. La pénitence aide l'âme à s'élever au-dessus de la terre. La pénitence coopère à la Rédemption du monde. La pénitence humilie l'homme, elle le pénètre du sentiment intime de sa bassesse et de sa misère. La pénitence apporte à une âme la lumière. Elle consume et fait disparaître en elle tout ce qui est purement matériel. Elle la soulève plus haut que la terre, lui faisant goûter des délices jusque là inconnues et pures. Mais cette pénitence doit être fille de l'obéissance et exister dans l'âme, cachée à tous les regards humains. » (J. 24 septembre 1895).

Tous les maîtres en spiritualité rappellent la nécessité d'un combat spirituel contre soi-même et contre les tendances qui demeurent en chacun de nous, même après une sincère conversion. Il faut lutter jusqu'à la mort : « Je dois travailler à déraciner ce « moi » tenace qui se redresse à chaque instant, voulant tout dominer. Avec le secours de la grâce, je le sens déjà faible et prêt à se rendre, mais je voudrais le tuer et l'enterrer plus profondément.

« En vérité, c'est le plus redoutable ennemi de la perfection, ce « moi », avec son amour propre, ses goûts, la recherche de ses commodités. Le « moi » abattu, la place est nôtre et ce Jésus aussi est tout à nous, Lui qui n'entre pas dans une maison déjà occupée. Alors le Saint-Esprit devient tout à nous. Il n'établit son refuge que dans la solitude d'une âme pure. Alors le regard du Père aime prendre son repos dans une demeure paisible où peut se refléter son image divine. O délicieux dépouillement de tout, vide absolu, tout envahi par Dieu ! O solitude et bienheureuse quiétude, oblation totale de la créature à son Créateur ! O véritable et parfaite pauvreté spirituelle dans laquelle l'âme ne garde rien à soi ! Elle ne s'approprie pas ce que le Seigneur a déposé en elle. Humble et reconnaissante, elle fait tout remonter vers le Maître éternel de toutes choses !

« Bienheureux les pauvres en esprit ! Cette pauvreté possède le ciel dès cette terre puisqu'elle possède Dieu Lui-même. » (J. 5 septembre 1897).

On notera ici deux choses : c'est toujours en référence avec le Saint-Esprit que se présente la doctrine de la Croix et dans l'esprit des Béatitudes.

Dans l'homme pécheur la purification de tout l'être humain prépare l'union divine. Les Pères du désert formaient leurs néophytes à la pureté totale pour les acheminer vers la contemplation divine. Alors « la pureté spirituelle parfaite » prend tout son sens. « Elle ne consiste pas seulement dans l'absence de souillure dans le corps et dans l'âme, mais dans une séparation absolue de toute affection et de tout acte moins pur. C'est là le degré le plus sublime de cette vertu divine qui nous rapproche le plus de la pureté des anges, c'est-à-dire de la ressemblance avec Dieu. En Dieu la pureté est naturelle. Dieu est comme un cristal sans tache et, je le comprends sans pouvoir l'expliquer, rien de moins que cette transparence divine n'est capable de refléter l'image de la Très Sainte Trinité. Dieu est lumière. Dieu est clarté. Dieu est transparence. Le Seigneur me l'a répété : l'essence de Dieu est la pureté même parce que la pureté est l'essence de la lumière, de la clarté et de la limpidité. Là où apparaît la pureté, là resplendit un reflet de Dieu, c'est-à-dire, sa sainteté. De ce foyer de pureté éternelle, qui est Dieu, jaillit la lumière, la clarté, la limpidité ;

et ce n'est pas la pureté qui jaillit de la lumière, mais la lumière de la pureté. Voilà pourquoi, dans les âmes pures, transparaît la lumière de l'Esprit-Saint » (J. 19 décembre 1896).

VII. Les vertus chrétiennes et les dons du Saint-Esprit

Le saint avance vers Dieu « à pas d'amour », « gressibus amoris », dit St Grégoire. Quand l'Eglise veut placer quelqu'un sur les autels pour être un modèle pour tous les autres membres du Corps mystique, elle procède, au cours du procès de canonisation, à l'examen minutieux de l'héroïcité des vertus. Le critère évangélique s'avère donc décisif : on reconnaît un arbre à ses fruits. Le Seigneur Lui-même nous a rappelé cette loi fondamentale : « Si quelqu'un m'aime, il gardera mes commandements ». Les livres de l'Ancien et du Nouveau Testament ne cessent de recommander au « juste », la pratique de toutes les vertus, non seulement la foi, l'espérance et la charité mais une foule d'autres vertus : la patience, la longanimité, la prière, l'adoration, le respect des personnes et du bien d'autrui. Yahveh avait promulgué un Décalogue comme code de l'Alliance ; le Discours sur la Montagne, charte de la perfection évangélique, animé par l'Esprit-Saint, parle de préceptes à observer et de vices à éviter. L'axe de la sainteté passe par l'exercice des vertus chrétiennes et des dons du Saint-Esprit dans l'esprit des Béatitudes.

Il est significatif de noter que le Seigneur prit grand soin de « dicter » à Conchita tout un traité des Vertus et des Vices, accompagné d'un exposé des béatitudes et des dons du Saint-Esprit.

Ce fut pendant la typhoïde de sa fille Concha que le Seigneur lui « dicta » le traité des Vertus et des Vices : « Au cours de ces mois de longue maladie de Concha le Seigneur me dicta ces vertus, selon la promesse qu'Il m'en avait faite quelques années auparavant.

« Combien de nuits, en veillant sur ma petite malade, face à l'église de l'Incarnation, au milieu de communions spirituelles et d'actes d'amour, le Seigneur me fait prendre la plume, afin de s'épancher dans sa pauvre créature. » (Aut. I, 146-147).

Le Seigneur lui dicta ainsi la description de quatre vingt treize vertus et de cent dix vices, des béatitudes évangéliques, et, un peu plus tard, des dons du Saint-Esprit. L'ensemble constitue un vrai petit chef-d'œuvre pratique de spiritualité.

Il n'est possible, ici, d'en citer que quelques exemples, glanés un peu au hasard dans l'exposé des vertus théologales.

« *Aujourd'hui, Je veux te parler de la foi* »

— « Aujourd'hui Je veux te parler de la foi ». Je me suis donc sentie envahie et ravie par une lumière dans l'entendement et plutôt d'une manière intellectuelle. En ce recueillement intérieur, j'ai commencé à écouter sur la foi des choses divines et inexplicables. J'essayerai de dire, autant que je le puis, moi si misérable, ce que j'ai entendu de si beau.

« La foi est le fondement de la sainteté. C'est une lumière spéciale, venant du ciel, par laquelle l'âme voit Dieu en ce monde. C'est un rayon de lumière, illuminant le visage de Dieu et le rendant visible à l'âme ; c'est la vie et la force de l'esprit, le soleil qui le réchauffe, l'éclaire, le faisant toujours croître en perfection et en sainteté. Dieu aime tellement cette vertu, émanation directe de sa propre Divinité, que l'âme qui la possède, dispose, pour ainsi dire, de la volonté de Dieu, l'inclinant à lui concéder ce qu'elle désire. C'est une vertu à laquelle Il accorde tout son pouvoir. Il s'agit de la foi d'une âme humble.

« La foi est un flambeau qui illumine, par sa lumière, les obscurités de l'esprit. C'est uniquement à cette lumière que l'âme chemine avec sécurité au milieu des difficultés d'une vie tendue vers la perfection, de sorte qu'une foi surnaturelle pleinement développée est indispensable. Elle constitue le point capital de l'âme qui se consacre à la vie intérieure. Cette foi surnaturelle atteint sa perfection dans un dépassement de tout le naturel et le surnaturel dans l'âme, fixant son regard sans fléchir sur un seul point : DIEU, ne se séparant de Lui jamais, en aucune circonstance de la vie ou de la mort... Si cette foi répand dans les âmes sa lumière et son influence divines, elle rend les âmes spirituelles pleines de délicatesse, élevant tous leurs actes et leurs mouvements plus haut que la terre, persistant en ces régions obscures et leur faisant acquérir de grands mérites. La foi est une lumière mais elle vit dans l'obscurité, elle s'enveloppe de ses ombres et l'âme la perçoit rarement. Elle irradie l'âme de sa clarté, à l'intérieur d'elle-même, lui faisant connaître et lui manifestant les écueils et les richesses de l'esprit. Elle s'extériorise peu. Cette vie d'obscurité purificatrice des âmes est ce qui leur fait mériter ce beau titre de martyrs de la foi, parce que, en vérité, la vie de l'esprit est une existence de martyre, c'est-à-dire une vie sur la Croix dans l'exercice de toutes les vertus.

« La foi déchire le voile des mystères. L'âme qui possède cette vertu touche, expérimente et parfois contemple Ma présence réelle dans l'Eucharistie, mystère de foi par excellence et mystère d'amour. L'âme se voit misérable à la lumière de ce mystère de foi, et si elle ne voit pas encore la clarté de la vision béatifique, face à face, cependant en vérité elle admire sa splendeur ; son ardeur la consume et, dans la vivacité de cette foi, elle s'anéantit devant l'amour d'un Dieu qu'elle contemple de si près » (J. 31 octobre 1895).

La vertu d'espérance

« La vertu d'espérance n'est pas celle qui s'attarde à ne rien désirer ou à ne rien demander de la terre, ni le prestige d'un nom, ni les richesses, ni les honneurs. Elle a établi son vol plus haut : elle attend la possession de Dieu Lui-même non à cause des mérites personnels de l'âme mais par la surabondance de Mes mérites infinis. L'âme qui possède la sainte espérance, se réjouit non pour le propre bien qui en résultera pour elle éternellement ; elle dépasse son bien personnel, légitime, et permis, mais elle s'élève plus haut, elle ne s'arrête pas à sa propre gloire mais à la gloire que, par elle, Dieu Lui-même recevra. La vertu d'espérance surnaturelle et parfaite consiste à soupirer continuellement vers la possession du Bien-Aimé, non pour soi-même mais pour la gloire de Dieu, travaillant efficacement à se la procurer, choisissant et embrassant le chemin de la Croix.

« A ce propos, Jésus me dit : « De même que Je suis ton espérance, Je suis également ton chemin. Celui qui Me suit ne marche jamais dans les ténèbres mais le chemin que je représente : c'est la Croix. Celui qui veut venir après Moi doit se renier lui-même, porter sa croix et Me suivre en mettant ses pas sur mes traces ensanglantées... Il m'a assuré que la Croix est la demeure de la perfection, qu'elle renferme tous les mystères, les dons et les fruits de l'Esprit. » (J. 3 novembre 1895).

Primauté de l'amour

« L'amour est l'âme de toute vie de prière et de toute bonne œuvre. Si elles ne sont pas accompagnées par l'amour, toutes les œuvres de l'homme sont mortes. L'amour est le feu qui enflamme tout. Quand une âme possède ce saint amour, il avive en elle la foi et l'espérance il la pousse à la pratique de toutes les vertus morales.

« L'âme qui m'aime court à travers les chemins de la perfection sans se préoccuper des épines qu'elle foule aux pieds. Elle parvient ensuite à voler sans que l'en empêchent les mille obstacles qui s'y interposent. Elle les dépasse par l'ardeur intérieure d'une foi vive et d'une sainte espérance. Les vertus théologales ont leur siège et leur développement dans l'amour. La charité leur communique la vie et les emporte jusqu'au ciel. Le monde n'a pas idée de la grandeur de ces trois vertus théologales qui se fondent sur l'amour divin.

« Les âmes ne m'aiment pas. Voilà pourquoi elles se perdent : et, parmi les âmes qui m'aiment et se disent « miennes », combien peu sont celles qui me donnent tout leur cœur ! Je ne reçois, presque toujours, qu'une partie de leur cœur ; tout, c'est si rare ! Pourtant Je veux que l'on m'aime avec « tout son cœur, toute son âme et toutes ses forces ! ». Le cœur humain se tourne en partie vers les créatures, vers le monde et vers lui-même. L'amour-propre le remplit pour la plus grande part ; il ne vit et ne respire que pour lui. J'exige, Moi, un amour qui dépasse tout. J'en ai imposé le précepte afin de rendre l'homme heureux et pour le sauver. Malgré cela, combien peu nombreuses, je le répète, sont les âmes qui accomplissent à la perfection ma souveraine volonté ! Je veux leur bien et elles résistent. Je leur présente un trésor et elles le dédaignent. Je leur donne la vie et elles courent à la mort. Aimer et se sacrifier : voilà l'unique bonheur de l'homme sur la terre. Aimer et jouir : voilà l'éternelle félicité dans le ciel.

« Pour arracher les vices et pratiquer les vertus, il est nécessaire de se sacrifier, mais de se sacrifier en aimant. L'âme qui fait cela m'aime avec tout son cœur et Je serai son éternelle récompense. Donne-Moi un amour de ce genre, donne-Moi des âmes qui m'aiment dans la souffrance, qui trouvent leur joie sur la Croix. Mon

Cœur a soif d'un tel amour. Je veux un amour pur, un amour désintéressé, un amour qui expie, un amour crucifié, un amour solide, qui n'existe pour ainsi dire plus sur la terre ; et pourtant c'est le seul amour vrai, celui qui sauve, qui purifie et que J'exige dans mes commandements. Tous les autres amours apparents ne me satisfont pas, tout autre amour est vain, factice, souvent coupable, excepté l'amour dont je viens de t'entretenir.

« Aime-Moi comme Je t'ai aimée, en ma Croix intérieure, depuis le premier instant de mon Incarnation. Aime-Moi dans la souffrance et dans le sacrifice par amour. Aime-Moi parce que Je suis Dieu et uniquement pour me faire plaisir. C'est vers cet amour que j'aspire, c'est l'amour que Je désire. Heureuse l'âme qui le possède... Je lui promets que dès cette terre, elle commencera à goûter les délices du ciel. » (J. 11 septembre 1900).

Volonté divine et abandon total

Le tableau des vertus et des vices contient non seulement des vertus spécifiquement distinctes : elle y introduit des vertus synthétiques, qui sont comme l'harmonie de plusieurs vertus. Ainsi, elle fait entrer dans son énumération *la volonté de Dieu et l'abandon total.*

La volonté de Dieu

« La volonté de Dieu est un bouquet qui renferme toutes les vertus pratiques d'une manière ordinaire ou à l'état parfait. Elle les divinise et les fait resplendir avec éclat en la présence de Dieu. Elle donne à chacune une valeur nouvelle dans la balance divine et, dans l'âme purifiée, elle les revêt d'une couleur spéciale où l'Esprit-Saint se complaît. Cette soumission totale et parfaite à la très sainte volonté de son Dieu et Seigneur est la plus grande de toutes les vertus qu'une âme puisse posséder. Cette vertu sublime implique la pratique intégrale de toutes les autres vertus... c'est un point culminant.

« Le Seigneur ajoute : « Je n'ai pas eu d'autre nourriture... depuis le premier instant de mon Incarnation, que cette volonté divine... C'est par elle que Je suis venu en ce monde, par elle que J'ai été élevé sur la terre pour y achever ma vie dans le plus cruel des martyres, c'est elle qui adoucissait mon agonie. Elle fut mon unique soulagement, lors de mon passage sur la terre. J'aurais subi mille fois la mort pour l'accomplir. L'Amour divin et agissant qui brûlait dans mon cœur, avait pour motif principal de réaliser la volonté divine en faveur de l'homme. La Rédemption ne fut pas autre chose que l'accomplissement fidèle de cette volonté divine. Son écho se répercutait continuellement au fond de mon cœur très aimant, le faisant vibrer pour le salut des âmes et la glorification de mon Père.

« Il y a un degré encore plus élevé dans cette volonté divine : c'est l'Abandon total à l'intérieur de cette même volonté de Dieu. Cet abandon conduit au sommet le plus élevé de la perfection : c'est le degré suprême de toute vertu. » (J. 6 juin 1900).

On saisit la méthode, fruit d'une sagesse divine communiquée par l'expérience des choses divines, sous la motion personnelle des dons du Saint-Esprit. Elle les analyse l'un après l'autre de la même manière d'ailleurs en un bref et savoureux traité des sept dons.

Même méthode dans la présentation des Béatitudes évangéliques.

L'amour est tout.

Pas la moindre trace de dolorisme dans cette spiritualité de la Croix où la souffrance est l'expression suprême de l'amour.

Tout commence et s'achève dans l'amour, par la présence animatrice et continuelle de l'Esprit-Saint. Ce long traité des vertus et des vices, des dons du Saint-Esprit et des béatitudes, s'achève par l'affirmation éclatante de la valeur unique de l'amour. Ceci est significatif et rejoint le plus pur Evangile.

Quand le Seigneur eut fini ses « dictées », Conchita écrivit en conclusion dans son Journal et en soulignant sa propre conviction : « L'amour est ce qui donne la vie à toutes les vertus, à toutes les œuvres qui sont bonnes. L'AMOUR EST TOUT. » (J. 21 septembre 1900).

VIII. L'INCARNATION MYSTIQUE

En soulignant la valeur unique de l'amour, Conchita allait à ce qu'il y a de plus essentiel dans l'Evangile : « aimer Dieu, avec toute son intelligence, toute sa volonté et toutes ses forces... c'est là le premier commandement auquel tout se ramène, la Loi et les Prophètes. » Les maîtres spirituels ont décrit les trois étapes classiques de cette montée vers Dieu par l'amour. Ecoutons St Thomas, plus soucieux d'expliquer les choses par leurs causes et de rattacher ces trois phases à trois effets de l'amour :

— Chez les débutants : c'est le souci primordial d'écarter le péché et les imperfections, de se purifier de ses fautes passées et de s'en libérer pour l'avenir : le premier effet de l'amour est de lutter contre les obstacles.

— Chez les progressants, l'amour s'applique avant tout à l'exercice des vertus, moyens indispensables de notre union avec Dieu.

— Chez les parfaits, l'amour se repose dans la fin, dans la jouissance des Trois Personnes divines et la consommation dans l'unité de la Trinité (cf. III Sentences 29, 8, 1).

Les grands mystiques se sont attardés dans la description de ces états supérieurs de la vie spirituelle. Ainsi les deux incomparables maîtres du Carmel, Jean de la Croix et Thérèse d'Avila. Sous une autre forme non moins géniale, sainte Thérèse de Lisieux a tout simplifié par l'amour. Car, ce n'est pas deux docteurs que le Carmel a fournis à l'Eglise, mais trois et trois de première grandeur.

Il n'y a pas une forme unique d'union transformante, mais mille formes variées, ou plutôt une infinité de réalisations possibles, selon la liberté créatrice de l'Esprit de Dieu et les besoins variés, selon les époques, du Corps mystique du Christ.

Conchita nous présente un type nouveau d'union transformante. Elle aussi avait la nostalgie de Dieu et des sommets. Adolescente, elle franchit rapidement les premiers pas de la vie spirituelle. A dix-neuf ans, après la mort de son frère Manuel, elle s'établit résolument, dans sa vie de jeune fille, puis comme femme mariée, dans une ferme séparation du péché et dans une montée vers Dieu de plus en plus héroïque. En 1894, à trente deux ans, après le monogramme du Christ gravé sur sa poitrine, c'étaient les fiançailles spirituelles (23 janvier 1894) et trois ans après en 1897, le mariage spirituel (9 février 1897) dépassé lui-même par l'incarnation mystique (25 mars 1906). Cet « au-delà » du mariage spirituel est une forme supérieure d' « union transformante », car il y a une infinité de degrés d'union possibles entre la créature et Dieu.

Les spécialistes de la vie mystique auront à examiner minutieusement ce point-là qui ouvre à la science des voies spirituelles des horizons nouveaux.

L'incarnation mystique, malgré sa suprême rareté, est une grâce de transformation dans le Christ reçue en germe dès le baptême.

En 1913, quand Conchita fut examinée à Rome, le Seigneur lui manifesta le sens profond de l'incarnation mystique.

L'incarnation mystique est une grâce de transformation dans le Crucifié

« L'incarnation mystique est une grâce de transformation en vue d'une assimilation de la créature avec son modèle Jésus, que Je suis. C'est une grâce transformante d'union qui ne répugne en rien à mes miséricordes infinies. Le Verbe incarné prend possession intime du cœur de la créature. Il prend vie en elle pour réaliser cette union transformante. Cependant c'est Lui toujours qui communique la vie, cette vie de grâce assimilatrice, surtout par la voie de l'immolation. Jésus s'incarne, grandit et vit dans l'âme, non pas au sens matériel mais par la grâce sanctifiante, unitive et transformante. C'est une faveur très spéciale. L'âme qui la reçoit sent, plus ou moins par périodes, les étapes de la vie de Jésus en elle. Ces étapes sont toujours marquées par la souffrance, des calomnies et des humiliations, en sacrifice et en expiation comme le fut la vie de ton Jésus sur la terre. Quand l'Esprit-Saint s'empare d'une âme de cette manière, Il modèle en elle, petit à petit, la physionomie de Jésus, au sens où Je te l'ai indiqué. Parler d'incarnation mystique, c'est donc considérer l'âme comme entrant dans une phase de grâces de transformation qui l'amèneront, si elle correspond, à l'identification de sa volonté avec la Mienne et à se simplifier afin que son union avec Dieu parvienne à la plus parfaite ressemblance possible. Telle est la fin de l'incarnation mystique dont l'Esprit-Saint fait le don à certaines âmes.

« Dans le concret, l'incarnation mystique n'est autre chose qu'une grâce très puissante de transformation qui simplifie et unit à Jésus par la pureté et par l'immolation, rendant l'être tout entier, autant qu'il est possible, semblable à Lui. A cause de cette ressemblance de l'âme avec le Verbe incarné, le Père éternel se complaît en elle, et le rôle de Prêtre et de Victime que Jésus eut sur la terre lui est communiqué, afin qu'elle obtienne des grâces du ciel pour le monde entier. Voilà pourquoi, plus une âme me ressemble, plus le Père éternel l'exauce, non par égard à sa valeur mais à cause de sa ressemblance et de son union avec Moi et en vertu de mes mérites qui constituent ce qui compte pour obtenir les grâces » (J. 11 décembre 1913).

En bref, l'incarnation mystique est une grâce d'identification au Christ Prêtre et Hostie, grâce qui le fait continuer dans les membres de son Corps mystique sa mission de glorificateur du Père et de Sauveur des hommes ; c'est une grâce spéciale de transformation dans l'âme sacerdotale du Christ.

Tel est le type d'union transformante décrit par la *doctrine de la Croix*.

L'offrande d'amour

L'acte principal de l'incarnation mystique est une offrande qui réalise, non pas en deux actes mais dans un même élan indivisible l'offrande du Christ à son Père et, en union avec Lui, par Lui et en Lui, l'offrande totale de notre propre vie pour le salut du monde et la plus grande gloire de la Trinité ; le mouvement principal consiste dans l'oblation du Verbe à son Père, accompagné de l'offrande personnelle et inséparable de nous-mêmes, celle-ci sans réserve, continuellement renouvelée, portant sur tout notre être, au cours de toutes les étapes de notre vie spirituelle, en union avec le Christ.

Le Seigneur a clairement expliqué, à maintes reprises, ce double aspect de l'unique offrande d'amour du Christ avec son Eglise. Mais cette offrande d'amour, quintessence de la spiritualité de la Croix, n'est qu'une oblation indivisible du Verbe incarné et de tous les membres de son Corps mystique. Le Christ était seul sur la Croix à s'offrir à son Père en expiation de tous les péchés du monde : maintenant il s'offre avec toute son Eglise, consciente de l'unité de cette offrande d'amour du Christ total. « Le Verbe ne s'est incarné et ne s'incarne encore dans les âmes que pour être crucifié. C'est la fin de toutes les incarnations mystiques... Ton Verbe vient de s'incarner mystiquement dans ton cœur... pour y être continuellement sacrifié non sur un autel de pierre, mais dans un temple vivant de l'Esprit-Saint, par un prêtre et une victime qui, en une grâce inconcevable, a reçu de pouvoir participer à l'amour du Père. En effet, le Père veut que Moi-même, uni à ton âme de victime, Je fasse que tu me sacrifies et m'immoles avec l'amour même du Père en faveur d'un monde qui a besoin de ce choc spirituel et d'une grâce de ce genre pour se convertir, embrasser la Croix et se sauver » (J. 22 octobre 1907).

L'âme ainsi crucifiée est appelée à vivre, non avec les perspectives étroites de ses soucis quotidiens, mais en union avec le Christ et sous les vastes horizons de la Rédemption du monde. Sa vie est valorisée à l'infini ; bien qu'elle soit si peu de chose par elle-même, elle acquiert une valeur infinie de glorification de Dieu et de salut des hommes à cause de son union avec la Personne même du Verbe incarné, Prêtre et Hostie. D'où l'incalculable valeur apostolique d'une telle vie. C'est le secret de la fécondité sans limites de la communion des saints. L'existence obscure et silencieuse de la Mère de Dieu, au soir de sa vie, revêtait dans l'application des mérites du Christ, au bénéfice de l'Eglise naissante, une immense valeur corédemptrice incomparablement supérieure à tous les travaux des apôtres et aux souffrances de tous les martyrs.

« L'incarnation mystique, déclarait le Seigneur, a pour fin l'offrande de moi-même dans ton cœur, comme victime expiatoire, arrêtant à chaque instant la justice divine et obtenant les grâces du ciel » (J. 2 février 1911). L'Eglise et le Christ ne font qu'un dans une même œuvre de Rédemption et de glorification.

Conchita l'avait parfaitement compris et avait fait de cette offrande du Verbe à la gloire du Père et de l'offrande incessante d'elle-même par amour, le tout de sa vie.

« *Ceci est mon corps* »

« J'ai renouvelé mon offrande à la volonté de Dieu et je lui ai dit : « Seigneur, j'accepte cette grâce de l'incarnation mystique avec toutes ses conséquences de joies et de peines, puisque Tu le veux ainsi et non parce que j'en suis digne.

« Insistant sur ce que Lui-même indiquera de la manière d'employer cette grâce, Il m'a dit : « La fin principale de cette grâce est une transformation qui unisse tes vouloirs aux miens, ta volonté à la mienne, ton immolation à la mienne. Toute pure et toute sacrifiée dans ton corps et dans ton âme, tu dois t'offrir et M'offrir au Père céleste à chaque instant, à chaque respiration, en faveur d'abord de mes prêtres et de mon Eglise, puis des Œuvres de la Croix , du monde entier, des bons et des méchants. Tu dois te transformer en charité, c'est-à-dire en Moi, qui suis tout Amour, tuant le « vieil homme » ne faisant avec Moi qu'un seul cœur, et une seule volonté.

« Ceci est mon Corps, ceci est mon Sang. » Je répète cela au Père éternel, à chaque instant, sur les autels. Rends-toi digne, autant que possible, d'offrir ton corps, ton sang, ton âme et tout ce que tu es, comme je te l'ai dit, en union avec cette immolation continuelle en faveur du monde. Reproduis ma vie en toi avec la marque du sacrifice, devenant un holocauste vivant à sa gloire. Seule, tu ne vaux rien, mais en union avec Moi tu accompliras ta mission sur la terre en sauvant les âmes dans un holocauste secret connu de Dieu seul. La fin de l'incarnation mystique c'est la fusion de ma vie en toi, selon tout son déroulement sur la terre. Laisse-toi faire, t'ai-Je dit un jour, et aujourd'hui Je te répète : laisse-Moi venir à toi, et t'identifier avec Moi et te transformer par le moyen de ma vie divine dans ton cœur. Laisse-Moi te posséder, te simplifier en Dieu, dans Notre indivisible unité par l'Esprit-Saint.

« J'attends tout cela de toi pour la réalisation de mes desseins très élevés. Si tu y corresponds, tu seras le canal de nombreuses grâces pour le monde, car ce ne sera plus toi seule qui demandes et qui t'immoles mais Moi en toi, attirant dons et charismes pour les âmes. Tu dois sauver beaucoup d'âmes, les conduire à la perfection, attirer des vocations, obtenir pour les prêtres beaucoup de faveurs célestes, mais tout cela par le moyen que Je t'ai donné, c'est-à-dire par le Verbe avec l'Esprit-Saint. » (J. 30 juin 1914).

Cette offrande d'amour est la quintessence de la spiritualité de la Croix.

« Je veux que tu sois mon hostie et que tu aies l'intention, renouvelée le plus souvent possible de jour et de nuit, de t'offrir avec Moi sur toutes les patènes de la terre. Je veux que transformé en Moi par la souffrance, par l'amour et par la pratique de toutes les vertus, monte vers le ciel ce cri de ton âme en union avec Moi : « Ceci est mon Corps », « ceci est mon Sang ». Ainsi ne faisant qu' *un* par l'amour et la souffrance avec le Verbe Incarné, avec ses mêmes intentions d'amour, tu obtiendras des grâces pour le monde entier, tu m'offriras Moi-même et toi aussi tu t'offriras, avec le Saint-Esprit et par Marie, au Père éternel.

« Telle est la fin et l'essence de mes Œuvres de la Croix : un rassemblement de victimes unies à la grande Victime, Moi-même, toutes pures, sans le levain de la concupiscence ; elles seront marquées par le reflet de ma Passion, afin que s'élève vers le ciel un cri unanime : « Ceci est mon corps », « ceci est mon sang ». Transformées en prêtres en union avec le Prêtre éternel, elles offriront au ciel, en faveur de l'Eglise et des prêtres leurs frères, leurs corps crucifiés ne formant qu'un seul Corps avec le mien, parce qu'ils sont les membres de Celui qui est la Tête, le Christ Rédempteur.

... « une seule Hostie, une seule Victime, un seul Prêtre s'immolant et M'immolant dans ton cœur en faveur du monde entier. Le Père recevra avec complaisance cette offrande présentée par l'Esprit-Saint, et les grâces du ciel descendront comme une pluie sur la terre.

« Voilà le noyau central, le centre, l'ensemble concret et l'essence de mes Œuvres de la Croix. Il est évident que mon immolation, à elle seule, suffit et avec surabondance pour apaiser la justice de Dieu. Le plus pur christianisme, la fleur de l'Evangile, est-ce autre chose qu'unir toutes les victimes en une seule, toutes les souffrances, toutes les vertus et tous les mérites dans l'UN, c'est-à-dire en Moi, afin que tout cela prenne de la valeur et obtienne des grâces ? Que vise l'Esprit-Saint dans mon Eglise sinon à former en Moi l'unité des volontés, des souffrances et des cœurs dans mon Cœur ? Quel fut le désir de mon Cœur au cours de ma vie, sinon de réaliser l'unité en Moi par la charité, par l'amour ? Pourquoi le Verbe est-il descendu en ce monde sinon pour former avec sa Chair et son Sang très pur un seul sang afin d'expier et de gagner des âmes ? L'Eucharistie a-t-elle un autre but que d'unir les corps et les âmes avec Moi, en les transformant et les divinisant ?...

« Ce n'est pas seulement sur les autels de pierre, mais dans les cœurs, ces temples vivants de l'Esprit-Saint, que l'on doit offrir au ciel cette Victime en Lui ressemblant, les âmes elles aussi s'offrant en hosties, en victimes... Dieu en sera profondément touché » (J. 6 juin 1916).

En définitive : l'offrande d'amour est l'exercice continuel du « sacerdoce royal » du Peuple de Dieu.

Si l'on relit attentivement les textes bibliques et les passages classiques de St Pierre et de St Paul sur le « sacerdoce des fidèles » on verra que cette doctrine est de l'essence même du christianisme.

St Pierre rappelle aux premiers chrétiens leur « sacerdoce saint », en vue d'offrir des sacrifices spirituels, agréables à Dieu par Jésus Christ (I P *2*, 5). « Vous êtes une race élue, un sacerdoce royal, une nation sainte, un peuple acquis, pour annoncer les louanges de Celui qui vous a appelés des ténèbres à son admirable lumière, vous qui jadis n'étiez pas un peuple et qui êtes maintenant le Peuple de Dieu » (I P *2*, 9-10).

St Paul, à son tour, exhorte ainsi les disciples du Christ « à offrir leur personne en hostie vivante, sainte, agréable à Dieu (Rm *12*, 1) Mieux encore : « Cherchez à imiter Dieu comme des enfants bien-aimés et suivez la voie de l'amour, vous offrant à Dieu en sacrifice d'agréable odeur » (Eph *5*, 1-2).

La doctrine du « sacerdoce royal » de tout le Peuple de Dieu, fut l'un des points sommets de Vatican II. On est frappé de l'identité de certaines expressions conciliaires avec les textes même de Conchita. La concordance même verbale est frappante.

« C'est l'assemblée eucharistique qui est le centre de la communauté chrétienne présidée par le prêtre. Que les prêtres apprennent donc aux chrétiens à offrir la divine Victime à Dieu le Père dans le sacrifice de la Messe et à faire avec elle l'offrande de leur propre vie » (Presbyterorum Ordinis N° 5).

On sent que nous sommes ici au cœur du christianisme et qu'un même Esprit anime la foi de tous.

⁂

« Ma doctrine est toujours universelle » déclarait le Seigneur quelque temps après l'incarnation mystique. Conchita avait conscience de cette catholicité de la doctrine de la Croix. Dans le Prologue de son opuscule sur les « vertus parfaites » (Arco-Iris) destiné à la formation des contemplatives de la Croix, elle notait que ces pages s'adressaient aussi à toutes les autres religieuses parce que « l'esprit de la Croix... c'est l'Evangile ». Jugement que Jésus Lui-même ratifiera plus tard, comme il le fit pour St Thomas d'Aquin à la fin de sa vie.

« Cette doctrine de la Croix est salvatrice et sanctificatrice... d'une prodigieuse fécondité. En elle se trouve le germe de nombreuses vocations et d'une très haute sainteté, mais elle est inexploitée. Pourtant cette doctrine de la Croix n'a pas été donnée pour rester voilée et ensevelie, mais pour qu'elle s'étende, pour qu'elle enflamme et sauve... Ma bonté a déposé en elle des trésors. Est-ce pour que cette lumière demeure cachée sous le boisseau ? Non, cette sainte doctrine de la Croix, qu'est mon Evangile, doit répandre sa féconde semence. Je te promets qu'elle fleurira et portera des fruits pour le ciel... Cette précieuse doctrine mystique, jaillie de mon Cœur, éliminera un grand nombre d'erreurs spirituelles et elle éclairera des points obscurs, projetant sur eux une pleine clarté » (J. 18 novembre 1929).

C'est donc le Christ lui-même qui est venu marquer cette doctrine du sceau suprême de la Vérité : « La doctrine de la Croix : c'est mon Evangile. »

3

La Vierge de la Croix

«Marie fut la première
à continuer ma Passion.»

Ce fut le coup de génie, ou plutôt l'inspiration divine, de Vatican II d'avoir fait passer le mystère de Marie du plan dévotionnel au plan dogmatique de l'histoire du salut, indissociable du mystère du Christ et de son Eglise. La place centrale de la Mère de Jésus dans l'Œuvre de la Rédemption apparaît clairement sur le Calvaire, quand le Christ prononça ces paroles créatrices : « Voici votre Mère. » Toutes les générations chrétiennes et tous les peuples l'ont reconnue comme leur mère.

Le Mexique, en particulier, depuis les célèbres et miraculeuses apparitions de la Mère de Dieu au pauvre Indien Juan Diego, la vénère avec une ferveur exceptionnelle comme Mère de la Nation. Il faut avoir visité la Basilique de Notre-Dame pour comprendre la dévotion filiale, extraordinaire, envers la Vierge de la colline du Tepeyac : Notre-Dame de Guadalupe. Combien de pèlerins y arrivent épuisés de fatigue ! On y vient de toute l'Amérique. Aux moments difficiles de son existence, chaque mexicain aime entendre pour son compte les paroles de Marie au pauvre Indien, son enfant : « Ne suis-je pas là, moi qui suis ta Mère ? ».

Conchita, Fille du Mexique, dont l'esprit a été fortement marqué par l'ambiance mariale caractéristique de sa patrie, nous montre Notre-Dame de Guadalupe toujours présente dans sa vie.

Elle se rendait souvent, seule ou avec son mari et sa famille, au sanctuaire marial pour y « vider son cœur », comme une enfant auprès de sa mère. (J. 24 mars 1894).

Son Journal nous là montre ayant recours constamment à Marie dans ses peines et dans ses joies jusqu'à la fin de sa vie. La dévotion filiale à la Mère de Dieu est enracinée au plus intime d'un cœur mexicain.

Les Œuvres de la Croix ont pris naissance sous la protection maternelle de Notre-Dame de Guadalupe. Son image se trouva dans la pauvre chapelle de la première *Oasis* des Contemplatives de la Croix ; les Missionnaires du Saint-Esprit furent fondés dans la Chapelle des Roses, endroit de la dernière apparition de la Mère de Dieu ; et le jour même du Couronnement Pontifical de Notre-Dame de Guadalupe, le symbole des Œuvres de la Croix, la Croix de l'Apostolat, se dressait sur le sommet du Tepeyac, dominant, à partir de ce moment-là, toute la cité de Mexico.

Toute la vie spirituelle de Conchita est enveloppée de son amour pour la Mère de Dieu. Dans son Journal elle écrit les souvenirs de ses premières années : « Le Seigneur m'a accordé des sentiments pleins de tendresse envers la Sainte Vierge. Pendant mes randonnées dans les sentiers, je gardais le silence et j'aimais à répéter, en pensant à ce que je disais, des prières à cette Vierge bénie : c'est une dévotion que ma bonne mère m'a inculquée sur ses genoux » (Aut. 30).

La vraie dévotion à Marie est consécration et offrande : dès les premières pages de son Journal elle écrit : « Marie, ma chère et tendre Mère, aujourd'hui je me consacre à toi d'une façon toute spéciale pour te servir à jamais »... elle est, surtout, l'imitation de ses vertus : « Jésus m'a dit : la créature la plus sainte et la plus parfaite qui ait existé fut Marie. Sais-tu pourquoi ? Parce que dès le premier instant de son être, elle a correspondu à toutes les inspirations de l'Esprit-Saint. Marie est la meilleure maîtresse de vie spirituelle. » (J. 22 septembre 1895).

I. Son horizon marial

La piété de Conchita est essentiellement dogmatique. Elle aime contempler la Mère de Jésus dans le plan éternel de Dieu et dans son déroulement historique à travers les principaux mystères du salut. Son regard de foi la découvre déjà dans sa préexistence éternelle dans la pensée de la Trinité. Le Seigneur lui expliquait ainsi ce mystère : « Pour toi, il n'existe que le moment présent : pour Dieu tout est préexistant. Marie existait déjà, joie de toute la Trinité qui l'avait formée dans sa Pensée. Elle constituait déjà ses délices. Déjà Marie était la Reine du ciel...

« Elle était belle de la beauté de Dieu. Elle était vierge de la virginité féconde de la Trinité, créature sans la moindre tache et toute parfaite, âme préservée déjà, dès le sein du Père, appelée à n'être jamais souillée ni même effleurée par la moindre ombre du péché. Déjà dès cette éternité, elle était Fille, Epouse et Mère, les Trois Personnes divines trouvant leur complaisance dans cette œuvre parfaite qui devait émerveiller le ciel et la terre pour tous les siècles. Quelle grandeur en Marie, dans la multitude de ses perfections, mais par-dessus tout dans cette œuvre de l'incarnation virginale du Verbe, préparée dès l'éternité.

La Trinité aimait avec passion cette créature incomparable, et voilà pourquoi le Verbe s'est fait chair. Il l'a préparée avec toutes les grâces et les faveurs de l'Esprit-Saint, avec la prodigalité d'un Dieu, venant faire d'elle son temple vivant » (J. 23 juillet 1906).

Ce mystère de l'incarnation du Verbe et de la maternité divine est le centre de toute la réflexion mariale de Conchita.

Après l'Incarnation, c'est le mystère du Golgotha qui retient le plus sa pensée. Le Seigneur le lui a bien expliqué : « C'est là, au pied de la Croix, que Marie a vu naître mon Eglise, qu'elle a accepté dans son cœur en la personne de St Jean tous les prêtres à ma place, et en plus, d'être la Mère de toute l'humanité » (J. 8 avril 1928).

La participation de Marie à notre rédemption par la Croix était l'un des thèmes familiers de sa contemplation : « J'ai mieux compris les peines indicibles du Cœur très pur de Marie, l'unique créature qui lisait et comprenait les douleurs intérieures, les souffrances de son Divin Fils, comment Elle fut la seule à pouvoir mesurer ses peines, à saisir sa pureté et son innocence, à subir aussi le poids infini de l'ingratitude humaine qui l'accablait ; sans être coupable, elle vécut une existence de souffrance en union avec son Jésus très saint et obtint les grâces pour les pécheurs coupables. Dès que Marie eut consenti à l'Incarnation du Verbe, plus jamais le plan divin ne s'effaça de son esprit. Son cœur de mère, broyé, contempla le Martyr Innocent et Divin.

« La vie de cette Vierge-Mère fut la plus crucifiée après celle de Jésus. Sa constante méditation de l'avenir gardait toujours son âme déchirée en sa petite maison de Nazareth. Qui aurait pu soupçonner, à la vue de ces deux êtres si purs, mais vivant la même existence commune, qu'en réalité ils supportaient au-dedans d'eux-mêmes le martyre le plus cruel en vue du salut du genre humain ! Oui, Marie a occupé une place immense dans la Rédemption de l'homme. Que Marie est grande et combien nous lui sommes redevables ! » (J. 1 septembre 1898).

« Marie pénétrée de tous les mystères, prend une part importante à l'activité de l'Eglise : implorant le pardon et lui obtenant des grâces » (J. 6 octobre 1927).

Conchita admire en Marie « la créature la plus proche de Dieu parce qu'elle est la plus pure qui existe et qui existera... En Elle, pas la moindre poussière venant ternir la très grande pureté de son âme toute prévenue par la grâce ; jamais elle n'en a perdu une seule, toujours disposée à collaborer, surtout à l'heure de l'humiliation et de la souffrance » (J. 29 août 1898).

Vatican II avait tenu à marquer la place de Marie dans le plan divin, à l'intérieur de l'Eglise mais au sommet ; « incomparablement au-dessus de toutes les créatures du ciel et de la terre » (L.G. N° 53), « immédiatement après le Christ et cependant la plus proche de nous » (L.G. N° 54). Le Seigneur aimait à découvrir à Conchita la grandeur divine de sa Mère : « Après la Trinité et avec ma glorieuse humanité, Marie est la plus noble créature qui existe et qui puisse exister dans le ciel, car Dieu Lui-même, bien qu'il soit Dieu, ne peut réaliser une chose plus digne, plus parfaite et plus belle puisqu'elle porte dans son être le reflet de toutes les perfections que Dieu peut communiquer à la créature. Voilà pourquoi la gloire de Marie dans le ciel surpasse celle de tous les anges et de tous les saints. » (J. août 1906).

« Elle a appartenu à l'Eglise militante... Elle est maintenant la dépositaire des trésors de l'Eglise, comme Elle le fut sur la terre du Verbe Incarné, source de tous ces trésors. » (J. 27 février 1917).

Ainsi le panorama marial de Conchita coïncide avec les horizons de Vatican II. Elle voit Marie dans le déroulement du plan divin.

Paul VI faisait remarquer avec raison que jamais l'Eglise n'avait contemplé Marie à l'intérieur du mystère ecclésial en une si vaste et puissante synthèse. (Discours de clôture, 21 novembre 1964). Cette vue de sagesse ordonne tout son mystère par les sommets. Voici le phare illuminateur qui dirigera tous les progrès de la doctrine mariale de l'avenir.

II. La Vierge de la Croix

Chez tous les saints, l'intimité mariale revêt l'attitude et la forme de leur grâce personnelle. Thérèse de Lisieux dira de Marie : « Elle est plus Mère que Reine. » Bernadette vénérera en elle l'Immaculée. Conchita contemplera Marie, d'après son *optique caractéristique,* dans le mystère de son intime association à la Croix de son Fils pour la gloire du Père dans le salut du monde. Pour Conchita la Vierge Marie est avant tout la « Vierge de la Croix ».

Dès le commencement de son Journal on aperçoit cet attrait de grâce : « La prédication sur les douleurs de la très Sainte Vierge m'a beaucoup impressionnée... La Passion de Jésus fut aussi la passion de Marie. Elle a été seule à comprendre ce cri de Jésus dans son abandon. La mesure de la douleur est celle de l'amour, la mesure de l'amour est celle de la grâce, et Marie fut pleine de grâce, d'amour et de douleur. Hier soir j'ai été éprise d'amour pour la Vierge des Douleurs. » (J. 17 mars 1894).

La grâce centrale de la vie de Conchita, l'incarnation mystique, lui a fait découvrir les sentiments les plus intimes de la Mère de Dieu : totalement consacrée à la personne et à l'œuvre de son Fils, vouée au Mystère de la Rédemption avec Lui et sous Lui, coopérant au salut des hommes dans la foi et avec une obéissance librement acceptée.

La Vierge de l'Incarnation est la Mère de Jésus-Prêtre qui, en entrant dans le monde, dit : « Me voici, Je viens pour faire, ô Dieu, ta volonté » (He *10,* 5-7). La mission personnelle de Marie dans le mystère du Salut est inséparable de celui de sa divine maternité comme l'est aussi le rôle rédempteur du Christ de son Incarnation.

« Marie fut choisie parmi toutes les femmes pour que dans son sein virginal fût réalisée l'Incarnation du Verbe Divin et dès cet instant, Elle, la toute pure, la Vierge-Mère, celle qui a tout accepté avec amour et dans la plus haute soumission à mon Père, Elle n'a pas cessé de m'offrir à Lui en victime qui venait du ciel pour sauver le monde, mais en sacrifiant son Cœur de Mère à la divine volonté de ce Père Bien-Aimé.

« Elle m'a nourri pour être Victime, atteignant la suprême immolation de son âme quand Elle m'a livré pour être crucifié. C'était un même sacrifice, le mien sur la croix et celui qui avait lieu dans son cœur...

« Marie m'a toujours offert au Père, elle a toujours rempli le rôle du prêtre ; Elle immola toujours son Cœur innocent et pur en union avec Moi pour attirer des grâces pour l'Eglise » (J. 6 avril 1928).

III. Son mystère préféré : La Présentation de Jésus au Temple

Rien n'est plus révélateur du secret intérieur d'un spirituel que de pénétrer dans son expérience et de se placer dans sa perspective personnelle. Sa grâce propre apparaît nettement dans son attitude spéciale devant les mystères de la vie du Christ et de Marie.

On croirait tout d'abord, puisque l'incarnation mystique est la grâce centrale de Conchita, que le mystère de l'Incarnation constituerait le centre de sa contemplation mariale. Mais non, son mystère préféré est autre : la Présentation de Jésus au Temple.

Elle retrouvait dans ce mystère privilégié l'attitude fondamentale de l'incarnation mystique et de l'offrande d'amour, quintessence de la doctrine de la Croix : l'oblation du Verbe à son Père et l'offrande totale de soi par amour en union avec le Christ, mais par les mains de Marie.

Le 2 février 1907 le Seigneur disait à Conchita : « Le mystère que l'on fête aujourd'hui concrétise ta mission : d'offrir constamment dans ton cœur la Victime pour qu'elle soit immolée en faveur du monde. La douleur que cela produit est une douleur sainte, sublime, choisie et très pure, parce que la créature n'y entre pas en se recherchant elle-même, mais souffre seulement à cause de ma souffrance ; voilà la perfection de la douleur et de l'amour...

« Moi, je dois être offert par toi, à chaque instant, comme victime en faveur des hommes : et toi, unifiée avec la grande Victime avec toutes ses perfections. Je veux que tu m'offres comme Marie, avec ses mêmes vertus et qualités. Imite-la, étudie-la et modèle ton propre cœur sur cette image si belle » (J. 2 février 1907).

Tout le long de son Journal, on retrouve la mention de ce mystère : « 2 février 1913 : la Purification. Mystère si tendre et plein d'enseignements pour mon âme. Le Seigneur m'a dit que mon rôle était de l'offrir constamment au Père éternel, au profit du salut du monde. »

« 2 février 1922, la Présentation : c'est mon jour. Combien de fois en méditant les mystères du Rosaire, quand vient à son tour ce mystère, j'ai pleuré de douleur et d'amour. »

Il est curieux de noter que la grande réforme liturgique prescrite par Vatican II, en substituant la Présentation de Jésus au Temple à la fête de la Purification de Marie avec la Chandeleur, a rendu à celle-ci son véritable sens. Ce n'est pas seulement la fête de la Lumière, symbolisée par les cierges allumés, en souvenir du Christ, « Lumière des nations ». Il y a aussi ce cierge qui se consume devant Dieu et symbolise l'oblation du Verbe incarné, s'offrant à son Père pour sa gloire et pour le salut des hommes. Le Pape Paul VI veut célébrer ce rite lui-même en soulignant la signification profonde et nouvelle de cette cérémonie liturgique : l'Oblation du Verbe et, avec Lui, de son Corps mystique, par les mains de Marie, Mère de l'Eglise et de tout le Peuple de Dieu.

IV. « Solitude » de la Mère de Dieu

L'aspect le plus original de Conchita, dans cette contemplation, fut de pénétrer, avec la lumière de l'Esprit-Saint, la profonde association de Marie à l'œuvre rédemptrice de son Fils pendant les dernières années de sa vie terrestre.

Vatican II affirme que « cette tradition, qui vient des Apôtres et se développe dans l'Eglise sous l'assistance du Saint-Esprit, accroît en effet la perception des choses et des paroles transmises, par *la contemplation qu'en font les croyants qui les gardent dans leur cœur* (Lc *2*, 19-51), *par la pénétration profonde des réalités spirituelles qu'ils expérimentent* » (Const. « Dei Verbum » N° 8). L'expérience mystique des spirituels, c'est un chemin pour l'explicitation de la foi.

L'aspect nouveau de la doctrine mariale selon la spiritualité de la Croix, est dans l'imitation de la « solitude » (soledad) de la Mère de Dieu au cours des dernières années de son existence sur la terre, au moment où sa vie spirituelle avait atteint le maximum d'amour, ce qui lui a permis d'obtenir, par un martyre intérieur, jusqu'ici peu étudié, l'application à l'Eglise de toutes les grâces méritées par le Christ, nécessaires à l'Eglise comme institution et à chacun de ses membres jusqu'à la fin du monde.

Le mot « soledad » est intraduisible. Il signifie à la fois « solitude », « isolement » et martyre silencieux dans la pure foi, dans l'absence apparente de Dieu et de son Fils déjà dans le ciel, dans une incommensurable somme de souffrances, se mesurant à la plénitude sans cesse croissante de son immense amour.

« *Je dois imiter Marie dans sa solitude* »

A partir de 1917, au cours des vingt dernières années de son existence, par inspiration divine, on vit se développer en Conchita une forme nouvelle de dévotion mariale : l'imitation de la « solitude » de la Mère de Dieu au soir de sa vie, au moment où la vie d'amour de la Mère de Jésus atteignit son maximum, sa plénitude, au bénéfice de l'Eglise naissante et de l'Eglise pérégrinante et militante jusqu'à la fin des siècles.

« Dieu me veut seule. Pour moi en ce moment, c'est l'heure de la solitude : tenir compagnie à Marie, imiter Marie dans sa solitude durant la dernière partie de sa vie » (J. 14 février 1917).

« *Que Marie soit ton modèle* »

« Dans ma vie spirituelle dans les âmes, jamais ma Mère n'a été séparée de Moi : c'est-à-dire que l'imitation de nos deux vies doit être simultanée sur la terre ; la vie de Marie fut modelée sur la mienne. Ainsi, de même que Je fus Rédempteur, elle fut co-rédemptrice. Les âmes qui l'aiment le plus et qui lui ressemblent le plus, sont les âmes qui Me ressemblent le plus parfaitement. Tu dois l'imiter dans la pratique des vertus, t'ai-je dit toujours, surtout dans son humilité et dans sa pureté de cœur. Observe les vertus qu'elle a pratiquées dans sa solitude, en la dernière étape de sa vie, son regard et toute son âme continuellement tournés vers le ciel, et son effacement, me glorifiant sur la terre. Par son désir ardent du ciel, c'est-à-dire par son amour passionné, aspirant vers le paradis, elle a mérité les grâces du ciel pour l'Eglise naissante. » (J. 18 février 1917).

« *Une nouvelle étape de ta vie a commencé* »

« Chaque fois que Marie, ma très sainte Mère, sentait la douleur de mon absence d'une manière quelconque, en réalité continuellement, aussitôt elle l'offrait au Père pour le salut du monde et pour l'Eglise naissante. Cet apostolat de la souffrance, qui est l'apostolat de la Croix en Marie dans cette période de solitude, fut la plus féconde et détermina le ciel à déverser des torrents de grâces.

« Et de même en toi, tu as commencé une nouvelle étape de ta vie qui sera un reflet de celle de Marie. Il t'appartient de l'imiter sans perdre aucune souffrance, laquelle unie à la mienne prendra de la valeur. Sous cette forme, surnaturalise toutes tes douleurs de la *solitude* afin de leur obtenir fécondité en faveur de tes autres fils. » (J. 21 mars 1917).

La *solitude* est la participation à la Passion intime du Cœur du Christ et une conséquence de l'incarnation mystique.

« J'ai accordé à certaines âmes la grâce de s'assimiler à Moi par les stigmates extérieurs de mes plaies, mais à ma Mère J'ai donné ma parfaite similitude dans son intérieur, après ma Passion, avec toutes mes souffrances, mes plaies, et les peines dont mon Cœur a souffert.

« C'est dans cet aspect-là que tu l'imiteras : son image s'imprimera dans ton âme, mais douloureuse ; c'est l'étape à laquelle arrive l'âme après l'incarnation mystique, et dans laquelle tu te trouves. Tu goûteras les amertumes de Marie, non seulement l'accompagnant ou lui tenant compagnie dans sa solitude, mais éprouvant dans ton cœur l'écho de ses douleurs, le reflet de ses larmes pour la même fin rédemptrice et glorificatrice : le salut des âmes » (J. 11 juin 1917).

Le 29 juin 1917 elle reçoit une grande illumination : Marie est dans le cœur de l'Eglise et elle porte l'Eglise entière dans son Cœur maternel. Au pied de la Croix elle fut constituée Mère spirituelle de l'humanité, et l'effusion de l'Esprit-Saint le jour de la Pentecôte produisit en Elle une nouvelle plénitude de grâce en vue de l'accomplissement de sa mission maternelle : dans la foi, dans l'abandon absolu aux desseins divins, dans son amour ardent, dans l'obéissance humble, la poussant à continuer l'œuvre de son Fils : « Complétant en sa chair ce qui manque aux épreuves du Christ pour son Corps, qui est l'Eglise » (Col *1*, 24). Marie, Mère de l'Eglise engendra tous ses fils pour Dieu, par les douleurs provenant de son amour.

Mais cela est un secret de Marie :

« Son Cœur est présenté avec des roses, mais au-dessous se trouvent les épines. Les roses signifient les grâces pour ses fils, acquises avec des douleurs presqu'infinies, avec des larmes et des martyres dont Moi seul fus capable de mesurer le poids. C'est tout naturel à une mère, d'autant plus à Marie, de garder pour elle-même les épines et les douleurs : ce sont les roses et les tendresses qu'elle présente à ses fils, non pas les sacrifices. » (J. 30 juin 1917).

Les dernières années de Marie furent les plus fécondes

« Pour ces derniers temps, destinés au règne de l'Esprit-Saint et au triomphe final de l'Eglise, était réservé le culte du martyre de la solitude de Marie, son Epouse très aimée. Durant ce martyre, seule la puissance et la force de cet Esprit de Dieu ont pu la maintenir en vie. Marie, en effet, a vécu pour ainsi dire, miraculeusement et uniquement pour mériter les grâces requises pour sa maternité en faveur de l'humanité. Elle a vécu pour donner son témoignage sur Moi en mon humanité, comme le Saint-Esprit témoignait de ma Divinité. Elle a vécu pour être en quelque sorte l'instrument visible de l'Esprit-Saint dans l'Eglise naissante, tandis que l'Esprit-Saint agissait sur le plan divin et tout spirituel. Elle a vécu pour fournir sa première nourriture à cette unique et véritable Eglise, et pour mériter dans le ciel les titres de Consolatrice, Soutien, Refuge de ses enfants.

Cette étape de la vie de Marie, constituant pour son Cœur une source d'amertume, quintessence du martyre, purification de son amour en même temps que source inépuisable de grâces et de miséricorde pour le monde, est restée ignorée.

« Au pied de la Croix naquirent tous ses enfants. Ma mort leur a communiqué la vie dans le cœur de ma Mère ; mais avant de mourir Elle devait manifester cette maternité sur la terre, en achetant, par les souffrances de mon absence, une infinité de grâces présentes et futures pour ses enfants. Son titre de Mère de l'humanité, Marie l'a conquis par le martyre de sa solitude après ma mort. Le monde en a-t-il conscience ? Est-ce qu'il apprécie et en exprime sa gratitude ? Le temps est venu où les fils doivent se montrer vraiment des fils, manifestant leur vénération pour ce cœur broyé par ce martyre subtil et très douloureux, vécu en vue de leur propre bonheur. Là, Marie a acheté des grâces pour tous et pour chacun des hommes. Il est temps qu'ils la remercient » (J. 30 juin 1917).

L'une des sources de souffrance dans la solitude de Marie fut l'absence de Jésus. Cette douleur n'est pas une souffrance égoïste qui se renferme sur elle-même, mais une douleur très pure qui jaillit de l'ardente charité qui tend à la possession de Dieu. St Jean de la Croix parle de cet amour dans la strophe première de la « Vive flamme d'amour ». Si cela est vrai dans les âmes des pauvres pécheurs qui ont été transformés par la charité divine, que ne peut-on dire de la charité de l'Immaculée Mère de Dieu ?

Cette étape culminante de la vie de Marie est la parfaite réalisation de son existence toujours abandonnée à la volonté de Dieu comme « l'humble servante du Seigneur ».

Les vertus et les souffrances de Marie sont demeurées cachées

« De même que les vertus de Marie sont restées cachées à cause de son humilité, par exemple à l'occasion de la Purification, puisqu'elle-même ne les extériorisa pas, ainsi ses souffrances demeurèrent voilées. Ni plainte ni récrimination : Elle les acceptait toutes, les accueillant toutes sans en perdre une seule, les aimant, adorant en elles la volonté de Dieu qui était sa vie. Cette adhésion à ma volonté adorable qu'elle pratiqua après mon Ascension, fut particulièrement intime, au cours de sa vie de souffrances sans nom, durant le martyre de mon absence et parmi les crucifiements de sa solitude. Adhésion, simplification, unification très élevée et très étroite de nos volontés, de mes vouloirs dans ses martyres, soumission et parfaite conformité à mes désirs et à mes desseins de l'immoler, telle fut alors la forme de la vie de Marie. Telle fut son adhésion sublime, très sainte et divine qui la maintenait absorbée dans ma volonté qui la conduisait par les voies d'humiliation, de souffrance, de déchirement du cœur dans l'amour même. On ne peut pas apprécier en Marie son titre de Reine des Martyrs, parce que l'homme demeure très loin de comprendre son amour.

« Toi, comme un reflet de sa vie et de ses souffrances, tu dois l'imiter dans cette adhésion à ma volonté qui broie ton cœur et le transperce » (J. 2 juillet 1917).

A mesure que Conchita progresse en cette imitation de la « solitude » de Marie dans sa propre vie, son regard contemplatif pénètre de plus en plus dans la profondeur de ce mystère. La maternité de Marie est une maternité engagée. Marie s'unit dans la foi et dans l'amour à l'intention profonde du Verbe qui se fait chair pour glorifier son Père dans le salut des hommes. L'association de Marie à la Rédemption du monde n'est pas un privilège nouveau venant se joindre à sa maternité divine, mais simplement une fonction qui exerce cette même maternité dans une pleine réalisation existentielle.

Marie est co-rédemptrice, Mère de la Rédemption, parce qu'elle est la Mère de Jésus, Mère de « Yahveh qui sauve ».

La *solitude* de Marie est l'association la plus parfaite à l'acte rédempteur du Christ. Le drame de notre salut se décida au moment même où Jésus fut abandonné mystérieusement par son Père, et que Lui-même s'abandonna, en réponse, avec confiance et amour, entre ses mains. C'est le « oui » de l'homme dans la suprême angoisse.

« Tu avais longuement considéré la première solitude de Marie, c'est-à-dire l'extérieure, mais tu n'avais pas pensé à l'intérieure, la plus cruelle et amère, celle qui déchire et dans laquelle l'esprit éprouve une agonie à cause de l'abandon.

« Le Martyre de Marie après mon Ascension ne fut pas causé seulement par mon absence matérielle : elle a souffert aux terribles creusets d'un abandon semblable à celui que J'ai éprouvé Moi-même sur la Croix ; et mon Père l'a uni au mien qui acheta tant de grâces.

« En tant que co-rédemptrice, Marie éprouva dans son âme toute pure l'écho de toutes mes agonies, humiliations, outrages et supplices, le poids des péchés du monde qui ont fait saigner mon Cœur, et la vibrante douleur de l'abandon du ciel qui obtient des grâces.

« Tu dois être un écho fidèle de cette Mère des Douleurs ; il te fallait expérimenter l'abandon pur, mon propre abandon, ce délaissement qui en purifiant acquiert des grâces.

« il est évident que Marie n'a rien eu à purifier en elle-même mais dans l'humanité, c'est-à-dire dans ses enfants, conquérant avec cette douleur une nouvelle couronne de Mère-Martyre.

C'est ainsi qu'elle souffrait pour ses enfants, c'est ainsi qu'elle leur donnait la vie surnaturelle de la grâce, c'est ainsi qu'elle leur achetait le ciel » (J. 22 juin 1918).

Marie est vraiment la Mère des hommes, sa maternité spirituelle est une maternité engagée. Elle, l'Immaculée, souffre pour le péché de ses enfants.

« Le Cœur de Marie acheta ces grâces dans le martyre d'une solitude désemparée, non pas du fait des hommes (elle avait St Jean et les Apôtres et beaucoup d'âmes qui l'aimaient avec ferveur), non pas du fait de mon absence matérielle (elle se consolait avec l'Eucharistie à cause de sa foi si vivante et parfaite), mais par l'abandon spirituel, l'abandon divin de la Trinité qui se cachait à elle...

« Marie a souffert plus que toutes les âmes désemparées, parce qu'elle a souffert un reflet de mon propre abandon sur la Croix, celui qu'on ne peut évaluer et qui n'a pas de termes pour être exprimé.

« Cet abandon de Marie, ce vif et palpitant martyre de sa *solitude,* le martyre désolateur du divin abandon, qu'elle a souffert avec une force héroïque, avec amoureuse résignation et sublime abandon à ma volonté, n'est pas honoré.

« Imite-la dans ta petitesse et dans ta pauvre capacité, tâche de l'imiter avec toutes les forces de ton cœur : tu dois le faire pour acheter des grâces et te purifier.

« C'est un grand honneur pour les âmes quand le Père les appelle pour les associer : à la Rédemption ; à la co-rédemption en s'unissant à Moi et à Marie ; à l'apostolat de la Croix, c'est-à-dire à celui de la souffrance innocente, douleur pleine d'amour et pure, douleur expiatrice et salvatrice en faveur du monde coupable. » (J. 23 juin 1918).

Arrivée à la fin de son existence, Conchita écrira dans son Journal : « Mère de Douleurs que j'aime tant, apprends-moi à souffrir comme Toi tu as souffert et à aimer Jésus comme tu l'as aimé dans ta terrible *solitude.* (13 octobre 1936. « Je le promets de tout mon cœur : m'abandonner dans le Dieu qui m'abandonne. » (6 octobre 1936). « Vierge Marie, sois ma force en m'apprenant la « Joie Parfaite » du Calvaire de ton affreuse *solitude* dans tous les moments qui me restent encore de vie. Obtiens-moi les vertus théologales de plus en plus vives et de ne pas mourir sans avoir accompli les desseins divins sur la terre. Seulement pour Lui, pour la gloire de son Père Bien-Aimé. » (20 octobre 1936).

L'imitation de la « solitude de Marie » fut la consommation de la vie spirituelle de Conchita dans les dernières années de sa vie.

Cet aspect nouveau de la doctrine mariale selon la spiritualité de la Croix est d'une profondeur théologique incomparable.

Tout le mystère de Marie se déroule dans le temps. Son association à l'Œuvre rédemptrice du Christ ne se réduit pas seulement à sa présence au pied de la Croix où elle « a vivement compati avec son Fils unique, et d'un cœur maternel s'est associée à son sacrifice, consentant avec amour à l'immolation de la Victime née d'elle » (L.G. N° 58) : elle a continué à grandir dans la mesure de son amour jusqu'à la fin de sa vie terrestre, arrivant à la consommation de la plénitude de grâce qui opéra en Marie, conformément au dessein de Dieu, sa glorification et d'abord son Assomption au ciel.

La *solitude* de la Mère de Dieu est la suprême configuration au Christ Crucifié. Et sa maternité spirituelle s'y amplifie par la souffrance salvatrice qui naît de l'amour et de la charité portés à leur comble. D'où la joie parfaite, la joie qui jaillit de la Croix du Christ, et qui est le fruit du Saint-Esprit.

V. Richesse pastorale de cette dévotion nouvelle

Signalons trois aspects principaux :

1. La *solitude* de la Mère de Dieu illumine grandement la participation de l'Eglise au mystère de la Croix du Christ.

Il faut distinguer deux aspects différents dans l'association de Marie au Christ dans l'œuvre de notre salut : la phase d'acquisition et la phase d'application.

La première apparaît au moment de la conception virginale du Christ et atteint son sommet « à la croix, où, non sans un dessein divin elle se tint debout » (L.G. N° 58 ; cfr. Jn *19,* 25).

Cet aspect est *propre, unique, personnel* de Marie, car il est fondé sur sa divine Maternité et sa Maternité spirituelle pour tous les hommes.

La glorification du Christ inaugure la phase *d'application.* L'effusion de l'Esprit-Saint au jour de la Pentecôte réalise en Marie une nouvelle plénitude d'amour en vue de sa mission comme « Mère de l'Eglise ». Marie figure déjà l'Eglise dans la Femme mystérieuse de l'Apocalypse « qui est enceinte et crie dans les douleurs et le travail de l'enfantement » (Ap *12,* 2).

La raison profonde de l'existence de l'Eglise, au cours de son pèlerinage sur la terre, est de continuer l'Œuvre de la Rédemption que le Christ acheva, une fois pour toutes, sur la Croix. Voilà le grand mystère de la co-rédemption. A l'imitation de Marie, l'Eglise continuera la passion de son Maître divin en ses martyrs, en ses saints, en tous ses membres, même les plus imparfaits, pourvu qu'ils aiment vraiment le Christ.

La co-rédemption est de capitale importance dans la vie chrétienne. On ne peut aimer le Christ réellement sans éprouver le désir de participer avec Lui au salut du monde.

2. La *solitude* de la Mère de Dieu aide à comprendre la valeur de la souffrance humaine pour le salut du monde, quand elle s'unit à la souffrance du Christ.

La douleur, de soi, n'a aucune valeur : elle est conséquence et fruit amer du péché ; mais l'amour a le pouvoir prodigieux de la convertir en prix de rédemption : l'apostolat le plus fécond est « l'apostolat de la Croix ».

Plus encore : la participation à la Croix du Christ n'est pas seulement purification et expiation personnelles : c'est, avant tout un appel à collaborer au salut du monde. Plus la souffrance est innocente et pure, plus elle est capable de sauver les hommes et de glorifier Dieu.

Seuls les saints qui ont subi les « nuits obscures « de la purification et qui sont arrivés à « l'union transformante » participent pleinement comme Marie dans sa *solitude* co-rédemptrice et apostolique, au mystère de la Croix.

3. Marie dans sa *solitude* est un modèle pour les existences apparemment inutiles ; elles trouveront, en l'imitant, la plénitude de leur réalisation chrétienne.

A une époque où la vieillesse pose à l'Eglise un problème nouveau de pastorale, cette forme nouvelle de dévotion à Marie apporte une solution à l'apparente inutilité et au découragement de ces vies humaines dont les êtres plus jeunes ou en pleine force de maturité ne se soucient pas. Rendre du courage et de l'élan à tant de vaillants chrétiens, dont la vie finissante doit être toujours plus près de Dieu et des hommes...

Il y a aussi l'immense problème analogue de tous les hommes et de toutes les femmes que leurs conditions de vie privent *en apparence* d'activité apostolique extérieure. Pour tous ceux-là, la vie de *solitude* de la Mère de Dieu illumine la loi profonde de la communion des saints.

Le pur amour est d'une plus grande fécondité apostolique que les œuvres les plus éclatantes accomplies avec moins d'amour. C'est au soir de sa vie, dans le silence et l'isolement, dans la prière et le sacrifice, que la Mère de Dieu atteint son maximum d'amour et sa plénitude de fécondité apostolique au service de l'Eglise du Christ, comme le Christ lui-même qui n'a pas sauvé le monde dans l'éclat de sa Parole et de ses miracles, mais sur la Croix.

« Et ne crois pas, disait le Seigneur à Conchita, que connaître la *solitude* de Marie, de ses souffrances pour mon absence et ses cruelles douleurs de Mère, soit triste pour l'humanité. Ce qu'on exprime par les roses, et les fruits conquis par ses larmes, demeureront ; mais la gratitude se ranimera, quand on se souviendra de tant de souffrances qui ont acheté les couronnes que ses enfants ont au ciel » (J. 4 juillet 1917).

La dévotion à la *solitude* de Marie est donc la dévotion à la Vierge de la Pentecôte, à *Marie Mère de l'Eglise*.

4

Le Mystère de l'Eglise

« J'ai fondé mon Eglise
sur l'Amour. »

L'Eglise, sacrement universel de salut, est la réalisation du dessein salvifique de l'amour du Père, qui a voulu rassembler tous les hommes dans son Fils en vertu de son sacrifice achevé une fois pour toutes. Le Christ aima son Eglise et se livra pour Elle afin de nous donner son Esprit.

La doctrine spirituelle de Conchita sur l'Eglise reflète un progrès suivi qui trouve son point culminant en son message de sainteté pour la rénovation du Peuple de Dieu tout entier grâce à une « nouvelle Pentecôte ».

A une époque où la piété avait un caractère éminemment individualiste, et qui ne semblait pas avoir conscience de la dimension « Eglise », il est admirable de constater comment Dieu manifesta à Conchita cet aspect essentiel et constitutif du mystère ecclésial et comment dès le commencement de sa vie spirituelle cette pensée lui a ouvert des horizons illimités.

« Ta mission sera de sauver les âmes »

« Les premiers exercices spirituels auxquels j'ai assisté furent prêchés par le Père Antonio Plancarte, en 1889.

« J'y participais seulement pendant la journée car je ne pouvais abandonner mes enfants.

« Un jour, comme venu du ciel, quand je me préparais de toute mon âme à tout ce que le Seigneur voudrait de moi, j'entendis clairement au fond de mon âme, sans doute possible : « Ta mission sera de sauver les âmes » (Aut. I, 51).

Cette première parole du Seigneur nous donne la clef pour comprendre le sens de la vie de Conchita : elle sera totalement consacrée à l'Eglise.

« *Jésus, Sauveur des hommes, sauvez-les* »

Il existe des moments décisifs qui transforment définitivement une vie. Le monogramme que Conchita grava sur sa poitrine le 14 janvier 1894 l'orienta vers le salut du monde par la Croix. L'importance de ce fait ne tient pas en l'acte héroïque qu'une femme réalisa comme expression de son amour pour le Christ, mais à ce que Dieu opéra en elle comme réponse : un échange d'amour lui communiquant un Nouvel Amour, la participation de son propre amour salvifique qui pose ainsi le germe des Œuvres de la Croix.

« Une force surnaturelle me jeta à terre, écrit-elle. Oubliant la joie qui me possédait, je pensais seulement au salut des hommes. Mon âme brûlait de zèle pour le salut des âmes, et avec un feu qui n'était pas de moi, je répétais : « Jésus, Sauveur des hommes, sauve-les-, sauve-les » (Aut. 11, 33. - Lettres 10, 18, 56).

Toute l'Œuvre et toute la doctrine de la Croix naquirent de cette expérience vitale de la réalité la plus intime et la plus constitutive du mystère de l'Eglise : l'association à la Rédemption des hommes effectuée par le Christ.

I. La perspective initiale et globale

Conchita a découvert l'Eglise à travers la Croix :

« Au cours de diverses oraisons, le Seigneur m'a donné de comprendre les relations intimes qui existent entre l'Eglise et la Croix, si bien que sans la Croix, il n'y aurait pas d'Eglise. Il m'a dit que l'Eglise est née de la Croix. Le Saint-Esprit est venu après pour confirmer la doctrine et lui donner la vie » (J. 28 mai 1898).

La première révélation du mystère de l'Eglise, c'est l'Eglise du Crucifié, et cela entraîne un appel à un engagement :

« Sacrifie-toi pour l'Eglise, m'a dit le Seigneur à maintes reprises. Mon Eglise est ce que j'aime le plus et c'est elle qui m'a fait le plus souffrir. En vérité, Je vis crucifié en elle. (J'ai compris qu'Il faisait allusion aux mauvais prêtres et aux ministres qui ne cherchent pas les intérêts de Jésus Christ, mais leurs propres intérêts, accompagnés de mille lâchetés et procédés coupables).

— « Je veux que tu sois victime pour l'Eglise. Tu ne sais pas la valeur de cela. Laisse-toi faire : c'est un cadeau que Je veux te faire. Les âmes victimes se sacrifiant pour l'Eglise ont une récompense spéciale » (J. 28 mai 1898).

« Les âmes victimes pour l'Eglise devront s'unir à mon Cœur, la Victime par excellence, pour s'offrir au Père éternel en faveur de cette Eglise tant aimée, afin d'expier les péchés. J'aime tant mon Eglise qu'en union avec mon Cœur je cherche des victimes qui s'immolent afin de changer la juste colère qui la menace en pluie de grâces.

« Je veux, plus que le martyre extérieur, le martyre intérieur du cœur. Voilà pourquoi Je veux qu'elles s'unissent à mon Cœur broyé comme nul autre. Je veux procurer cette gloire à mon Père, et l'Esprit-Saint bénira à jamais les âmes victimes qui s'unissent à Moi » (J. 14 juin 1898).

L'expression « victime », « âmes victimes », dans le langage de Conchita, se trouve totalement dépouillé de tout sens doloriste, d'une certaine surcharge émotionnelle égocentriste qui pourrait en trahir la portée et conduire à une pénible caricature, à un complexe psychologique de nuance masochiste.

La doctrine de la Croix est fondée solidement sur une spiritualité de donation qui fait sortir de soi-même, imitation et conformation au Christ qui est venu « pour donner sa vie en rançon pour une multitude (Mt *20,* 28). Elle se règle sur les exigences de la Rédemption. D'où la perspective Trinitaire qui apparaît tout d'un coup et de manière inattendue.

« *L'Eglise de la Trinité* »

« L'Eglise est la dépositaire de toutes les grâces du Saint-Esprit. En elle, Il a fixé sa demeure. Il l'aime d'un incroyable amour. On n'entre au ciel que par l'Eglise. L'Esprit-Saint imprime sa marque sur toutes ses cérémonies... En dehors de ce sceau divin, il n'y a ni achèvement ni même possibilité de salut. De l'Eglise s'élève une continuelle louange envers la Très Sainte Trinité : le Père éternel fixe sur elle tous ses regards, le Fils est là avec sa sainte humanité unie à sa divinité et y perpétue par l'Eucharistie son sacrifice. »

« Qu'elle est belle cette harmonieuse Unité, cette Trinité bienheureuse en ses divines communications avec l'Eglise ! J'y vois, maintenant, l'immense amour déployé par un Dieu envers sa créature d'une manière si admirable ! Je le confesse, jamais je ne l'avais compris avec une telle clarté ; jamais, non plus, je n'avais remercié Dieu pour cette chaîne ininterrompue de bienfaits que, du baptême jusqu'à notre sépulture, cette Eglise sainte nous distribue. Quel compte j'aurai à rendre au Seigneur pour tant de grâces et tant de moyens de sanctification que son éternelle bonté a déposés pour nous dans son Eglise ! » (J. 28 mai 1898).

Cette perspective trinitaire est donc loin d'une vision horizontale de l'Eglise dans ses structures et dans ses multiples activités au milieu des hommes. C'est une perspective d'en haut, une très haute vision de sagesse sur l'Eglise à la lumière de la Trinité. Elle s'ouvre d'ailleurs par une première synthèse globale. L'Eglise est à la fois Eglise de la Croix, Eglise de la Trinité.

II. L'Eglise du Verbe Incarné

« L'Eglise a jailli de mon Cœur sur la Croix ; c'est de là que naquit l'Eglise si pure et belle, de mon côté, comme Eve naquit du côté d'Adam, afin qu'Elle soit Mère de tous les chrétiens, de toutes les âmes, pour les sauver par les mérites infinis que J'ai déposés en son sein immaculé. » (J. 14 mars 1928).

Ce thème classique et fondamental de l'ecclésiologie est contemplé par Conchita dans l'optique caractéristique de sa propre grâce. L'expression *Croix* a une résonance éminemment personnaliste. La Croix signifie, avant tout, le Christ crucifié, le Christ Prêtre et Victime qui par amour s'offre au Père pour notre salut. La Croix désigne aussi le chrétien qui veut se configurer au Christ en identifiant ses sentiments les plus intimes avec les siens, et fréquemment Conchita affirmera que l'authentique chrétien doit être une « croix vivante ».

Bien plus, la Croix qui a donné naissance à l'Eglise n'est pas seulement la croix externe et visible qui fut élevée au sommet du Calvaire, mais la croix intérieure, intime, du Cœur du Christ, qui commença avec son Incarnation et qui se consomma quand Il remit son esprit entre les mains du Père.

« Par la croix extérieure que tous peuvent voir, je fus une victime agréable au Père en répandant mon sang, mais c'est surtout par la croix intérieure que s'est achevée la Rédemption » (J. 7 septembre 1896).

Nous avons déjà vu que la « croix intime » est un thème central de la doctrine de la Croix qui nous conduit au cœur et à l'essentiel du mystère du salut.

La croix interne est la douleur la plus pure, née et vivifiée uniquement par l'amour : « J'aimais mon Père et je voulais le glorifier en acquittant la dette de l'humanité coupable. J'aimais les hommes d'un amour infini et humain et je voulais les rendre heureux et les sauver. » (J. 23 janvier 1928).

Ces deux amours fondus en un seul, en l'Esprit-Saint, forment le cœur de la Rédemption.

La Croix se perpétue dans l'Eucharistie

— « Si la Rédemption suffisait à ta justice pour effacer le péché, si avec elle la distance entre l'homme et la divinité était vaincue, pourquoi as-Tu perpétué ce même sacrifice de la Croix sur les autels ?

— « Seulement par amour, seulement pour un but de charité. Je demeure sur les autels parce qu'une soif sublime consume le Verbe fait chair se réjouissant de son immolation en faveur de l'homme.

« Je suis resté là pour compléter dans les âmes avec ma vie de victime ce qui leur manque de sacrifice.

« Je suis resté là pour continuer l'expiation des ingratitudes de l'homme par un sacrifice perpétuel.

« Je suis resté là parce que Je suis la seule victime pure.

« Sans Moi toute immolation serait inutile, et en perpétuant mon sacrifice, le pardon se perpétue également, donnant sa valeur aux sacrifices de l'homme quand ils sont offerts en union avec le mien.

« Je suis resté là pour attirer les âmes, par mon exemple, à devenir amoureuses de la douleur sous toutes ses formes.

« Je suis resté là à cause du plaisir que le Verbe incarné ressent de la proximité de sa créature » (J. 25 juillet 1906).

« Dans la Messe se perpétue la même immolation de la même Victime, Moi, au Calvaire ; ce n'est pas une prolongation ou une répétition de mon sacrifice, mais le même sacrifice bien que non sanglant, la même crucifixion vivante avec la même et unique volonté amoureuse du Père de donner son propre Fils, son Fils unique, pour le salut du monde. » (J. 2 août 1933).

Toute l'Eglise est sacerdotale

Le Christ, Prêtre Unique, a suscité une Eglise, un peuple sacerdotal tout entier, sacrement du salut du monde.

Elle est une nation élue, une résidence royale, une communauté sacerdotale, une nation sainte, un peuple que Dieu s'est acquis (cf. I P 2, 9).

La vision de l'Eglise toute sacerdotale est un aspect essentiel de la doctrine spirituelle de Conchita, cinquante ans avant Vatican II.

« Il y a des âmes qui ont été consacrées par l'onction sacerdotale, mais il y a également, dans le monde, des âmes sacerdotales, qui, bien qu'elles n'aient ni la dignité ni la consécration du prêtre, ont une mission sacerdotale, et elles s'offrent au Père, en union avec Moi, pour s'immoler comme Il le désire. Ces âmes aident puissamment l'Eglise sur le plan spirituel.

« Quant aux prêtres, ils doivent être des victimes, se transformer en don d'eux-mêmes, se renoncer et s'offrir à mon Père en union avec Moi, et s'offrir pour le salut des âmes, comme Je le fais » (J. 8 janvier 1928).

Sacerdoce spirituel

Il n'y a qu'un seul sacerdoce, celui du Christ, mais tous peuvent y participer car le sacerdoce spirituel est à la fois le caractère et le charisme de la communauté ecclésiale.

Le Sacerdoce ministériel perpétue l'oblation du Christ en réalisant l'Eucharistie « in persona Christi », rendant possible à toute l'Eglise l'exercice du sacerdoce spirituel, l'offrande du Christ réellement présent au milicu de son peuple qui s'offre en union avec Lui.

« Lorsque J'ai prononcé ces paroles : « Faites ceci en mémoire de Moi », Je ne m'adressais pas seulement aux prêtres. Certes, ils ont seuls le pouvoir de changer la substance du pain en mon Corps si saint et la substance du vin en mon Sang. Mais le pouvoir d'unir en une seule toutes les immolations appartient à tous les chrétiens ; s'assimiler à la Victime de l'autel par la foi et par les œuvres, m'offrir comme Hostie de propitiation à mon Père éternel, cela concerne tous les chrétiens, membres d'un seul corps ». (J. 7 juin 1916).

Cette double participation au Sacerdoce du Christ constitue la *structure de l'Eglise de la Croix,* de l'Eglise du Christ Prêtre et Victime.

« Je ne puis me séparer de cette attache sainte et céleste car c'est pour elle que Je suis venu dans le monde : mon sacerdoce universel, n'est autre chose que mon infinie charité pour sauver l'homme. Le Père n'a pas trouvé, dirais-Je, une manière plus adéquate pour le salut du monde que le sacerdoce, qui forme le corps de l'Eglise et dont le centre ou le cœur est la Trinité même : et c'est pour cela que le Verbe s'est fait chair, tout particulièrement pour être prêtre et pour répandre son sacerdoce dans les âmes.

« Car de là procède le sacerdoce spirituel et mystique : les religieux et les laïcs dans le monde font partie du Sacerdoce mystique dans la mesure de leur union plus ou moins étroite avec Moi » (J. 29 novembre 1928).

Le Sacerdoce ministériel, axe de l'Eglise

Le Sacerdoce ministériel configure au Christ comme chef de l'Eglise.

« Depuis toujours Je vois mes prêtres d'un regard plein d'un amour qui les choisit et les enveloppe de toute éternité, englobant non seulement leurs âmes bien-aimées, mais aussi des milliers d'âmes, car chaque prêtre est la tête de beaucoup d'autres âmes.

« En regardant éternellement le prêtre, J'ai contemplé en lui une foule d'âmes engendrées de lui par la générosité du Père, rachetées par lui en union avec mes mérites, formées par lui, sanctifiées et sauvées par lui et qui Me rendront gloire éternellement.

« Ne crois pas que la vie d'un prêtre soit unique ou isolée ; non, dans la vie d'un prêtre Je contemple beaucoup de vies dans le sens spirituel et saint, bien des cœurs qui me donneront de la gloire éternellement. » (J. 14 novembre 1927).

Le prêtre est un autre Christ.

Dans la crise actuelle, où l'identité sacerdotale semble se perdre, le message de Conchita est d'une actualité palpitante.

« Quand J'ai pris la nature humaine, J'ai apporté l'amour à l'homme. Ayant le même sang, la fraternelle liaison unissant les deux natures, la divine et l'humaine, J'ai divinisé l'homme, le mettant au contact du Verbe, le soulevant au-dessus des choses de la terre pour qu'il aspire vers le ciel.

« Mais parmi tous les hommes, J'en ai distingué quelques-uns qui devaient être les miens, « d'autres Moi », ceux qui continueraient la mission qui m'a amené sur la terre, celle de conduire vers mon Père ce qui était sorti de Lui, des âmes qui le glorifient éternellement » (J. 11 janvier 1928).

« Je ne finirais pas de dire tout ce que les prêtres sont pour Moi : mes mains, mes ouvriers, mon Cœur même et le centre d'innombrables âmes.

« Dans le prêtre Je contemple le reflet de mon Père. Je me vois Moi-même et l'Esprit-Saint. Dans le prêtre Je contemple les mystères : celui de l'unité de son être intime avec la Très Sainte Trinité. Je contemple le mystère de l'Incarnation que le prêtre rend présent dans chaque messe. Je contemple celui de l'Eucharistie qui ne se produirait pas sans son concours. Je vois enfin les Sacrements et mon Eglise aimée et des milliers d'âmes engendrées dans la sienne pour la gloire de Dieu. Je me contemple Moi-même à chaque instant dans mes prêtres. Mais Je devrais me contempler tel que Je suis en eux, Saint parmi les saints et non pas défiguré par leurs péchés. » (J. 20 novembre 1929).

L'Eglise doit continuer la Passion

« Je suis la Tête de l'Eglise, et tous ceux qui sont miens sont les membres de ce même Corps et doivent continuer en union avec Moi l'expiation et le sacrifice jusqu'à la fin des siècles.

« Ma Passion s'est achevée au Calvaire, mais ceux qui forment mon Eglise doivent continuer en eux-mêmes la passion, s'offrant en réparation personnelle et pour autrui à la Trinité en union avec Moi : victimes avec la Victime, mais ayant les qualités mêmes des victimes.

« Ceci est la loi de l'amour, loi qui régit mon Eglise : toujours amour, expiation et union » (J. 24 juillet 1906).

« Je n'ai besoin de personne pour sauver le monde ; mais tous les chrétiens doivent souffrir en union avec Moi, coopérant à cette même Rédemption pour la gloire de Dieu et pour leur propre glorification » (J. 16 mai 1907).

Une prière de la *Liturgie des Heures* exprime cette même spiritualité :

« Dieu tout puissant et éternel qui voulus que ton Fils souffrît pour le salut de tous, fais qu'enflammés de ton amour, nous sachions nous offrir comme victimes vivantes » (Prière des Vêpres IV).

Marie, Mère de l'Eglise

L'Eglise sacerdotale du Verbe Incarné a pour Mère Marie, Mère du Prêtre éternel.

« Marie fut choisie parmi toutes les femmes pour que dans son sein virginal fût réalisée l'Incarnation du Divin Verbe et dès cet instant Elle, la toute pure, la Vierge-Mère, celle qui acceptait cela avec amour dans la plus totale soumission à l'égard de mon Père, n'a pas cessé de m'offrir à Lui. La victime venait du ciel pour sauver le monde, mais elle sacrifiait son cœur de Mère à la divine volonté de ce Père Bien-Aimé.

« Elle m'a nourri pour être Victime, atteignant l'immolation suprême de son âme quand Elle m'a livré pour être crucifié. Un seul sacrifice était là, celui que J'offris sur la Croix et celui qui eut lieu dans son cœur ; elle le continua dans son martyre de la *solitude,* offrant ses douleurs au Père éternel en union avec Moi.

« Quand J'ai quitté le monde, quand Je me suis éloigné de

mes disciples, Je leur ai laissé Marie, pour me représenter par ses vertus, dans sa tendresse maternelle, en son Cœur parfaitement fidèle au mien : élément nécessaire comme fondement de mon Eglise, aussi bien que pour soutenir mes Apôtres et mes premiers disciples.

« L'Eglise naissante s'appuyait en Marie, qui la soutenait avec ses douleurs et ses vertus, ses prières et son amour.

« C'est pour cela que lorsque J'ai envoyé l'Esprit-Saint à mes Apôtres, Je n'ai pas écarté Marie, bien qu'Elle fût déjà pleine de grâce, pleine de mon Esprit : ce fut pour que l'Eglise voie en Elle sa Reine, que les prêtres la jugent indispensable, et que ni eux ni les fidèles ne souffrent de l'absence de l'amour et de la protection d'une Mère » (J. 6 avril 1928).

III. L'Eglise du Saint-Esprit

Le Verbe Incarné, par sa mort et par sa résurrection, a rassemblé les hommes et, en leur communiquant son Esprit, Il en a fait son Corps mystique. Le Saint-Esprit est le même dans la Tête et dans les membres : Il vivifie tout le Corps, Il l'unit et le meut de telle sorte qu'Il devient son principe vital : Il est l'Ame du Corps mystique (cfr L.G. N° 7-8).

« Après mon Ascension J'ai envoyé le Saint-Esprit et c'est Lui qui dirige le monde et mon Eglise » (J. mars 1894).

« Le Saint-Esprit réalisa l'Incarnation, et le fruit de l'Incarnation devait lui appartenir : mon Eglise. De plein droit lui revenait de l'illuminer, de lui donner son sens, de l'enflammer, de la fortifier et de lui donner la vie et la grâce » (J. 29 janvier 1915).

De la richesse doctrinale de Conchita sur l'Eglise du Saint-Esprit nous montrerons seulement trois aspects :

a) l'Esprit-Saint est *l'âme* des structures,
b) Il réalise la *sainteté* de l'Eglise,
c) Il est le principe d'*unité* et conduit l'Eglise à la consommation dans l'Unité de la Trinité.

« *Mon Eglise est fondée sur l'Amour* »

Quand on prétend, dans la crise actuelle, opposer l'Eglise hiérarchique à l'Eglise « pneumatique », l'Eglise de l'Autorité à l'Eglise de la Charité, Conchita nous rappelle le principe qui écarte le faux problème. Il ne peut y avoir opposition entre structures et charismes, parce que l'Eglise de l'Incarnation et l'Eglise de l'Esprit est la même.

L'Esprit est le principe qui anime et vivifie les « structures ».

« Une seule chose m'était nécessaire pour établir mon Eglise sur la terre, sur un fondement indestructible : l'amour, seulement l'amour, parce que mon Eglise devait être fondée, croître, se développer dans l'amour, car l'amour est son cœur, son âme et sa vie : l'Amour, c'est-à-dire l'Esprit-Saint tout amour. C'est pour cela que Je posai ces questions mémorables, dont on se souviendra pendant tous les siècles, à celui qui devait être le Chef Suprême de mon Eglise Bien-aimée, questions qui ont leur répercussion encore dans le cœur de tous les Papes : « M'aimes-tu plus que ceux-ci ? ». Et, mon Cœur de Dieu-homme une fois assuré de cet amour, J'ai livré les âmes au Pasteur par excellence qui me représente sur la terre ; J'ai livré à l'amour mes amours, c'est-à-dire les âmes. Le Pape n'a besoin que de cela, et c'est la seule chose que Je lui demande, parce que l'amour le rend Père, et un Père ne sait qu'aimer, parce que même dans ses rigueurs il est tout amour, rien qu'amour.

« Contemple la tendresse de mon Cœur envers toutes les âmes ; mais approfondis comment cette question si touchante que Je fis à Pierre, pour lui confier le monde racheté, ne s'adressait pas seulement au premier Chef des âmes, mais en particulier à tous mes Prêtres. Je lui ai livré l'Eglise avec Moi-même, et en Moi tous les prêtres qui la forment depuis le premier jusqu'au dernier. Et le Pape communique ses pouvoirs enveloppés dans son amour paternel à ses brebis préférées et aimées, à ses prêtres, qui forment, avec Moi et avec lui, un seul Jésus Sauveur des âmes. Le Pape est le premier à se transformer en Moi, en l'unité de la Trinité : mon Père lui a communiqué le meilleur de sa fécondité, le Verbe, Moi qui Me suis livré à lui pour qu'il Me représente dans l'Eglise par la parfaite transformation en Moi. Et le Saint-Esprit le protège, le pénètre, l'imprègne, le transforme, l'illumine, le divinise, le fortifie, le soutient, lui communique ses dons et l'assiste dans ses décisions, marquant ses paroles du sceau très saint de la Vérité infaillible qui ne peut se tromper.

« Mais tout cela n'exigea qu'une seule condition : l'amour, l'amour, l'amour ! Trois fois Je me suis assuré de cet amour : seule une âme d'amour est digne de me représenter, de communiquer la fécondité du Père qui est Amour ; la ressemblance et la personnification du Verbe incarné qui est Amour, et mon Esprit qui est Amour. Et tout cet ensemble d'amour, dans l'unité de la Trinité, infailliblement, se joint au chef de mon Eglise et en lui, à tous ses frères. Eux tous son Moi, à des degrés et hiérarchies divers. Car mon Père me voit dans le Pape, dans l'unité de l'Eglise, et dans tous les prêtres en Moi : un seul Jésus, un seul Pasteur, un seul Prêtre, un seul Sauveur.

« Qu'il est vraiment beau et divin cet enchaînement intime et unique de mon Eglise aimée dans le monde ! A cause du divin qui existe en Elle, rien ni personne n'est capable de l'ébranler, de la faire vaciller, ni de bouleverser ses structures, ni de rompre son unité. Son origine est divine et divine sa fécondité ; et l'Homme-Dieu qui habite en Elle, la défend, la protège, la soutient et la glorifie. Tant que l'amour soutient l'Eglise dans son Chef et dans ses membres, tant que son Pasteur est amour (et il le sera toujours par l'assistance intime du Saint-Esprit), Elle passera à travers les tempêtes et trahisons et schismes et luttes de l'enfer, et Elle voguera au-dessus de toutes les fluctuations, sans être renversée, sans sombrer.

« Je suis son Pilote et c'est pour cela que les siècles passeront et que mon Eglise arrivera à toucher les rives du ciel aussi pure, aussi sainte, aussi Mère, aussi pleine d'amour et de charité que quand Elle est sortie de mes mains. Qu'importent les trahisons et les persécutions, même de la part des siens (qui sont les plus douloureuses), Elle poursuivra majestueusement sa marche au milieu de mille tempêtes qui n'ont servi, ne servent et ne serviront qu'à la rendre plus éclatante et à la glorifier.

« Qui peut prévaloir contre Dieu ? Les générations passent, les persécutions s'évanouissent, les schismes cessent : seule mon Eglise va son chemin, belle et pure, sainte et immuable comme Elle est sortie de mes mains, appuyée sur l'amour qui ne change pas parce qu'il est divin, grâce à l'être d'unité qu'Elle possède en Elle-même, imprégnée d'amour et ne répandant qu'amour.

« Mais le temps est arrivé d'exalter le Saint-Esprit dans le monde : Il est l'âme de cette Eglise Bien-aimée. Cette Personne divine se répand dans tous les actes de l'Eglise avec prodigalité. Je désire que cette dernière époque soit très spécialement consacrée à cet Esprit-Saint, qui opère toujours par l'amour. Il a dirigé l'Eglise dès son commencement, par les trois actes d'humble amour en Pierre ; et Je désire que dans ces derniers temps ce saint amour enflamme tous les cœurs, mais très spécialement le cœur du Pape et de mes prêtres. C'est son tour, c'est son époque, c'est le triomphe de l'amour dans mon Eglise, en tout l'univers. Pour obtenir cela, Je demande de nouveau que le monde soit consacré très spécialement au Saint-Esprit, en commençant par tous les membres de l'Eglise, à cette troisième Personne de la Trinité. Puisque l'Esprit lie et unit la Trinité même et fait que Dieu soit Dieu (parce que Dieu est amour, et le Saint-Esprit est la Personne de l'amour, l'Amour même)... c'est pour cela que l'Esprit-Saint est l'âme, la grande force divine, l'énergie, le cœur, la palpitation de l'Eglise de Dieu. » (J. 2 mars 1928).

Sainteté de l'Eglise

L'Eglise est indéfectiblement sainte car le Christ a aimé l'Eglise comme une épouse en se livrant pour Elle pour la sanctifier (cf. Eph *5*, 25-26). Il se l'est unie comme son Corps et l'a comblée du don du Saint-Esprit, pour la gloire de Dieu (cf. L.G. N° 39).

L'Eglise entière s'ordonne à la sainteté, car celle-ci est la finalité du dessein salvifique du Père. L'Eglise Apostolique, Une et Catholique doit réaliser l'Eglise Sainte.

L'un des joyaux de Vatican II est le chapitre V de la Constitution « Lumen Gentium », qui nous rappelle notre vocation universelle à la sainteté.

Conchita écrivait le 24 février 1911 : « Tous les hommes sont nés pour devenir des saints. Si les âmes avaient une vie intérieure, si elles se donnaient au Saint-Esprit, combien augmenterait la vie mystique, combien l'Eglise aurait de nombreux moyens de grâce !

« Que les âmes se livrent à l'Esprit-Saint et Il les possèdera, mes saints se multiplieront : l'Eglise aura des instruments de choix et le monde changera » (J.).

Ainsi le destin du Peuple de Dieu dépend avant tout de la sainteté de ses Pasteurs. « Dieu, le seul Saint, le seul Sanctificateur, a voulu s'associer des hommes comme collaborateurs et humbles serviteurs de cette œuvre de sanctification. » (P.O. N° 5).

Le prêtre « participe à l'autorité par laquelle le Christ lui-même construit, sanctifie et gouverne son Corps » (P.O. N° 2). Le Christ même bâtit son Eglise en collaboration avec ses ministres.

Conchita, simple laïque, fut choisie par Dieu pour communiquer à l'Eglise un message d'importance : c'est un appel à la *sainteté sacerdotale,* seule solution à la présente crise de l'Eglise.

Plus de mille pages de son Journal sont pleines des confidences du Seigneur, qui découvrent à la fois la sublime grandeur et la fragilité des prêtres. On trouve là des pages sans précédent dans l'histoire de la littérature chrétienne.

Ce pressant appel à la sainteté sacerdotale, écrit trente ans avant le Concile, est le point culminant de la *mission prophétique* de Conchita dans l'Eglise.

Vatican II nous a rappelé que tout chrétien participe à la mission prophétique, sacerdotale et royale du Christ. C'est une loi constante dans l'histoire du Salut : Dieu choisit gratuitement ce qu'il y a de plus petit, de plus humble, pour réaliser ses œuvres admirables.

Conchita est une « parole de Dieu pour l'Eglise d'aujourd'hui ».

« *C'est la faute des prêtres* »

« Si les âmes s'attardent en chemin, si leur vie intérieure s'éteint : c'est la faute des prêtres. Les portes des communications divines, qui s'ouvrent pour la vie mystique se ferment. Et pourquoi ? Par apathie dans mon service, par la dissipation de leur vie, par leur immortification, par manque d'étude dans ce domaine, par absence de rapports intimes et consciencieux avec les âmes, par carence d'esprit de sacrifice, parce qu'ils n'aiment pas suffisamment. Voilà les motifs et voilà la cause ou plutôt les multiples causes qui déclenchent et entretiennent ces résultats : manque d'oraison, de vie intérieure, de pureté d'âme, de relations intimes avec Moi ; absence d'amour et de dévotion à l'Esprit-Saint, d'union avec Dieu.

« Le monde ouvre en ce moment une large brèche dans le cœur des prêtres et tu sais le nombre de vices qui accompagnent cet ennemi redoutable : un contact excessif avec les créatures refroidit leur ferveur, le manque de recueillement extérieur et intérieur les attiédit. Là où entre le monde, le Saint-Esprit s'en va. Quand le Saint-Esprit s'en va du cœur d'un prêtre, c'est sa ruine, car si quelqu'un a non seulement le besoin mais le devoir le plus impérieux de vivre et de respirer dans le Saint-Esprit, c'est le prêtre. A mesure qu'Il s'éloigne, pénètre le matérialisme. Malheur au prêtre qui s'enfonce dans la matière, il peut se considérer comme perdu. Cela est si facile dans une âme dissipée, dans un cœur qui ne prie pas et ne se mortifie pas. Par sa haine infernale contre mon Eglise, sur un point de si capitale importance pour tant d'âmes et pour le prêtre lui-même, Satan dirige ses flèches les plus envenimées. Son effort vise à trouver la faille par où le monde entrera dans le cœur du prêtre, sous quelque forme que ce soi. Après cela, c'est pour cette malheureuse âme la glissade par des pentes très douces vers le péché » (J. 14 février 1907).

Les prêtres dorment

« Je te ferai une confidence intime. Les grâces s'accumulent sur mon Eglise ainsi que les trésors, les richesses, les sources les plus fécondes des mérites du Verbe Incarné, mais chaque jour, les hommes, mêmes ceux qu'on appelle « miens », ferment les portes à l'Esprit-Saint. Satan mine l'Eglise par la faiblesse et la dissipation de ceux qui devraient être les gardiens du sanctuaire. Les âmes languissent faute de directeurs possédés par l'Esprit-Saint. Mon Eglise, si belle et si riche, doit laisser ses trésors enfermés parce qu'elle ne sait à qui les distribuer. Le plus triste, c'est que ses trésors infinis de grâces que J'ai achetés au prix de mon Sang, demeurent inactifs dans mon Eglise, faute d'ouvriers qui soient saints. Ils entendent à leur manière la vie spirituelle et, par manque d'études approfondies en cette matière, par ignorance et négligence ils laissent sans réalisation les desseins de Dieu sur un grand nombre d'âmes.

« Mon Cœur s'attriste parce que mes ministres dorment. En bien des occasions, ils sont les premiers à se conformer à une piété superficielle ; ils ne font pas entrer la Croix dans les âmes, et ils leur révèlent encore moins l'Esprit-Saint. Je te le redis en confidence intime : la routine a pénétré profondément dans le sanctuaire. Ce culte « en esprit et en vérité » s'est complètement éteint en de nombreuses communautés. Que mes ministres réagissent par l'Esprit-Saint, qu'ils attachent un grand prix à la vie intérieure ! Qu'ils la possèdent eux-mêmes et la communiquent par l'Esprit-Saint ! Alors l'Eglise refleurira dans sa vigueur primitive. Il manque à mon Eglise la sève de l'Esprit-Saint, elle manque aux séminaristes et aux membres du clergé. Par suite elle fait défaut aux âmes qui vivent et se nourrissent de ce suc vital, appelé à leur communiquer la vie de la grâce.

— « Seigneur de mon âme, mon divin Jésus, et moi, que dois-je faire ? Mon Dieu ! que vienne donc le plus tôt possible, cet Esprit-Saint pour allumer le feu dans les cœurs ! Moi, je voudrais être missionnaire, mon Jésus, et pouvoir réaliser le travail de mille et de cent mille. Je voudrais pouvoir parcourir le monde entier et donner mon sang en toutes les occasions pour la cause de l'Eglise que j'aime chaque jour d'un amour plus ardent avec une flamme jusqu'ici inconnue : O Jésus ! Jésus ! Jésus ! » (J. 21 février 1911).

Appel à la sainteté

« Je veux l'amour dans mes prêtres ; Je veux la vie intérieure ; Je veux que ces âmes consacrées vivent en intimité avec Moi.

« Je veux bannir l'apathie de leurs cœurs et les faire brûler de zèle pour ma gloire. Je veux activer la vie divine de tant d'âmes qui m'appartiennent et qui défaillent. Je veux détruire l'indifférence qui paralyse l'action de Dieu et qui éloigne mes grâces des prêtres.

« Il faut allumer de nouveau le feu et cela se fera uniquement par le Saint-Esprit, par le moyen divin du Verbe, en l'offrant au Père et en demandant miséricorde. » (J. 23 septembre 1927).

L'Esprit-Saint seul sanctifie

« Je veux une réaction vive, palpitante, évidente et puissante du clergé par l'Esprit-Saint.

« Un prêtre ne s'appartient plus : il est un autre Moi-même et il doit être tout à tous, mais en se sanctifiant d'abord lui-même, car personne ne peut donner ce qu'il n'a pas et seulement le Sanctificateur peut sanctifier. Donc, s'il veut être saint — comme il en a l'impérieux devoir — il doit être possédé, imprégné par l'Esprit-Saint, parce que si le Saint-Esprit est indispensable pour la vie de n'importe quelle âme, pour l'âme des prêtres Il doit être leur souffle et leur vie même.

« Si les prêtres sont Jésus, ne doivent-ils pas avoir l'Esprit de Jésus ? et cet Esprit, n'est-Il pas l'Esprit-Saint ? » (J. 9 octobre 1927).

Pressante actualité

« J'accours toujours à temps et avec la plus grande opportunité, quelle que soit l'époque du monde, en faveur de mon Eglise militante ; et en ces moments difficiles mes prêtres ont besoin de cette réaction divine pour résister aux assauts de l'ennemi, pour repousser le monde qui s'est introduit jusqu'au Sanctuaire ; pour empêcher des maux futurs ; pour consoler mon Cœur et glorifier mon Père, en purifiant et en sanctifiant de plus en plus les membres de mon Eglise bien-aimée.

« Comme Je te l'ai dit, il viendra des temps encore pires pour mon Eglise et Elle a besoin de prêtres et de ministres saints qui la fassent triompher de ses ennemis, avec l'Evangile de la paix, du pardon et de la charité ; avec ma doctrine d'amour qui vaincra le monde.

« Mais J'ai besoin d'une armée de prêtres saints transformés en Moi, qui exhalent les vertus et qui attirent les âmes avec la bonne odeur de Jésus-Christ. Il me faut d'autres Moi-même sur la terre, formant un Seul Moi-même dans mon Eglise par l'unité d'objectifs, d'intentions et d'idéals, formant un seul Corps mystique avec Moi, un seul vouloir avec la volonté de mon Père, une seule Ame avec le Saint-Esprit, une unité dans la Trinité, par devoir, par justice, par amour » (J. 29 décembre 1927).

La transformation en Jésus-Prêtre

Cet appel à la sainteté sacerdotale a comme but la réalisation de leur vocation personnelle : la transformation au Christ-Prêtre.

« Mon but pour les prêtres c'est de réaliser leur transformation en Moi, en enlevant les éléments qui l'empêchent, et de les unifier dans l'unité de la Trinité pour laquelle ils furent engendrés dans le sein du Père, créés et ordonnés pour mon service avec l'onction et l'action divine du Saint-Esprit » (J. 29 décembre 1927).

« Je demande cette réaction spirituelle de mes prêtres, parce que les âmes ne peuvent l'avoir si auparavant eux n'ont pas mon même Esprit, s'ils ne se transforment pas en Moi » (J. 13 février 1928).

Il ne s'agit pas de copier quelques traits du Christ ou d'imiter quelques-unes de ses vertus ; la transformation qui réalise la sainteté sacerdotale, c'est la pleine identification au Christ-Prêtre.

« La transformation du prêtre en Moi qui a lieu à la Messe, il doit la continuer dans sa vie ordinaire, pour que cette vie soit intérieure, spirituelle et divine.

« Lorsqu'un prêtre n'est pas transformé en Moi, ou en voie de se transformer par de continuels efforts pour y arriver, il sera dans l'Eglise, mais, en un certain sens, séparé de l'intimité de l'Eglise, séparé de son Esprit, du noyau transformant de mon Eglise.

« Et combien y a-t-il de prêtres qui n'y pensent pas, qui ne le cherchent pas, qui ne mettent rien du leur pour l'acquérir ! Ils prennent la dignité incomparable du sacerdoce comme une profession matérielle quelconque ; or telle n'est pas la fin sublime et sainte du sacerdoce, qui consiste en la transformation parfaite en Moi par l'amour et par les vertus.

« Mon Père veut voir le prêtre transformé en Moi, non pas seulement à l'heure de la Messe, mais à toute heure ; de telle façon qu'en n'importe quel lieu, et à n'importe quelle heure le prêtre puisse dire en vérité, à l'intérieur de son âme, ces paroles bénies, constamment réalisées en lui par sa transformation en Moi : « Ceci est mon Corps ; ceci est mon Sang ». (J. 31 décembre 1927).

Autrement dit, pendant la Messe, le prêtre est transformé en Jésus Christ par l'action du Saint-Esprit, en tant qu'il est « instrument » et qu'il réalise l'action sacrée en vertu du pouvoir participé du Christ-Tête. Cela demande, exige, l'union par l'amour, pour être instrument *vivant* et entrer dans la parfaite communion avec le Christ. L'absence de charité n'invalide pas le sacrement, mais elle institue la plus absurde et abominable réalité.

La transformation demandée par le Christ est de réaliser dans la vie ce que l'Esprit réalise dans l'Eucharistie.

« Là se trouve le fond d'où procèdent tous les maux que Je déplore dans son Eglise : la transformation en Moi de ses prêtres lui manque. Sinon, dans quel état différent se trouveraient les peuples et les nations et les âmes. Etant matérialisées, elles sentent le manque de l'influence divine que le prêtre devrait leur communiquer et elles s'enfoncent et se précipitent par la sensualité et le manque de foi dans des abîmes insondables de maux.

« Si le démon a gagné du terrain dans ma Vigne c'est par le manque d'ouvriers saints dans cette Vigne. C'est à cause des prêtres tièdes, dissipés, mondanisés, sécularisés, qui se sont laissés entraîner par le courant et l'ambiance actuelle, sans y opposer de résistance, sans se faire violence et sans se préoccuper de ce qui devrait les préoccuper principalement : leur transformation en Moi » (J. 31 décembre 1927).

Transformation au Christ-Victime

« Ce qui manque à beaucoup de mes prêtres, c'est l'esprit de mortification, l'amour de la Croix, la connaissance des richesses que renferme la souffrance.

« Beaucoup prêchent la Croix et ils ne la pratiquent pas ; ils conseillent l'abnégation et le renoncement à soi-même et ils ne songent même pas pour eux-mêmes à ces vertus si nécessaires aux prêtres, car le sacrifice est un des points culminants et comme la base de la transformation en Moi qui fus Victime dès l'instant de mon Incarnation jusqu'à ma mort.

« Pour être agréable à mon Père, une victime doit être pure et sacrifiée. Ma vie entière se réduit à cette belle parole qui synthétise l'être du chrétien et plus encore celle du prêtre : immolation ! Je fus immolé volontairement sur la terre et Je continue cette vie d'immolation sur les autels.

« Je suis venu au monde pour sanctifier la souffrance et lui ôter son amertume ; Je suis venu pour faire aimer la croix, et la plus parfaite transformation en Moi doit se faire par la souffrance amoureuse, par l'amour douloureux.

« Ainsi donc, un prêtre qui veut s'assimiler à Moi comme c'est son devoir, doit aimer le sacrifice, doit viser à l'immolation volontaire, en se dévouant, en renonçant à soi-même et en se sacrifiant constamment en faveur des âmes.

« Prêtre veut dire qui s'offre et qui offre, qui s'immole et qui immole.

« Les prêtres doivent aimer la croix et être épris de Moi crucifié. Je suis leur modèle » (J. 1er janvier 1928).

Cette vie d'immolation, c'est la vie qu'exige le ministère, le service des âmes. Le prêtre est comme Jésus, le Bon Pasteur qui doit donner sa vie pour ses brebis.

« L'amour dont J'aime mes prêtres est infini ; Je demande qu'ils correspondent à mon amour, et puisque leur vocation dans mon Eglise est de sauver les âmes, ils doivent m'aimer, ils doivent posséder mon Esprit, s'imprégner de mon Esprit, vivre de mon Esprit, c'est-à-dire, vivre d'amour.

« Mais mon amour ne consiste pas seulement à faire quelques actes d'amour, mais à se donner à l'amour sans condition, pour toutes les immolations qu'exige l'amour de Dieu et l'amour des âmes.

« Je ne trompe pas. La transformation engage à la souffrance, à se vaincre, à se sacrifier, à mourir. Mais l'amour est plus fort que la mort, que cette mort qui donne la vie. Le Saint-Esprit me donna l'inclination à la Croix : depuis que Je l'ai embrassée volontairement, la Croix se convertit en amour » (J. 4 mars 1928).

« Le Saint-Esprit m'inspira la mort sur la croix. Cette mort fut une œuvre d'amour infini envers mon Père et envers les âmes, mais avec la fin si noble d'associer très spécialement à ma croix, à une vie de sacrifice, tous mes futurs prêtres, qui en étant d'autres Moi-même, faisant Un avec Moi, devraient perpétuer mon sacrifice en eux-mêmes et sur les autels pour honorer mon Père en m'offrant et en s'offrant eux-mêmes en Moi comme une seule Victime pure et sainte qui le glorifiera » (J. 12 décembre 1931).

La transformation dans le Christ exige d'être avec Lui en même temps prêtre et victime. La grandeur du prêtre est par essence une grandeur eucharistique.

Une oraison du Missel Romain exprime admirablement cette spiritualité :

« Reçois, Seigneur, ces dons que nous t'offrons, et en regardant ton Christ, Prêtre et Victime, accorde-moi, à moi qui participe de son Sacerdoce, la grâce de m'offrir chaque jour comme victime agréable en ta présence » (Oraison sur les offrandes pour le prêtre lui-même).

Le Saint-Esprit seul transforme dans le Christ

« Le Saint-Esprit seul sanctifie les prêtres ; ce divin Esprit seul les élève du terrestre au divin ; Lui seul est capable de pousser avec son souffle, les âmes sacerdotales vers l'héroïcité, vers la sublimité de leur vocation. Il est le lien délicieux et très pur qui unit éternellement la Trinité ; et aussi le lien, la chaîne douce et amoureuse qui doit unir doucement, comme tout ce qui est à Lui, les prêtres avec Moi, pour combler ce désir de mon Père, l'Unité dans la Trinité, par le Saint-Esprit.

« Combien Je désire le règne parfait de l'Esprit-Saint dans les cœurs de ceux qui sont à Moi ! Ce règne intérieur dans l'âme de mes prêtres, qui doit être son siège et son nid. Et s'ils sont d'autres Moi-même, mes prêtres doivent avoir mon Esprit même, le Saint-Esprit. » (J. 12 janvier 1928).

Dans l'unité du Saint-Esprit

Le dessein salvifique du Père en envoyant son Fils, fut d'unir tous ses enfants dispersés (cf. Jn *11,* 52) et de constituer un Règne de Prêtres avec les hommes de toutes les races, de toutes les langues et de toutes les nations. (cf. Ap *5,* 9).

« Je suis venu au monde dans le seul but d'unir tous les hommes dans l'Unité de la Sainte Trinité, par l'Esprit-Saint, c'est-à-dire par l'Amour » (J. 28 décembre 1927).

« En fondant l'Eglise, le Père n'eut qu'un but, l'unité, car ni en Lui-même, ni dans ses pensées éternelles, ni en sa création, ni en ses désirs, ni dans ses œuvres, Il ne peut avoir d'autres pensées ni d'autres intentions que l'unité. Par conséquent, quand Il fonda l'Eglise, son idée ne fut pas de faire des prêtres qui se séparent de l'unité, mais un seul Prêtre en Moi, un seul Saint en Moi, par l'Esprit-Saint » (J. 13 février 1928).

Dans un texte d'une densité doctrinale extraordinaire, St Paul souligne l'unité de l'Eglise : « Il n'y a qu'un Corps et qu'un Esprit, comme il n'y a qu'une espérance au terme de l'appel que vous avez reçu ; un seul Seigneur, une seule foi, un seul baptême ; un seul Dieu et Père de tous, qui est au-dessus de tous, par tous et en tous » (Eph *4,* 4-6). L'unité est le trait le plus divin de l'Eglise. Il n'y a donc pas lieu de s'étonner si l'esprit du mal s'efforce de la détruire.

« Le démon tend à désunir : ainsi brise-t-il la force. L'Esprit-Saint cherche à unir, à resserrer les liens paternels, filiaux et fraternels, dont le relâchement provoque tant de maux dans l'Eglise. Si Je suis dans l'Unité de la Trinité, pourquoi mes prêtres et mes pasteurs n'ont-ils pas une seule âme, un seul vouloir pour ma gloire, un seul cœur dans mon Cœur ?

« Je me suis offert en victime tout spécialement pour eux, et Je leur ai demandé seulement qu'ils persévèrent dans l'amour : or mon amour unit. Si Je désire que les hommes s'aiment les uns les autres, à plus forte raison Je veux que mes prêtres s'aiment entre eux, et que dans ce groupe d'élus, choisis particulièrement, Je n'aie pas à me lamenter des haines, des discordes, des séparations, des divergences de vouloirs et d'affections, toutes ces misères qui refroidissent, qui attiédissent, qui séparent les cœurs.

« Cette division dans mon Eglise est un mal terrible en soi qui peut arriver à provoquer un schisme. Ce qui est le plus douloureux à mon Cœur, ce que Je regrette le plus, c'est qu'en s'éloignant de mon commandement — aimez-vous les uns les autres — ils oublient que J'ai prononcé ces paroles en particulier pour mes prêtres, qui sont humains et par conséquent soumis aux passions humaines.

« Si J'ai dit qu'on reconnaîtrait qu'ils sont à Moi parce qu'ils s'aiment les uns les autres, cela veut dire que lorsque les âmes verront ce refroidissement entre eux, ce manque d'amour, le monde se scandalisera et ne les reconnaîtra pas comme mes disciples.

« J'insiste, et J'insisterai toujours, sur cette unité de la Trinité et sur cette unité de la charité qui est l'amour, qui est l'union par l'action de l'Esprit-Saint.

« Ce dont Je me plains est très humain : cette division entre les membres de l'Eglise, qui débouche sur des maux grands et profonds que Moi seul peux mesurer, c'est une descente vers le monde ; or mes prêtres ne sont pas du monde, ne doivent pas être du monde, ne peuvent pas suivre les maximes du monde ; il y a tant de choses matérialistes, de vices et de passions dans le monde, dont mes prêtres devraient être éloignés !

« Les divisions, le respect humain, les jalousies, se rechercher soi-même, et l'éloignement des cœurs : tout cela provient du monde.

« Le pape, les cardinaux, les pasteurs et les prêtres, toute la hiérarchie ecclésiastique, ne forment qu'un seul bloc divin, une pierre en Pierre, un roc contre lequel les vagues du monde et mes ennemis s'écrasent. Mais le bloc doit être un, il ne doit pas se diviser, de là sa force divine contre tout l'Enfer. Et ceci parce qu'il est protégé par l'unité du Tout, par l'unité de la Trinité. » (J. 22 avril 1928).

« J'insiste sur cette unité des vouloirs et des pensées en Moi. Bien sûr, les fleuves vont à la mer par différents chemins, et proviennent de différentes sources ; mais Je veux que dans mon Eglise, ces fleuves ne soient qu'un dans l'union de la charité, c'est-à-dire que mes évêques et mes prêtres ne forment qu'un seul fleuve qui débouche sur la mer qui est Moi. Je veux que mon Eglise dans ses affluents converge en vouloirs et en amour.

« L'unité, l'unité du jugement, des volontés en la mienne, voilà ce qui donne la paix à mon Eglise et aux cœurs.

« Combien d'évêques se lamentent du manque d'unité dans leur clergé, et non seulement autour d'eux, sinon entre eux, car leurs divergences d'opinions provoquent des manques de charité et des critiques qui blessent mon Cœur, qui est toute obéissance et charité.

« Si le sacerdoce a une si haute origine, qui se trouve dans le sein amoureux de la Trinité, il a le devoir inéluctable de s'assimiler à la Trinité, et tout particulièrement dans son unité. Et comme l'Eglise a été créée par la Trinité, elle doit aspirer et boire l'unité en Elle, se simplifiant en ma volonté manifestée par les supérieurs, c'est-à-dire par le pape et les évêques de qui dépendent les prêtres.

« Cette unité manque dans le monde, et de là proviennent tant de maux qui accablent la terre. Les âmes se détournent de leur centre, et de là toutes les tragédies qui oppriment l'humanité déchue. Voilà le point central et capital de sa ruine, vivre séparés de l'unité, suivant des doctrines erronées, dans l'orgueil des opinions, dans la multiplicité des sectes, dans le brouillard et l'obscurité des mélanges. Le jour où le monde retournera à son centre, *l'unité de la Trinité* dans son Eglise, ce jour-là le monde sera sauvé.

« Mais le plus triste, et ce qui me fait le plus de peine, c'est que même parmi les miens existe cette désunion qui les sépare du centre, de la Trinité toute simple et lumineuse, toute union sainte et parfaite, dans les trois Personnes Divines » (J. 28 novembre 1927).

L'unité ne peut être réalisée par le seul concours des forces humaines : c'est un don qui vient du ciel, et c'est pourquoi le Christ au moment culminant de sa vie, éleva une prière à son Père pour demander l'unité pour son Eglise.

« Dans cette supplication très tendre à mon Père, à la Dernière Cène, prière qui surgit du plus profond de mon âme, par laquelle J'ai voulu exprimer à mes apôtres, et en eux à mes prêtres de tous les temps, toute ma tendresse sublime et la quintessence de mon âme pour eux, J'ai demandé à mon Père ce qu'il y a de plus grand, de plus beau, *que nous soyons un,* consommés dans l'unité de la Trinité.

« Cette demande de la consommation de l'unité en mon Père et en Moi, n'est pas demeurée stérile, car en a découlé bien des grâces sur la terre, et en particulier en mes prêtres qui ont pu ainsi devenir d'autres Moi. Pour cette raison, pour cette seule raison, Je leur ai donné ma propre Epouse, l'Eglise, mais avec les mêmes devoirs de fidélité et d'amour très pur pour Elle ; avec le devoir de la servir, de la consoler, de lui donner des fils spirituels et saints, d'étendre son royaume, de respecter la hiérarchie, de réaliser entre eux dès la terre cette unité, écho de cette unité sainte, féconde et très pure, celle des prêtres en Moi, venant de l'unité dans la Trinité.

« Tout ce qui éloigne de cette unité est diabolique : tout ce qui ne tend pas à cette unité est faux ; tout ce qui se sépare de cette unité ne servira à rien dans les cieux » (J. 14 mars 1928).

Conchita éprouvera toujours envers les prêtres un profond respect et un amour de prédilection ; elle ne les critique pas, elle offre sa vie en expiation de leurs faiblesses et pour leur obtenir la grâce d'une éminente sainteté. Elle voit, ressent, se tait. Mais elle s'immole continuellement, victime pour l'Eglise, et surtout pour les prêtres.

« Offre-toi en victime avec Moi pour l'Eglise »

« Offre-toi en oblation pour mes prêtres. Unis-toi à mon sacrifice pour gagner des grâces. Il est nécessaire qu'en union avec le Prêtre éternel, tu accomplisses ton rôle de prêtre, m'offrant au Père pour obtenir grâces et miséricorde pour l'Eglise et pour ses membres. Te rappelles-tu combien de fois Je t'ai demandé de t'offrir en victime, en union avec la Victime, pour mon Eglise bien-aimée ? Ne vois-tu pas que tu es toute sienne parce que tu es mienne et que tu es à Moi parce que tu es toute à elle ? Précisément à cause de cette union spéciale qui te relie à mon Eglise, tu as le droit de participer à ses angoisses et le devoir sacré de la consoler en te sacrifiant pour ses prêtres. » (J. 24 septembre 1927).

Seul l'Esprit unifie

« Pour réaliser cet idéal d'unité de mon Père aimé, celui qu'Il a pour mes prêtres, le moteur indispensable et tout-puissant est l'Esprit-Saint. Lui seul, et uniquement Lui, peut renouveler la face de la terre, et unir les cœurs avec le Verbe, car Il est le lien d'amour ineffable entre le Père et le Fils : c'est Lui qui unifie l'Eglise parce qu'Il unifie la Trinité dans l'amour ; c'est Lui qui simplifie, parce qu'Il est l'Amour.

« L'amour est le seul à unir, à simplifier, à sanctifier ; l'amour seul réconcilie, embrasse, resserre les liens et les cœurs.

« L'amour est le moteur de l'Eglise et des sacrements ; c'est l'amour qui a engendré les prêtres dans le Père, car toute la Trinité est la seule essence et volonté sans principe : l'Amour, façonnant les prêtres, qui, s'ils furent engendrés de toute éternité dans la pensée du Père, naquirent sous l'impulsion des battements amoureux et douloureux de mon cœur sur la croix, et consumés du commencement à la fin par l'amour.

« Si tu vois l'unité dans une seule essence de la Trinité, alors tu verras comment l'Eglise est un reflet de la Trinité même, et comment toute son activité sur la terre se résume à réaliser l'unité d'un seul troupeau avec un seul Pasteur.

« L'unité est ce qu'il y a de plus beau pour Dieu, car l'unité le décrit, parce qu'Il est la suprême unité ; Dieu est très simple en son Etre et sa joie la plus grande, sa seule joie est de s'aimer Lui-même, être Trois Personnes en une seule substance et essence d'amour, bien que l'Amour se soit personnifié dans l'Esprit-Saint ; se réjouir en un seul point infini, qui le remplit tout, qui absorbe tout, qui produit tout ; âmes, mondes, produits de l'amour, d'un amour très pur qui surprend les cieux et fait que les êtres créés s'exclament : Saint, Saint, Saint, s'extasiant devant ces perfections infinies qui surprennent, bouleversent, divinisent et unifient en Dieu toutes choses.

« Pourquoi t'ai-Je parlé de cette unité très sainte, très haute, très parfaite, qui ravit Dieu même, éternel et infini dans ses perfections ?

« Parce que cette unité, produite par l'amour, reflétée par mon Eglise qui doit être *une* selon l'unité de la Trinité, n'existe pas chez beaucoup de mes évêques et mes prêtres... Je voulais te montrer cette peine qui afflige mon cœur de Dieu-homme ; le douloureux tableau de la désunion des volontés de tant de membres de mon Eglise.

« A quoi sert qu'à l'extérieur les volontés soient unies par respect humain, si à l'intérieur il y a désaccord, critiques, intrigues que Moi seul vois bien, mais qui parfois provoquent des scandales ? Cela m'afflige : ce manque d'union fraternelle, filiale, et même paternelle ; cela me fait mal ; de là tant de maux dont Je me lamente, et qui se font sentir dans mon Eglise, lui faisant du tort de bien de façons.

« Ils doivent travailler dans l'union, par l'unité des pensées et des dispositions. Mais que ceci soit vrai, non fictif ou par obligation ! On doit imiter la Trinité, en s'efforçant que tout l'Episcopat n'ait qu'un seul cœur et une seule âme, ne formant qu'une seule famille en Moi par mon Esprit, un seul désir en ma Volonté, et pas en apparence. Je le répète : mon regard va à l'intérieur.

« Les prêtres de même doivent harmoniser leurs volontés avec celle de l'évêque, en respectant ses décisions, sans dissensions ; et celui-ci doit éviter plus que personne des fautes de charité en ce point plus important qu'il ne paraît.

« Mais pour cela, J'insiste : il faut aller à l'Esprit-Saint, le Conciliateur qui unifie les intelligences et les volontés. Il reflète l'unité dans les âmes, parce qu'Il fait partie intrinsèque de l'unité par essence. L'Esprit-Saint, âme de l'Eglise, est le porte-étendard de l'unité, son principe, son centre et sa fin, car Il est Amour.

« Que les évêques et les prêtres recourent avec assiduité et un amour grandissant à l'Esprit-Saint, et Il sera leur lumière, leur direction, leur guide, pour les amener à l'unité.

« Je ne veux qu'un seul apostolat dans mon Eglise, une seule foi, une seule vérité, une seule fin. Un martyre, si tous portent témoignage ; une joie, si tous se réjouissent ; un triomphe, si tous réussissent ; un calvaire, si tous souffrent ; c'est-à-dire un lien de charité qui unit, le lien même qui forme l'unité par l'amour, l'Esprit-Saint. Un soleil, Jésus, Dieu-homme, qui les réchauffe, et un but, mon Père, puisque tout va à Lui par l'Esprit-Saint et par Marie » (J. 27 novembre 1927).

La Consommation dans l'Unité de la Trinité

La « consommation dans l'Unité » se réalise quand le chrétien, et en particulier le prêtre, *aime avec l'Esprit-Saint,* c'est-à-dire quand sa charité ne s'exerce pas suivant un mode humain sous l'influence de la prudence infuse, mais suivant un mode surhumain, sous le souffle de l'Esprit-Saint. La « charité perfectionnée par les dons » aime avec l'Esprit-Saint.

« L'Eglise est amour, elle est charité, parce que son origine et son être et sa vie procèdent de l'amour fécond du Père. C'est pour cela que les chrétiens doivent être amour, tout amour, élevés au sommet de l'unité par l'amour. Et qui est Amour, si ce n'est l'Esprit-Saint ? Cet Esprit fut mon Esprit, et par Lui, J'ai aimé le Père : de la même façon Je veux que mes prêtres et tous les chrétiens aiment le Père comme Je l'aime, avec le même Saint-Esprit : telle est la perfection de l'amour.

« C'est un amour qui vous unifie avec la Trinité, qui simplifie dans la sainteté, qui vous unit, qui engendre ce qui est saint et qui transforme en Moi, et réalise ce que mon amour souhaite, ce que mon Père désire : que tous les prêtres soient un seul prêtre en Moi, un seul Christ sur qui repose son regard amoureux et en qui Il se complaît.

« Comprends-tu qu'en fondant l'Eglise, ceci fut mon idéal ? Moi dans le pape comme chef et tous les prêtres ne formant en Moi qu'un seul Corps et une seule volonté avec celle de mon Père bien-aimé. Et après les prêtres, mes âmes choisies, tous les chrétiens doivent s'unifier en Moi, consommés dans l'Unité » (J. 5 juillet 1930).

IV. Une nouvelle Pentecôte

« En envoyant au monde une nouvelle Pentecôte, Je veux qu'il s'enflamme, qu'il se purifie, qu'il soit illuminé, embrasé et purifié par la lumière et le feu du Saint-Esprit. La dernière étape du monde doit se signaler très spécialement par l'effusion du Saint-Esprit. Il veut régner dans les cœurs et dans le monde entier, non tant pour la gloire de sa Personne que pour faire aimer le Père et porter témoignage de Moi, bien que sa gloire soit celle de toute la Trinité » (J. 26 janvier 1916).

« Dis au Pape que c'est ma volonté que dans tout le monde chrétien on supplie le Saint-Esprit, implorant la paix et son règne dans les cœurs. Seul cet Esprit-Saint pourra renouveler la face de la terre ; Il amènera la lumière, l'union et la charité dans les cœurs.

« Le monde sombre parce qu'il s'est éloigné de l'Esprit-Saint, et tous les maux qui l'affligent ont là leur origine. Le remède se trouve en Lui : Il est le Consolateur, l'auteur de toute grâce, le lien d'union entre le Père et le Fils et le suprême conciliateur puisqu'Il est charité, Amour incréé et éternel.

« Que tout le monde ait recours à cet Esprit-Saint parce que le temps de son règne est arrivé : cette dernière étape du monde lui appartient très spécialement pour qu'Il soit honoré et exalté.

« Que l'Eglise le prêche, que les âmes L'aiment, que le monde entier Lui soit consacré, et la paix viendra en même temps qu'une réaction morale et spirituelle, plus grande que le mal dont la terre est tourmentée.

« Que l'on commence tout de suite à appeler avec des prières, des pénitences et des larmes ce Saint-Esprit, avec le désir ardent de sa venue. Il viendra, Moi Je l'enverrai une autre fois d'une façon évidente en ses effets, qui étonnera le monde et poussera l'Eglise à la sainteté. » (J. 27 septembre 1918).

« Demande cette reprise, cette « nouvelle Pentecôte », car mon Eglise a besoin de prêtres sanctifiés par le Saint-Esprit. Le monde s'enfonce dans l'abîme parce qu'il manque de prêtres qui l'aident à ne pas y tomber ; de prêtres de lumière pour éclairer les chemins du bien ; de prêtres purs pour retirer de la fange tant de cœurs ; de prêtres de feu qui remplissent l'univers entier d'amour divin.

« Demande, supplie le ciel, offre le Verbe pour que tout soit restauré en Moi par le Saint-Esprit » (J. 1er novembre 1927).

« Je veux revenir au monde dans mes prêtres ; Je veux renouveler le monde des âmes en me faisant voir Moi-même dans mes prêtres. Je veux donner une puissante impulsion à mon Eglise en lui infusant comme une « nouvelle Pentecôte » le Saint-Esprit dans mes prêtres » (J. 5 janvier 1928).

« Pour obtenir ce que Je demande, tous les prêtres doivent faire une consécration au Saint-Esprit, en Lui demandant, par l'intercession de Marie, qu'Il vienne à eux comme dans une « nouvelle Pentecôte », et qu'Il les purifie, les remplisse d'amour, les possède, les unifie, les sanctifie et les transforme en Moi » (J. 25 janvier 1928).

« Un jour non lointain, au centre de mon Eglise, à Saint Pierre, aura lieu la consécration du monde au Saint-Esprit, et les grâces de cet Esprit Divin se déverseront sur l'heureux pape qui la fera.

« C'est mon désir que l'univers soit consacré à l'Esprit-Divin pour qu'Il se répande sur la terre dans une « nouvelle Pentecôte » (J. 11 mars 1928).

5

Les abîmes de la Trinité

«Dans la clarté de ces
lumières je contemple
les abîmes de la Trinité.»

Le caractère trinitaire de toute la vie et de toute la doctrine de Conchita est un des aspects les plus admirables et profonds de sa spiritualité.

L'éclosion en elle du baptême, et le développement progressif de sa grâce personnelle sous l'action du Saint-Esprit la poussent à l'identification, à la transformation au Christ Prêtre et Victime pour continuer son oblation d'amour pour la gloire du Père en faveur des hommes. Toute la vie spirituelle de Conchita s'épanouit sous le signe de la Trinité.

Dès les premières pages de son Journal un appel de la grâce se manifeste qui l'emporte vers les profondeurs de la vie intime de Dieu. A mesure qu'elle progresse dans la vie spirituelle, elle reçoit des lumières spéciales, et parvenue à la pleine vie d'union, l'action des dons d'intelligence et de sagesse l'immerge dans les abîmes de la Trinité.

Les pages que Conchita écrivit sur la Trinité sont les plus sublimes de son Journal, elles rempliraient un livre entier. Nous avons été obligés, à regret, de tirer seulement quelques textes du trésor de sa doctrine.

I. « J'AI UNE GRANDE DÉVOTION ENVERS LA TRÈS SAINTE TRINITÉ. »

Sa relation vivante avec les divines Personnes suit une ligne constamment ascendante.

Dès les débuts mêmes de sa vie spirituelle, le Seigneur la conduit d'une façon très consciente et pratique à orienter son existence à la gloire de la Sainte Trinité : « Remplis ta vie, heure par heure, sans penser à la suite, comme si c'était ta dernière heure ; remplis-la, abandonnée à ma volonté, ne cherchant qu'à me plaire. Répète ceci : « Que votre volonté soit faite, ô Père, Fils et Saint-Esprit. Gloire à vous Très Sainte Trinité ! » (J. 1893).

La vision de la Croix de l'Apostolat — symbole de la spiritualité et de la doctrine de la Croix — est toute enveloppée dans un profond sens trinitaire ; Conchita entrevoit cela, et, se tournant vers Jésus, elle écrit : « ... le Père avec son approbation, Toi renfermé dans la Croix, et l'Esprit-Saint comme Protecteur... toute la Trinité va diriger cette Œuvre » (J. mars 1894).

L'effet de cette action sanctificatrice de Dieu se manifesta en Conchita qui écrivit peu de temps après :

« Me voici toute envahie par Dieu. J'ai une grande dévotion envers la Très Sainte Trinité. Je lui ai consacré ces trois jours avec toute mon âme. Hier, le Père... aujourd'hui Jésus... et demain l'Esprit-Saint, que j'aime tant. Je l'ai senti souvent penché sur moi avec ses rayons de lumière, me faisant expérimenter une sensation ineffable qui me berce, m'enchante et me remplit d'une onction qui me transporte. » (J. 19 mai 1894).

« *Toute la Trinité est amour* »

Du centre de perspective de sa grâce personnelle, le mystère de la Croix, Conchita contemple, à la lumière du Saint-Esprit, le mystère de ce Dieu qui se tourne vers nous. C'est un texte capital parce que dès le commencement il nous donne la clef de l'interprétation de toute la doctrine de la Croix :

« La substance du Père est Amour et si grand est son amour pour l'homme qu'Il a donné son propre Fils pour la Rédemption du monde. La substance du Fils est Amour et un amour si grand, aussi bien pour le Père que pour les hommes, qu'Il s'est livré Lui-même à la souffrance pour les sauver, à l'honneur du Père.

« Quant à Moi, la troisième Personne, ma substance est l'Amour, concourant avec le Père et le Fils à la gloire de la Trinité, prenant part au mystère de l'Incarnation, accompagnant Jésus durant toute sa vie, attestant sa divinité et scellant l'œuvre de la Rédemption, protégeant l'Eglise, mon Epouse immaculée.

« La substance du Père est Amour et puissance. Ma substance est Amour et vie, la substance du Fils est Amour et souffrance. La substance des Trois Personnes divines est Charité, c'est-à-dire, l'Amour le plus pur qui se communique. Voilà pourquoi on L'appelle Charité, à cause de ce don de soi. C'est le plus parfait amour de charité.

« La souffrance, ou la Croix divinisée par le Fils, est la seule et unique échelle pour s'élever jusqu'à l'amour de charité. Comprends-tu maintenant la valeur de la Croix ? Les plus crucifiés sont ceux qui aiment le plus, parce que la souffrance, emblème de Jésus, attire à elle les Trois Personnes divines. Nous habitons dans cette âme et J'y établis ma demeure. » (J. 9 juillet 1895).

Trinité et Incarnation

« Je suis le Chemin, dit Jésus, nul ne va au Père que par Moi » (Jn *14,* 6).

Le mystère de l'Incarnation conduit Conchita vers les profondeurs de Dieu.

« Le Seigneur éleva ensuite mon esprit à la contemplation de l'Incarnation du Verbe. Il me fit comprendre des choses très profondes au sujet de la Très Sainte Trinité, dont Il est la seconde Personne.

« De toute éternité le Père existait. Il a produit du tréfonds de Lui-même, de sa propre substance, de son essence même son Verbe. De toute éternité aussi, dès le commencement le Verbe était Dieu, comme le Père était Dieu, les deux Personnes ne constituant qu'une seule substance divine. Mais jamais en aucun instant ces Personnes divines, le Père et le Fils, n'existèrent seules, ou ne furent que deux. En cette même éternité, bien que provenant du Père et du Fils, existait l'Esprit-Saint, reflet, substance, essence du Père et du Fils et, également, Personne. Le Saint-Esprit est un reflet divin au sein de l'Amour Lui-même. Il est le reflet de la lumière au sein d'une même lumière, le reflet de la vie à l'intérieur de la Vie elle-même, et ainsi de toutes les perfections infinies au plus intime de la perfection éternelle.

« Cette communication de la même substance, de la même essence, de la même vie et des mêmes perfections qui forment et qui sont en réalité une seule et même essence, substance, vie et perfection, constitue la félicité éternelle d'un unique Dieu et les complaisances sans fin des Personnes de l'auguste Trinité.

« O que notre Dieu est grand, immensément grand, et en Lui quels abîmes incompréhensibles pour l'homme et même pour les anges ! En présence de cette grandeur, je me sens comme l'atome le plus minuscule ; mais à sentir mon âme infinie, capable de recevoir un faible reflet de cette même grandeur, elle se dilate, toute joyeuse de contempler la félicité, l'éternité, l'immensité incompréhensible de son Dieu.

« Et c'est là qu'est le Verbe ? Je me dis toute émue : c'est de ce trône qu'Il descendra au vil atome de la terre ? O mon Dieu éternel, comment accepter une telle condescendance ?

« Jésus poursuivit : « Le Verbe, la seconde Personne de la Très Sainte Trinité est descendu dans le sein très pur de Marie et, par l'opération du Saint-Esprit, qui l'a rendue féconde, le Verbe s'est incarné et Il s'est fait homme ! Abaissement tellement profond que seul l'amour d'un Dieu pouvait le réaliser.

« J'entendais sur ce merveilleux et si sublime mystère des choses si profondes qu'elles sont seulement pour mon âme, car je ne peux les expliquer à d'autres, faute de paroles » (J. 25 février 1897).

Il faut souligner que les lumières qu'elle reçoit ne causent pas en Conchita une connaissance purement abstraite. Il ne s'agit pas d'une spéculation sur Dieu, mais d'une expérience d'amour qui perçoit dans la profondeur de la vie intime de Dieu la raison d'être d'un amour pour les hommes poussé jusqu'à la « folie de la Croix ».

II. Ses premières expériences

La vie de la grâce est un progrès incessant : aussi l'aspect caractéristique et personnel de Conchita dans ses relations avec les Personnes divines n'apparaît pas nettement au début. Voici comment elle nous décrit ses premières expériences :

« J'ai eu dans quelques oraisons des points inexplicables de connaissance de Dieu (je ne sais comment le dire) dans la Très Sainte Trinité... Expérimenter ce qu'Il est (non le comprendre)... Sorte d'ébauche de son essence si pure... dans ce Tout-Unité... dans sa génération éternelle... dans ses attributs... immensité... bonté... justice... mais tout cela comme dans un point, point de lumière intérieure d'une douceur inexplicable : non pas d'une douceur comme celle provenant d'autres oraisons, mais beaucoup plus élevée et pure qui fait sortir l'âme ou la suspend mais avec une claire connaissance de Dieu qui l'enveloppe, oubliée de tout, même de soi.

« Je souffre quand je vois certaines peintures ou représentations de la Très Sainte Trinité. Oh ! ce n'est pas comme cela, ce que j'éprouve ! Dieu est lumière, pureté, parfum divin, rassemblement de beauté, foyer de toute perfection, paix, candeur ; Il est amour, amour, amour, bonheur incompréhensible, éternité sans temps, un point qui embrase et absorbe tout, éblouissant, majestueux et excessivement doux, qui attire tout et se communique toujours... sans jamais diminuer sa plénitude !...

« Oh ! que cette éternité sans temps est profondément imprimée dans mon cœur ! Ce Dieu, Dieu trois fois saint, saint, saint, que je ne comprends pas mais que j'expérimente, qui donc serait capable de dire ce qu'Il est, si même au ciel il n'existe pas de langage pour l'expliquer ?

« Sentir, cela me fait peur ; mais tout d'un coup, je me sens submergée dans cet océan de ravissantes perfections, dans cette éternité de beauté et de bonheur personnel ! Je vois les trois divines Personnes se communiquer cette complaisance éternelle qui se produit toujours (dirais-je pour m'expliquer) et à chaque instant en se contemplant elles-mêmes... Je sens ou je vois avec l'âme (je ne sais comment le dire) un éternel abîme d'éternelles perfections, toujours nouvelles, dans lesquelles se réjouissent les trois divines Personnes. Toutes les Trois ont, me dit le Seigneur, le très pur bonheur de la communication. Elles sont trois Personnes mais avec une seule substance divine, égales en pouvoir, sagesse, bonté et tous les autres attributs !... Oh que Dieu est immense, qu'Il est bon, qu'Il est saint, qu'Il est pur ! Il est Amour : à cela revient tout ce que je peux dire » (J. 14 mai 1898).

III. VERS L'UNION

Comme préparation immédiate à la pleine vie d'union, Conchita reçoit de remarquables lumières sur la Trinité.

Un seul Dieu en trois Personnes

« Il n'existe pas deux Dieux ni trois mais un Seul Dieu en Trois Personnes divines. J'ai compris cela avec une grande clarté. Je voyais qu'il devait en être ainsi, et qu'il existait pour cela une raison admirable. (Je ne sais si j'explique bien ce que je voudrais dire).

Le Seigneur a continué : « Il n'y a pas trois lumières, mais une seule lumière, éternelle et égale dans les trois Personnes divines. La formule « Dieu de Dieu » veut dire qu'il y a l'égalité ; en même temps elle veut aussi indiquer le même Etre communiqué au Verbe ; et, dans un reflet de ce foyer éternel de grandeur, de lumière et de perfections infinies, est produit l'Esprit-Saint, terme et pour ainsi dire conclusion de ce mystère divin, mais non moindre que le Père et le Fils : rien, absolument rien, ne Lui manque, mais les Trois Personnes, égales, dans une seule et même essence divine, ne forment qu'un seul foyer, un seul Etre sans commencement et sans fin. Aucune des Personnes n'est antérieure ou supérieure à l'autre, mais les Trois éternelles dès le commencement, oui, éternelles et dans une véritable communication, sublime, admirable, qui constitue la félicité du seul Dieu.

« J'explique cela en de pauvres paroles humaines parce qu'il n'existe — et je pense qu'il ne peut exister — aucun langage créé qui puisse exprimer l'inexprimable » (J. 2 février 1897).

L'infinie pureté de la Trinité

« Aujourd'hui, à l'église, le Seigneur ne m'a pas laissée prier ni ouvrir mon livre. Dès que je L'ai reçu dans la sainte communion Il m'a établie dans un grand recueillement, élevant mon âme à une autre atmosphère, bien loin de la terre.

« J'ai compris, je ne sais comment, quelque chose de l'infinie pureté de Dieu et comment, dans la génération éternelle du Verbe, le Père éternel Lui communique sa propre substance et essence, l'essence du Père étant la pureté même. Mais par ce mot « pureté », au sens de transparence divine, je désigne une clarté, une blancheur, une lumière que je ne trouve aucune parole pour exprimer, car toute lumière est obscurité en comparaison de cette clarté divine : le blanc paraît noir et le soleil lui-même comme une tache d'encre. O mon Dieu ! O splendeur éternelle ! Comment expliquer l'inexplicable dans un langage humain ? Beauté sans tache toujours ancienne et toujours nouvelle, splendeur ineffable dont les sens corporels ne pourraient supporter l'éclat. Et moi, je voyais, ou je sentais tout cela, mais au plus profond de mon âme.

« Je voyais Dieu le Père (goûtant une joie éternelle en Lui-même dans ses perfections infinies, en une complaisance indicible) se reproduire avec toute l'ardeur de sa pureté en la seconde Personne divine, qui est le Verbe.

« Je voyais ce Verbe comme un reflet parfait et complet du Père. Dans l'élan éternel de ce très saint Amour divin qui existe entre le Père et le Fils, je voyais leur lien de lumière et d'amour : l'Esprit-Saint, inséparable du Père et du Fils, bien que constituant une personne distincte, un véritable « terme d'amour » — si l'on peut appeller « terme » ce qui est infini — oui, « terme », puisque dans cet échange entre les Personnes divines. Il parcourt son orbite, rendant par là les trois Personnes divines parfaitement heureuses. Je ne sais comment expliquer cela. J'ai tout saisi en un instant, sans mesure de temps ni division, et cependant dans la distinction de ces Personnes de l'adorable et Très Sainte Trinité.

« O Trinité bienheureuse ! Qui donc sera capable de te comprendre, si par un seul rayon émanant de ta transparence l'âme est déjà toute absorbée ? Quelle est donc, oui, quelle est donc ta nature ? » (J. 28 août 1898).

L'intimité avec le Dieu vivant, avec le Père, le Fils et le Saint-Esprit est caractéristique de la vie d'union. Conchita a reçu des grâces éminentes de cet ordre-là. C'est pourquoi la Très Sainte Trinité constitue le centre de sa vie.

« La Trinité : centre de ma vie »

« Dans l'abîme de ma misère et à l'encontre de ma volonté, mon esprit brise les attaches qui le retiennent à la terre de mon néant, et s'échappe. Il s'élance vers le trône divin de la Très Sainte Trinité comme si c'était là son centre et sa vie, là, à l'intérieur de la Vie même. Que dois-je faire si mon esprit ne peut trouver sa satisfaction dans les petites flaques d'eau que je lui présente, sinon chercher l'Océan sans limites et sans rivages, son Dieu et Seigneur ? J'enferme mon esprit dans le puits étroit de la connaissance de soi-même, mais de cette profondeur il prend son vol et s'élance jusqu'à cette immensité de son Dieu, lieu unique où il puisse trouver son rassasiement et respirer.

« Pourquoi en moi qui suis si faible, si petite et si corrompue, pourquoi dans mon âme si misérable, ces envols, cette soif et cet étouffement en tout ce qui manque de grandeur et en tout ce qui n'est pas Dieu ? Si je ne suis pas capable de contenir une minuscule gouttelette d'eau, pourquoi ce désir d'envelopper l'océan ? Si je ne suis qu'un point dans l'espace, comment est-il possible, comment me vient-il à la pensée, d'étreindre l'Immensité éternelle ?

« Ce qui se passe, ô mon Dieu — voilà que je le comprends — c'est que la goutte d'eau se perd dans l'océan et le néant dans l'Infini. C'est-à-dire : ce n'est pas seulement Dieu qui entre en moi, même quand Il y pénètre et prend possession de mon âme, c'est moi aussi qui entre en Lui. Mieux : je ne suis pas digne d'entrer et je m'arrête à la porte, mais Lui me prend dans ses bras et m'introduit dans ces régions inconnues au monde matériel. Et avec quelle rapidité l'âme parcourt ces distances ! Elle connaît, elle voit, elle entend, sans connaître, sans voir ni entendre. Elle se trouve toute rassemblée en un point, mais un point infini et éternel, un point d'amour incréé. Là seulement elle respire la vie, elle est comblée et heureuse, en dehors du temps » (J. 31 mai 1899).

IV. Trinité et incarnation mystique.

La doctrine des spirituels est en rapport étroit avec leur vie et leur expérience de Dieu est la réalisation de la mission que l'Esprit-Saint leur assigne.

Si Conchita reçoit des lumières si élevées, ce n'est pas directement en vue d'un enseignement à communiquer ou d'un magistère à exercer, mais afin qu'elle puisse d'abord vivre en profondeur sa grâce personnelle et parvenir à la sainteté à laquelle Dieu l'appelle pour le profit spirituel de bien des âmes.

La grâce éminente de l'incarnation mystique apportera ses

nuances à sa vie d'intimité avec les Personnes divines. Cette grâce, nous l'avons déjà dit, est une grâce de transformation dans le Verbe Incarné qui glorifie le Père et rachète les hommes, dans le Christ Prêtre et Victime. Elle se trouve à la base de l'existence chrétienne, puisque le Père « nous a prédestinés à reproduire l'image de son Fils » (Rm *8*, 29) et par conséquent à « Lui offrir nos personnes en hostie vivante, sainte, agréable à Dieu ; c'est là le culte spirituel que vous avez à rendre » (Rm *12*, 1). Sous le signe du Fils, l'Eglise entière entre en communion avec la vie intime de la Trinité.

La grâce centrale de Conchita suppose, de sa nature, des relations personnelles avec chacune des Personnes divines. Il s'agit d'une grâce éminemment trinitaire.

« Ne crois pas que dans les incarnations mystiques du Verbe c'est Moi seul qui agis, mais la Trinité des Personnes divines, chacune d'elles opérant suivant ses propriétés : le Père, comme Père, engendrant ; le Verbe comme Fils, naissant ; et le Saint-Esprit fécondant cette action divine dans l'âme » (J. 22 septembre 1927).

De cette action de la Trinité qui achève la configuration au Christ Prêtre et Hostie découle la nécessité de vivre en parfaite identité les sentiments les plus intimes de son Cœur, dans une constante offrande d'amour. Offrir le Christ et s'offrir en son union au Père sous la motion du Saint-Esprit pour le salut des hommes, tel est l'acte propre et caractéristique de l'incarnation mystique.

Afin que Conchita puisse vivre consciemment et pleinement sa grâce centrale, le Seigneur lui montra la façon concrète et pratique de vivre dans l'intimité des divines Personnes.

La Chaîne d'Amour

« Moi, depuis le moment de mon Incarnation dans le sein très pur de Marie, J'acquérais les grâces : Je veux que toi, transformée en Moi, vivant de ma propre vie, tu ne fasses désormais autre chose. Tu dois t'oublier toi-même, et le jour et la nuit tout offrir pour le salut et la perfection des âmes.

« Ecoute, tu vas faire une chaîne : chaque heure de ta vie en sera un maillon d'or, si tu l'offres à cette intention, et Je veux qu'elle ne s'interrompe qu'à ta mort.

« Cette chaîne commencée en Moi, la chaîne d'expiation sur la terre, se changera en grâces. J'ai commencé cette chaîne avec mon Incarnation, et comme un reflet d'elle dans ton cœur, j'ai voulu t'y associer par pure bonté. »

La Chaîne, c'est vivre « en Christ-Jésus » avec ses mêmes intentions de salut. L'Amour est le principe qui anime tout.

« Toutes les vertus qui ne sont pas enveloppées par l'amour ne seront pas comprises dans cette chaîne qui m'attache, Verbe, à la terre, et que tant d'ingratitudes n'ont pu rompre. Qui donc, crois-tu, l'a envoyée à la terre ? L'Esprit-Saint le jour de l'Incarnation en Marie » (J. 4 juin 1906).

« Tu es autel et prêtre en même temps parce que tu possèdes la très sainte Victime du Calvaire et de l'Eucharistie, que tu peux offrir constamment au Père éternel pour le salut du monde » (J. 21 juin 1906).

A l'oblation du Christ elle doit unir sa propre oblation.

« Tu dois faire l'office de prêtre mais en te sacrifiant toi-même simultanément. Voici le vrai sacerdoce : être victime avec la Victime » (J. 17 juillet 1906).

La Chaîne d'amour commence avec l'insertion dans la vie intime de Dieu au baptême. Cette grâce d'adoption filiale devient personnelle et consciente et elle exige normalement une identification progressive avec le Christ Prêtre, centre de tout le dessein salvifique du Père. Quand on porte un regard de théologien sur la spiritualité et la doctrine de la Croix, ce qui frappe le plus c'est le fait qu'elle jaillit de l'essence même du christianisme.

La vie intime de Dieu qui est Père, Fils et Saint-Esprit se rend manifeste dans son attitude envers nous. Dieu est Amour qui se répand et déborde librement et gratuitement pour sauver ce qui était perdu, dépassant l'obstacle que la liberté avait élevé à l'expansion du Bien divin.

Le Père par amour nous donne son Fils. Le Fils par amour nous donne sa vie. L'Esprit-Saint est en même temps le principe en Dieu et le fruit en nous du dessein salvifique. La Croix glorieuse est la suprême épiphanie du mystère du Dieu vivant.

Cette révélation est une Parole adressée à l'homme qui par nature est interpellation, appel, exigence amoureuse de réponse.

Quand l'homme sous l'initiative divine s'ouvre à son action, alors des relations vitales de dialogue surgissent en lui, qui correspondent au mouvement de l'Amour descendant.

« La charité qui a été répandue dans nos cœurs par l'Esprit-Saint qui nous fut donné » (Rm *5, 5*) nous pousse à nous identifier au Christ dans son attitude de donation et d'oblation en faveur de tous les hommes pour glorifier le Père de qui procède tout bien : de cette façon se rétablit le flux et reflux du Bien divin communiqué à l'homme. C'est une chaîne qui nous relie à Dieu, non pas une chaîne de servitude ou de simple dépendance comme créature, mais une « Chaîne d'Amour ».

C'est une synthèse de l'expérience fondamentale de l'existence sauvée que mènent les membres du Corps mystique du Christ, expérience vécue de l'incarnation mystique qui trouve sa consommation dans l'Unité de la Trinité.

La Chaîne d'Amour est aussi l'exercice du sacerdoce spirituel par lequel toutes les œuvres, les prières et les entreprises apostoliques, la vie conjugale et familiale, le travail de chaque jour, le repos de l'âme et du corps, sont faits parfaitement dans l'Esprit. De même, les peines de la vie, si elles sont supportées avec patience, deviennent des hosties spirituelles acceptables à Dieu par Jésus Christ (cf. L.G. N° 34 ; I P *2, 5*).

Ce sacerdoce spirituel culmine dans la célébration de l'Eucharistie : « participant au sacrifice eucharistique, source et sommet de toute la vie chrétienne (les fidèles) offrent à Dieu la divine victime, et eux-mêmes avec elle » (L.G. N° 11).

Il est évident que dans la mesure où la vie chrétienne devient plus intense, le sacerdoce spirituel s'accomplit avec une qualité et une perfection plus grandes et parvient à être un contact vivant et continuel avec les divines Personnes.

« Tu dois vivre en contact continuel avec la Trinité »

« Tu dois vivre en contact continuel avec la Trinité, unie aux trois Personnes divines par la grâce de l'incarnation mystique : avec le Père en lui offrant son Verbe, avec le Fils, pour faire les délices du Père, avec l'Esprit-Saint en le prenant pour ton esprit, l'inspirateur de tes sentiments et de tout ce que tu es, te transformant parce que possédée par Lui.

« Tu dois vivre, respirer, travailler, dans le sein de ces trois Personnes divines. Elles doivent constituer ton atmosphère, ton souffle, ton existence. Ainsi, tu sanctifieras ta vie et ce que tu es, divinisant tout ton être et chacun de tes pas vers le ciel.

« Dès aujourd'hui, tu dois vivre davantage dans cette intimité avec la Trinité, puiser en Elle lumière, manière de te comporter, force, grâce et tous les secours nécessaires pour accomplir ta mission sur la terre. Tu ne dois pas laisser là-haut, comme sur un trône et très éloignée cette Trinité de Personnes, mais vivre, respirer et demeurer dans son sein, sous son influence féconde, dans le rayonnement de sa divinité, à l'ombre de sa grâce. Si tu es la propriété de l'Esprit-Saint, s'il te possède vraiment, tu ne pourras te séparer de Lui, mais au contraire, tu resteras unie très intimement avec le Père et le Verbe.

« Si dans ton âme s'est opérée l'incarnation mystique, là, attirés par le Verbe, se retrouveront le Père et l'Esprit-Saint. Si, de cette manière si intime l'Esprit-Saint et le Verbe te divinisent, s'ils t'envahissent, le Père, qui par nature tient la première place en ces opérations, t'unira à Lui, de qui procède toute fécondité et puissance, t'attirant par une grâce de filiation spéciale, t'ensevelissant dans son éternité de perfections.

« Pauvre petite créature de la terre, combien tu es redevable à la Trinité !... Vis une vie toute divine sans jamais laisser ton âme se souiller par la moindre poussière, passant en ce monde, laissant derrière toi un sillage de vertus et de bonnes œuvres. Si tu divinises ainsi ta vie, tu gagneras une surabondance de grâces pour les âmes et tu me donneras beaucoup de gloire » (J. 11 juin 1911).

« Je contemple les abîmes de la Trinité »

Le contact continuel, la vie d'intimité avec les Personnes divines entraînent à leur suite un accroissement des principes dynamiques de la vie spirituelle. L'Esprit-Saint par son action sanctificatrice et illuminatrice perfectionne les vertus théologales, et en raison de la connaturalité de l'amour, produit dans l'âme une quasi-expérience du Dieu vivant.

« Dans la clarté de ces lumières qui tiennent mon âme comme absorbée en Dieu, en un instant je contemple les abîmes et les splendeurs de la Trinité, d'une manière toute spéciale, profonde, inexplicable : tantôt son Unité, son Essence ou son Eternité, tantôt la génération éternelle du Verbe et le plan de la Rédemption, tantôt ses attributs, son bonheur, ses perfections infinies. Je découvre en Elle une seule Essence dans la multitude de ses perfections. D'autres fois, je La vois comme un prisme, comme un cristal dans lequel se reflètent toutes les couleurs de la lumière, avec cette différence que la Très Sainte Trinité n'est pas un reflet mais la Lumière même. Oh ! que de merveilles expérimente mon âme en ces abîmes de lumière ou plutôt sur ces sommets divins, ma pensée ne saisissant qu'un point minuscule de l'incompréhensible !

« En d'autres circonstances, je La vois comme un océan immense de grâces : mille fleuves jaillissent de cet océan et ils reviennent se perdre en lui. Je La vois comme la grâce d'où jaillissent toutes les grâces. Je contemple aussi la Trinité comme une source limpide aux mille jets d'eau éblouissants qui, après avoir enchanté la Source même et ravi tous les spectateurs, vont de nouveau se perdre en elle et se confondre avec les eaux de la Source-même. Je contemple ainsi les Perfections de la Très Sainte Trinité, ses grâces, sa beauté, ses splendeurs jaillissant d'elle sans jamais en sortir, et retournant en elle sans plus en revenir, perpétuellement ravie de ses charmes. Mais finissons-en avec ces métaphores : il n'y a ni source, ni prisme, ni océan, mais tout cela et toutes les valeurs réunies sans passé ni futur. Oui, la Trinité est vivante. Elle se meut, Elle est heureuse dans sa vie propre, dans son Etre et sa félicité éternelle.

« Oh ! qu'Elle est grande, la Très Sainte Trinité ! Que son unité de substance est belle ! Le Seigneur m'a fait voir comment il y a Trois Personnes, mais divines, ne constituant qu'une seule Essence, une même Substance, une seule Divinité, car il ne peut y avoir plusieurs dieux, mais une seule Divinité, forme et substance éternelle de toutes les perfections » (J. 19 juillet 1906).

V. De l'union a l'unité

On ne peut imaginer la transformation au Christ comme une réalité statique. La vie divine, communiquée à l'homme dans son pèlerinage terrestre, est de soi en constant progrès.

Dès le début de toute vie chrétienne, par la nouvelle naissance « de l'eau et de l'Esprit » commence la transformation au Christ, mais ce n'est qu'une transformation initiale, un germe qui doit se développer.

Même sur les sommets de la vie spirituelle ce progrès vital continue. La vie d'union monte encore vers l'unité, unité non pas certes dans l'ordre de l'être, mais dans l'ordre intentionnel de la connaissance et de l'amour.

« Ecoute : il existe beaucoup de degrés progressifs dans la transformation : le plus haut degré sur la terre correspond à une transformation de la créature non seulement dans son mode de penser et d'agir qui devient divin, mais qui, en un certain sens, la fait disparaître et s'anéantir pour Me faire place.

« Ce degré est l'œuvre du Saint-Esprit seul qui devient l'âme de cette âme et la vie de ce corps.

« Ce point là qui amène à l'union, bien plus, à l'unité, est le point de perfection qui rapproche le plus de la Trinité.

« La créature laissée à elle-même serait incapable d'atteindre ce degré sans l'aide si puissante de Celui qui est la Source inépuisable des grâces, le Saint-Esprit. L'incarnation mystique attire le Saint-Esprit. Aimant puissant et divin du Verbe qui possède l'âme. Transformation dans la partie la plus intime et la plus noble de la créature » (J. 6 août 1912).

Lumières sur l'Unité de la Trinité

« 9 avril. Aujourd'hui, dans mon oraison, le Seigneur m'a donné des lumières rayonnantes de clarté sur l'Unité de la Très Sainte Trinité. Quel abîme de perfections ! quelles délices en Dieu ! Que sera le ciel, mon Dieu ?

« 11 avril. Aujourd'hui, le Seigneur a enveloppé mon âme dans les profondeurs de sa lumière incréée. Il m'a fait pénétrer dans ces abîmes de lumière des perfections de la Très Sainte Trinité. Il m'a dit : « Regarde et sois attentive. Toutes les perfections de Dieu sont infinies, mais elles se fondent en une seule : dans l'Unité. Cette Unité contient toutes les richesses éternelles. La plus haute perfection des âmes consiste à se simplifier, à éliminer la multiplicité des objets et des choses, pour approcher ainsi cette Unité par essence, féconde en son éternité, qui sans mouvement se multiplie dans son immutabilité en un instant éternel. Il y a Trois Personnes divines mais une seule Essence, une seule Substance, une éternelle et indivisible Unité. Précisément en cette Unité se trouve le secret de sa fécondité : plus les âmes s'unifient avec cette Unité par l'union, plus ces âmes sont fécondes, parce que, dans la mesure où elles se rapprochent de la Très Sainte Trinité, c'est la surabondance de la lumière, de la grâce et des dons, qu'elles reçoivent d'Elle. Dans cette belle et divine Unité, les Trois Personnes divines et les bienheureux trouvent leur béatitude. Dans cette Unité se trouvent renfermés tous les biens de la terre et du ciel, toutes les grâces, tous les êtres créés et tous ceux qui seront créés dans l'avenir ; elle est le foyer éternel de tout mouvement et de tout être. Elle est l'Amour, Elle est Dieu.

« Simplifie ton esprit. Ote de lui toutes les complications venant des créatures et des choses. Aime-Moi dans l'Unité ; vis, respire, agis, fais que toutes les vertus et tous les dépouillements de toi-même tendent vers cette Unité... Tu dois vivre dans cette Unité par essence, en ce Dieu Unique, rassemblant ta vie spirituelle en un seul Amour : Lui ; en une seule volonté : la Sienne. En ce point capital de l'unité des volontés consiste la perfection de cette Unité.

« Voilà ce que me dit le Seigneur pendant la messe, et au cours de mon oraison Il ajouta : « La fin de toute créature consiste dans cette unité en Dieu. Là se trouvent la paix et la félicité perdurables. Les âmes qui tendent davantage à s'identifier en cette Unité, c'est-à-dire à ne faire qu'un avec le Verbe incarné, prototype de la perfection de toute créature, et qui se laissent diviniser par Lui dans l'Esprit-Saint et dans le Père, ces âmes-là sont les plus saintes parce que la sainteté dépend de l'amour et plus il y a d'amour plus il y a de ressemblance avec Dieu, plus il y a d'unité avec Lui, plus de perfection et de sainteté.

« L'un des secrets de l'Esprit-Saint pour développer la vie divine dans les âmes et par suite l'union, c'est de les simplifier dans l'unité, c'est-à-dire de les enrichir par l'amour qui est l'essence de l'Unité dans le ciel et sur la terre. Le mariage spirituel tend à cette Unité par l'Esprit-Saint. L'incarnation mystique tend vers cette même unité par le Verbe. Elle se couronne dans le ciel par le Père, moteur et cause du mariage spirituel et de l'incarnation mystique... Toute l'économie et tous les desseins de la rédemption sur les âmes, tous les moyens de la vie mystique, le rôle du Verbe incarné qui aime les âmes avec passion et du Saint-Esprit qui les amène à la perfection pour glorifier le Père en elles, tout cela tend vers cette Unité dont je te parle. Elle est due à l'amour qui simplifie, qui élève du terrestre au divin, qui unit et identifie l'âme avec la Divinité. Toute la vie chrétienne, toute la vie mystique, tend à conduire vers ce point culminant, vers cette fin offerte à toute âme qui veut se sauver et se sanctifier, vers l'Unité » (J. 11 avril 1913).

Avec la mystique de la Croix nous parvenons jusqu'aux plus hauts sommets de la Transformation par l'Esprit-Saint qui unit au Verbe et conduit au Père.

Le chemin le plus rapide vers l'Unité.

« Et quel est le chemin le plus rapide pour parvenir à cette unité ? C'est l'Esprit-Saint qui unit au Verbe, qui rend témoignage de Lui, qui conduit vers le Père : mission qui Lui plaît au suprême degré. A titre de Sanctificateur, Il sanctifie. En sanctifiant, Il simplifie les âmes, les achemine vers le Père, les rendant amoureuses de la Trinité.

« Dieu est Un, me disait le Seigneur avec complaisance, et c'est à l'intérieur de cette Unité que se reproduisent à l'infini ses perfections. Dieu est Un, mais Il ne demeure pas solitaire. Il y a trois Personnes dans cet Etre qui est Un, et cet Un ne reste pas inactif ; il ne peut pas le rester, à cause de la surabondante fécondité de son Etre. Il est Un, mais c'est précisément dans cette Unité qu'Il puise la force de son action, de sa puissance de création, de sa fécondité. Il se produit en chaque acte, dirais-je pour que tu me comprennes, selon ta manière de parler. Contemple cet abîme de lumière, approche-toi de lui. Mais sache qu'en Dieu, il n'y a pas de succession d'actes. Il opère éternellement en un seul acte de sa Volonté qui embrasse tous les temps et l'éternité, et toutes les créations, toutes les choses en un seul instant, instant éternel de l'Unité où se reflètent et existent toujours le présent, le passé et le futur... C'est pourquoi disparaissent en lui des éternités sans fin. Toi, tu mesures le temps par la succession de tes actes, mais en Dieu il n'y a pas de temps.Tous ses actes, toutes ses créations de nature et de grâce, Il les tient comme dans un miroir dans la pureté de son Esprit, tire et reproduit de son sein et de son immensité tous les mondes, récompenses, couronnes et tous les êtres qui Le glorifient, sans le moindre mouvement de sa part, en un seul acte de Puissance infinie.

« Dieu se multiplie tout en demeurant Un et sans le moindre changement. Immuable, éternel, il jouit, dans l'instant infini de son Unité, de son Etre et de ses Perfections sans nombre.

« Les âmes qui sont les plus proches de Lui dans le ciel sont celles qui, sur la terre, se sont le plus unies à Lui, écartant tout ce qui pouvait être un obstacle. Elles ont rompu toutes les attaches des passions mauvaises et tout le reste par l'exercice des vertus et par le dépouillement d'elles-mêmes, celles qui par de perpétuelles séparations et une constante abnégation se sont unies sans conditions à sa volonté.

« Je voyais des abîmes de lumière en cette Trinité bien-aimée. Quelles profondeurs, ou mieux quelles perfections élevées et quelle merveilles !

« — Seigneur, lui dis-je, comment pourrais-je me simplifier ?

« — En mourant à ta volonté et en l'identifiant avec la mienne. » (J. 11 avril 1913).

Le Seigneur continue à montrer le chemin pratique pour arriver à l'Unité :

« J'insiste pour que tu simplifies tes actes dans une seule finalité, les surnaturalisant en Dieu : simplifie tes amours dans un seul amour, dans celui de Dieu, duquel provient l'amour du prochain dans l'Unité de ce Dieu.

« Apprends à n'avoir qu'un seul regard, une seule tendance, une seule affection et volonté en Dieu : emploie ton existence à aimer Dieu très simplement, sans détours, sans complications, sans chercher d'autres chemins ou sentiers pour parvenir à Lui, mais cherche seulement cette Unité par essence dans laquelle tu dois te plonger.

« Les vertus mêmes que tu pratiques, dirige-les toutes à ce Centre d'amour, à cet Etre Unique d'où provient toute grâce et sainteté, à cette unité qu'est Dieu. L'Esprit-Saint, « un » avec le Père et le Fils te portera sur ses ailes jusqu'au cœur de l'Unité, afin que tu puisses comprendre, te mouvoir, respirer et vivre en Elle. Ce divin Esprit , en te spiritualisant, c'est-à-dire en t'unifiant, fera que tu pénètres à l'intérieur de ce qui est Esprit, c'est-à-dire dans la Divinité par essence, ayant passé auparavant par Jésus Christ dans ta transformation en Lui dans les vertus et par l'amour.

« Cela est très haut, mais non impossible pour la créature : ce n'est pas une perfection idéale celle que je demande de toi, mais une perfection très pratique par le moyen de l'exercice des vertus. Cela implique le renoncement, la simplification pour s'unir plus intimement avec la Simplicité même : Dieu, « Un » dans la spiritualité de sa substance, cet Un en Trois et ces Trois en Un, indivisibles et tous parfaits.

« Tout ce que tu fais et pratiques, lance-le le plus souvent possible dans cette Unité qui doit t'emporter par la perfection infinie de ses beautés toujours nouvelles et par son amour infini. Tes peines, tes souffrances, tes joies, tes actes de renoncement, tes désirs et tes espérances, tes besoins et tes affections, tout, jette tout dans cette Unité qui par son contact simplifiera ta vie, l'essence de ta vie, jusqu'à parvenir à te faire ressembler à cette unité même dans la pluralité des vertus. » (J. 15 avril 1913).

Le secret pour parvenir à l'unité est de se laisser conduire par l'Esprit-Saint parce que c'est Lui qui réalise l'Unité en Dieu même.

« Aimer est la perfection et aimer avec l'amour que le Père porte au Verbe, c'est-à-dire par l'Esprit-Saint, c'est la plus haute perfection.

« Une fois que la transformation en Jésus s'opère dans une âme, l'Esprit-Saint devient aussi l'esprit de la créature à un degré plus ou moins élevé suivant l'intensité et l'ampleur de la transformation, qui dépend étroitement de la croissance de l'âme dans la vertu. L'Esprit-Saint absorbe l'esprit de la créature au cours de la transformation et la remplit de cet Amour si pur qui est Lui-même ; ensuite, c'est donc avec ce même Amour que la créature aime le Verbe divin, c'est-à-dire avec le même Amour avec lequel le Père l'aime : avec l'Amour absolu.

« Aimer avec l'Esprit-Saint est la grâce des grâces, la fusion des charismes divins, c'est le ciel même mis à la disposition de la pauvre créature : elle n'agit plus, car c'est l'Esprit-Saint qui agit, palpite et vit en elle, et qui aime avec elle qu'Il investit totalement » (J. 17 avril 1913).

Quand on aperçoit les hauteurs de cette vie spirituelle on pourrait se demander si cet idéal est réservé à quelques rares privilégiés ou s'il appartient au développement normal de la vie de la grâce.

Le Seigneur nous donne la réponse : « Je n'ai pas choisi des saints pour leur dire : « Soyez parfaits comme votre Père céleste est parfait ». Je me suis adressé à tous les hommes, aux bons et aux méchants ; tous sans exception sont obligés de se sanctifier » (J. 15 avril 1913).

Dieu n'a qu'un désir : faire entrer les âmes dans son Unité

« S'établir au plus intime des âmes : tel est le désir de Dieu, le besoin de Dieu, étant donnée la charité de son Etre avide de communiquer ce qu'Il est, Amour infini. Il veut posséder les âmes, non seulement par sa présence ordinaire, qui ne peut manquer de les pénétrer, mais selon une volonté d'amour de la part de la créature, afin de la rendre heureuse. C'est là l'unique ambition de Dieu : nous transformer dans son Unité » (J. 23 avril 1913).

Quand le chrétien est parvenu à l'Unité autant qu'il est possible à une créature sur la terre, il participe aux biens de Dieu, il parvient à l'intimité de la Trinité.

« L'Esprit qui scrute tout » illumine le regard contemplatif de Conchita, lequel se perd dans « les profondeurs divines ».

« Le Père ne procède de personne, Il n'a pas été conçu ni engendré, mais Il existe par Lui-même, et Il a toujours existé. Il n'a pas eu de commencement. Eternellement, et avant tous les temps, Il était déjà Dieu, éternel et sans commencement. Il ne s'est pas produit Lui-même, car Il était déjà Dieu, Il l'a été depuis toujours, Il sera toujours Dieu. N'ayant pas Lui-même un autre principe, Il est le Principe de tous les êtres créés par son Etre fécond qui produit toutes les choses : le ciel, la terre, les créatures, les âmes, le monde naturel et le surnaturel, car sa puissance créatrice est éternelle et inépuisable. Il produit en Lui-même toute la félicité dont Il est imprégné, félicité de tout un Dieu. Il produit, et il est ensemble, cette même Félicité. Il ne sort pas de Lui-même pour être heureux, car Il est le Bonheur même, la

Beauté et la Sainteté par essence. Son bonheur est en Lui-même, et tout le reste ne sont que des irradiations de son Etre même. Il est l'Amour, et il s'aime, s'extasiant éternellement dans cet amour sans commencement. »

Et Conchita, selon son charisme, s'attarde à transmettre avec ferveur et délicatesse ce que le Christ lui montre dans la Trinité, en particulier la génération éternelle du Verbe. Elle décrit étonnamment la générosité du Père, son bonheur, sa complaisance pour son Fils, et elle ajoute : « Si je me réjouis aussi, me dit Jésus, ce n'est pas de rappeler ces choses, car elles Me sont toujours présentes : moi, je n'ai pas de souvenirs à rappeler, tout est pour Moi réalité présente. Mais je me réjouis de te communiquer un faible rayon du Soleil que je suis moi-même, et que tu puisses apprécier la générosité si sainte que le Père déploie sans sortir de Lui-même. » (J. 24 janvier 1931).

Puis — merveilleuse continuité — cette contemplation se porte à plusieurs mois de distance, sur la *procession* du Saint-Esprit qui procède du Père et du Fils, non pas comme un fruit ou un éclat quittant son support, mais par la nécessité de l'Etre du Père et du Fils : étant amour parce qu'ils sont Dieu, Ils « ne pourraient pas être sans l'Esprit-Saint » qui est l'Amour infini en Personne. « La procession de l'Esprit-Saint a été opérée par l'Amour mutuel entre le Père et le Fils, et ce même Esprit est celui qui lie, qui unifie, qui est Vie, entre le Père et le Fils.

« Dieu éprouve une joie toute spéciale dans ses mystères compréhensibles à Lui seul. Ce qu'Il en communique à l'homme est seulement un minime rayon de sa lumière... Mais Il lui a donné son Verbe, et avec son Verbe fait chair, Il lui a tout donné parce qu'Il se donna Lui-même comme don. Et l'Eglise est le siège de la Trinité sur la terre, la porte unique par laquelle on puisse entrer dans la possession éternelle de Dieu. » (J. 9 septembre 1931).

Cette vie la plus sublime et divine est vécue par Conchita de la façon la plus simple, dans la réalité quotidienne, dans l'accomplissement fidèle de tous ses devoirs et engagements de la vie familiale. Les personnes qui l'entourèrent n'ont jamais soupçonné l'œuvre que Dieu réalisa en elle. En Conchita tout est intérieur.

Son directeur spirituel, l'archevêque Luis María Martínez lui disait : « La maîtresse et modèle de cette vie, c'est Marie : contemplez-La. Copiez-La et abandonnez-vous entre ses bras maternels » (J. 17 septembre 1927), et Conchita écrit :

Je dois vivre en Marie

« Je dois vivre à l'intérieur de Marie, imitant ses vertus et son amour envers la Très Sainte Trinité.

« L'incarnation mystique établit l'âme au contact des Trois Personnes divines. En Elles et en Marie, je dois fondre ma vie, non seulement ma vie spirituelle mais aussi ma vie matérielle, la laissant disparaître dans l'offrande du Fils à son Père. Je dois, toute centrée sur cette même offrande, manger, dormir, trouver la joie, souffrir, et simplifier ainsi toute ma vie en cette offrande continuelle qui glorifie la Trinité sainte. Je dois passer toute ma vie en union avec Marie, sans sortir de Marie, imitant son amour pour Jésus, sa totale soumission au Père, n'agissant que sous l'impulsion du Saint-Esprit » (J. 27 octobre 1925).

Conchita a passé toute sa vie spirituelle dans la parfaite obéissance à ses Directeurs et à mesure qu'elle avance vers la perfection que Dieu lui demande, sa docilité devient de plus en plus achevée.

« Je veux réaliser, écrit-elle, les conseils de mon Directeur, élevant tout au plan surnaturel, personnes et choses, en idéalisant ma vie pratique avec la splendide clarté de la lumière céleste, voyant dans toutes les créatures et événements l'amour de Dieu, la trace de Dieu, Dieu même.

« Je pénétrerai pleinement dans la Divinité comme Jésus le veut. Je ne fermerai pas les yeux devant les insondables secrets de la Très Sainte Trinité qu'Il m'apprend. Je pénétrerai autant qu'Il le voudra dans les mystères divins, dans la félicité de Dieu, dans la génération éternelle, dans l'amour de l'Esprit-Saint, dans ces flux et reflux de miséricordes et de bontés, dans les communications intimes des Personnes divines, dans ses attributs, dans sa si parfaite Unité, dans le Sanctuaire intime de la Trinité, quand Il le voudra et jusqu'où Il le voudra.

« O, quelle union unique ! quelle relation singulière, quelle unité dans les trois Personnes, quel unique Dieu infini dans cette Unité de la Trinité ! » (J. 11 mars 1933).

L'Unité de la Trinité

« L'unité est le centre de la Divinité, le mystère le plus cher à Dieu, c'est Dieu même, car Dieu est Unité par essence.

« La Trinité se réjouit dans ce mystère qui unifie les Personnes divines, dans cette similitude de substance et d'essence. Toutes Trois n'ont qu'une seule volonté, une seule puissance. Plus encore, elles se fondent, dirais-Je, en une seule Divinité, en la substance même de cette Divinité sans divisions, dans un abîme infini, dans une immensité sans limites de perfections, et toujours dans son unité.

« Et cette Unité, c'est l'amour qui l'achève, parce que l'amour unifie les êtres et les volontés dans un Centre infini. Dans les Trois Personnes divines c'est l'amour qui fait l'union et les rend fécondes dans la plénitude de son Etre, c'est l'amour qui les simplifie, et Dieu est amour, simplicité, unité.

« Aucune des Personnes divines n'aime plus que l'autre, ni ne possède plus que l'autre, ni ne veut, ni ne désire plus que l'autre. Il existe entr'Elles un délectable accord qui les ravit, qui les enivre et qui constitue toutes leurs délices, car l'unité qui les enveloppe et qui les pénètre est leur Etre propre.

« Dans les divines Personnes il n'existe aucune dissonance, toutes Trois vibrent d'un même son intime, très doux et fécond : cette harmonie forme le ciel.

« Et cette éternelle harmonie vibre non seulement entre les Trois divines Personnes, mais elle prolonge sa résonance dans toute la Création, unifiant tout ce qui existe.

« La Trinité revêt de son sceau tout ce qui sort d'Elle-même, et lui imprime le caractère propre de l'unité, mais, bien que Je dise : ce « qui sort de Dieu », cela ne sort pas de Dieu, parce que tout ce qui est fécondé par Dieu reste à l'intérieur de Dieu même. Il ne peut en être autrement, à cause de l'Unité de Dieu.

« Ce mystère se produit premièrement dans l'origine éternelle des Personnes divines, et ensuite dans tous les êtres qui reçoivent la fécondation de la Trinité en son unité.

« C'est un mystère d'unité, se multipliant infiniment et éternellement au dedans de la Trinité. C'est un mystère d'unité, le plus fécond par l'amour, parce que toute la fécondité procède de l'amour infini.

« L'amour engendra le Verbe dans le sein même du Père. De l'amour infini entre le Père et le Fils, avec une seule divinité, procéda l'Esprit-Saint ; et l'intensité infinie de cet amour l'a personnifié, faisant de Lui non pas un autre Dieu mais une autre Personne divine en Dieu ; c'est-à-dire l'assimilant aux autres Personnes divines et formant une seule Divinité, une seule, éternelle et indivisible Unité.

« Et pourquoi ? Parce qu'en Dieu il n'existe pas trois substances, trois essences, trois vies, trois amours, mais une seule essence, substance, amour et vie en une seule Unité, en une seule Divinité » (J. 3 avril 1933).

VI. Trinité et mystère chrétien

Le mystère de la Trinité est le mystère le plus fondamental du christianisme, l'âme de l'Evangile, la substance du Nouveau Testament. Mystère primordial, à la racine et au sommet de tous les mystères chrétiens.

Conchita contemple à la lumière de la Trinité tous les mystères de la foi dans leur merveilleuse connexion et leur admirable harmonie. La Trinité est le mystère d'un Dieu qui est Amour.

Le mystère de Dieu

Dieu Amour est par essence don, communication « en Lui-même ». C'est le mystère de la vie intime de Dieu qui est Père, Fils, Esprit-Saint.

« Dieu ne pouvait pas être seul, bien qu'Il soit l'Unique. Il ne pouvait pas se maintenir en une seule Personne divine, parce qu'Il est Dieu, c'est-à-dire infini et non pas limité. A cause de sa puissance infinie dans l'ordre de la charité, Il a dû se communiquer avec toutes ses perfections, et cet amour, étant tel, si intense et infini, n'a pas pu être réservé, dirais-Je, à une Personne toute divine infinie aussi, dans le Père même ; mais Il a eu besoin de produire le Verbe, et comme si cette puissance d'amour redoublait dans les deux Personnes divines, l'Amour même a dû se personnifier dans le Saint-Esprit, produisant alors cet Etre de Charité, ce Feu du même feu dévorant entre le Père et le Fils, formant le lien d'union qui les réjouit, qui les délecte, qui les unifie et reflète en toute plénitude leurs perfections.

« Les Trois Personnes divines se communiquent leurs attributs et perfections qui sont les mêmes, forment cette Unité qui est Dieu, et avec cette parole : « Dieu », tout est dit. » (J. 22 avril 1913).

Création - Alliance

Dieu Amour est don et communication gratuite « hors de Soi-même ». C'est le mystère de la création et de la participation de sa vie divine par les créatures.

« De cette puissance féconde et infinie de Dieu qui reflète et unit entre elles les Personnes divines dans ces éternelles émanations d'Eternelle Charité, dérive aussi son amour pour l'homme et le don de son Verbe pour le sauver.

« Comme s'il ne suffisait pas à Dieu de se vider, dirais-je, au-dedans de Lui-même, comme s'Il ne voulait pas être heureux sans l'homme, Il le fit à son image, comme sa ressemblance. Ce porteur de l'image divine L'attirait puissamment dès l'éternité. En effet, la création, la rédemption, tout était présent pour Lui dans son intelligence. Son même Etre de charité si féconde Le poussa à chercher la façon de répandre davantage son amour pour être aimé ! C'est pour cela qu'Il a créé le ciel et la terre et des millions d'anges, et toujours Il se répand et se donne sans se dépenser.

« Je disais qu'Il déversa son amour pour être aimé ; ceci est une propriété de l'amour, celle de faire aimer, celle d'attirer celui dans lequel jaillit cet amour. » (J. 24 avril 1913).

Incarnation rédemptrice

Dieu Amour fait une nouvelle création de l'univers, détruit par le péché, en envoyant son Fils. C'est le mystère du Verbe Incarné et Rédempteur « conçu par l'Esprit-Saint et né de Marie ».

« Et le Verbe s'est fait chair », et pourquoi ? Pour unifier avec Dieu l'humanité coupable, purifiant sa chair en Lui-même quand Il se fait homme, lavant les âmes de ses mérites et de son Sang.

« Ceci a été le but de l'Incarnation du Verbe, la fin de la Rédemption et de toute une vie d'exemples et d'humiliations : unir la terre avec le ciel.

« La loi de l'amour a été le thème constant de ma prédication ; et toutes les actions de ma vie et même ma mort sur la Croix, ont abouti à l'unification des âmes en Dieu.

« Au cours de mon pèlerinage sur la terre Je rapportais toujours mes miracles et mes enseignements au Père et au Saint-Esprit dans lequel Je vivais unifié. Je n'exécutais aucune de mes actions indépendamment d'eux, et tout l'Ancien et le Nouveau Testament tendaient à rendre toutes les âmes « un » dans la charité et dans l'unification avec Dieu. » (J. 26 avril 1913).

« Est-ce que tu comprends quelque chose de l'amour de Dieu pour l'homme, de la folie d'amour du Verbe divin, s'incarnant en Marie pour recevoir ton sang, pour te ressembler, pour laver tes péchés, pour être Médiateur et t'amener au ciel ?

« Est-ce que tu comprends davantage la sublimité de cet amour qui s'irradiant dans la création, se consomme avec toute la magnificence d'un Dieu dans la Rédemption, dans l'Eucharistie et dans l'union avec chaque âme par l'Esprit-Saint ?

« Est-ce que tu comprends quelque chose de la grandeur du sacrifice de la Croix et de l'ardeur infinie de mon Cœur quand je le montre dans ces derniers temps cloué sur cette même croix ?

« Est-ce que tu vois maintenant la valeur des âmes et ce que chacune d'elles me coûte, et l'aimant qui attira du ciel à la terre un Dieu pour se faire homme, uniquement parce qu'elles portaient en elles l'image de la Trinité ?

« Est-ce que tu vois un Dieu satisfaisant l'offense faite à ce même Dieu, prenant un corps humain pour être capable de souffrir et d'expier le crime du péché et ainsi pouvoir effacer le décret de condamnation, avec le Sang sur la Croix ?

« Est-ce que tu vois clairement maintenant le plan de Dieu, dans lequel triomphe toujours son amour infini, et toute cette succession de bontés réalisées au profit d'un monde ingrat, seulement pour l'attirer à l'Unité ? » (J. 4 mai 1913).

« La Rédemption fut le mystère du plus pur amour, de la condescendance la plus tendre et la plus amoureuse. Eternelle explosion d'amour entre le désir véhément du Fils et l'adhésion du Père, l'Esprit-Saint intervenant au principe, pendant la réalisation, et au terme suprême. » (J. 1er août 1934).

« Le Verbe s'offrit immaculé au Père parce que sa charité voulut expier les péchés d'une chair qu'Il désirait purifier et sauver pour la récompenser éternellement.

« Ne contemples-tu pas l'élévation de l'homme par le contact du Verbe de Dieu avec la chair humaine, abaissement incomparable et incompréhensible, même dans la pureté du sein immaculé d'une femme ?

« Il se fit chair pour que la chair se divinisât par Lui, s'élevât avec Lui, se purifiât en Lui. Il y fixa sa demeure, Il s'anéantit jusqu'à l'homme pour que l'homme se fît, en un certain sens, Dieu, en se consumant dans son Unité » (J. 24 juin 1928).

Marie dans le dessein d'amour de la Trinité.

« Marie fut la créature indispensable à la Trinité pour réaliser ses plans. En cette Vierge Immaculée Il a caché les secrets et les mystères qui réalisent son dessein de sauver l'humanité perdue.

« Elle y a correspondu dès le premier instant de son être, croissant toujours en grâce, possédée par la Trinité. L'Incarnation réalisée, elle fut Vierge Mère par l'entremise de l'Esprit-Saint, avec la très pure fécondation du Père, et elle a rempli son rôle de mère avec une perfection plus élevée que celle de toutes les mères, s'identifiant avec son divin Fils. Marie n'a jamais eu une seule pensée, un seul désir qui ne fût dirigé à l'accomplissement de la volonté du Père en Moi. Et même dans les actes naturels d'une mère envers son enfant, Marie a été surnaturelle et parfaite parce qu'Elle savait fort bien que son Fils était Dieu.

« Au pied de la Croix, Elle a vu naître mon Eglise et accepté en Jean tous les prêtres, dans son cœur, à ma place, et aussi l'humanité tout entière, comme sa Mère.

« Puis, par son martyre de solitude, Elle acquit en union avec mes mérites toutes les grâces pour ces nouveaux enfants qui doivent naître du cœur de ma Mère.

« Pourquoi ? Parce qu'Elle fut la Co-rédemptrice, la première à continuer ma Passion sur la terre, Celle qui a fondé l'Eglise avec mes Apôtres, la Protectrice et la Mère des prêtres, la Reine de tous les saints.

« Marie est celle qui connaît le plus, celle qui a le plus expérimenté la contemplation de cette Très Sainte Trinité grâce à l'affinité qui la lie aux Trois Personnes divines. Elle se réjouit, Elle trouve ses délices dans cette unité d'essence et simplicité de substance, parce qu'à Elle, plus qu'à aucune autre créature, parviennent lumineuses et profondes les clartés divines : elles la pénètrent et l'entourent. Personne n'est entré au sanctuaire de la Divinité comme Elle et n'a contemplé l'idéal divin de la Trinité dans son Eglise et dans ses prêtres.

« Marie, Fille et Epouse de la Trinité, est directement chargée d'harmoniser cette Eglise, unifiant les prêtres et les consommant dans l'Unité de la Trinité » (J. 7 avril 1928).

L'Eglise de l'Amour.

Dieu Amour envoie son Esprit sanctificateur pour qu'Il soit l'Ame de l'Eglise, Corps mystique du Christ, « peuple réuni en vertu de l'unité du Père, du Fils et de l'Esprit. »

« Le Saint-Esprit est ma promesse, la réponse du Père en faveur de mon Eglise et de l'humanité entière, la condescendance du Père, c'est-à-dire de l'Amour donnant l'Amour-même.

« Le Saint-Esprit est pour l'homme le fruit de ma prière, de mon ardente demande, c'est-à-dire le cri ineffable de l'amour de mon Cœur de Dieu-homme, ma plus grande tendresse en faveur du monde.

« Sans le Saint-Esprit l'Eglise ne pourrait pas exister ; mais comme Elle était éternellement conçue et réalisée dans la Pensée de la Trinité, éternellement aussi le Saint-Esprit était désigné par le Père pour La gouverner.

« Que deviendrait l'Eglise sans le Saint-Esprit ? Elle n'existerait pas ; mais l'amour infini de Dieu pour l'homme, cet Esprit vivifiant et transformateur, planait déjà sur le monde des âmes.

« Mon Père engendra dans son sein l'Eglise bien-aimée ; le Saint-Esprit établit et affermit l'Eglise sur la terre sur des bases rédemptrices, prenant en Moi ce qui était à Lui. L'Eglise pourtant est amour, ses lois et tout son enseignement sont amour, amour pur.

« Le Saint-Esprit ne vint pas pour un jour, ni pour un temps fixé, non pas seulement pour les siècles des siècles, mais pour rester éternellement dans l'Eglise » (J. 29 août 1928).

VII. « Quand les étoiles luisent dans la nuit »...

Conchita remarque les effets que produisent en elle ces lumières divines dans la nuit de sa « solitude ».

« En écrivant ces choses si hautes sur la Trinité, j'expérimente dans mon âme comment jaillissent en elle et dans mon intelligence, je ne sais où, les mystères, les lumières, et les beautés de cette Trinité éternelle, qui m'enfonce dans ses profondeurs, m'éblouit de ses splendeurs, à la façon dont les étoiles luisent dans l'obscurité du ciel » (J. 27 décembre 1927).

« Pourquoi au simple contact de la Très Sainte Trinité, Dieu m'envahit-il d'une lumière éblouissante ? Ce que j'arrive à pouvoir exprimer sous son impulsion est pareil à l'ombre, mais son étendue immense demeure dans mon intérieur » (J. 15 octobre 1935).

La vie spirituelle est semblable à une spirale toujours ascendante d'ombres et de lumières. Conchita expérimente ce contraste merveilleux et écrit :

« Je sens dans mon âme avec une grande clarté les mystères, surtout celui de la Très Sainte Trinité ; comme si un voile se levait devant mes yeux, comme si un foyer très vif de lumière illuminait soudainement d'insondables secrets, et là je contemple très clairement, très profondément, très minutieusement, dirais-je, l'abîme des perfections en Dieu.

« Tout cela d'un côté, et de l'autre des peines pleines de désolation, des douleurs intimes. J'aime Dieu, mais d'un amour plein de larmes. Comment est-ce que cela peut arriver quand je le sens si près et devrais être heureuse ? » (J. 20 mai 1930).

« Pourquoi est-ce que j'éprouve en même temps la souffrance au milieu de la lumière ? », et le Seigneur l'instruit sur ce mystère : « Parce que c'est comme cela que Moi Je l'ai éprouvé sur la terre :

lumière et douleur, amour et douleur, joie et douleur » (J. 27 mai 1930).

Il ne faut pas penser que la vie d'intimité avec la Trinité ici-bas s'achève dans un bonheur sans ombres, prélude du ciel.

La sainteté authentique est la configuration à Jésus qui, tout en étant Un avec le Père, acheva son existence dans l'abandon et le délaissement de la Croix. L'amour est une oblation, une immolation, un service, le don de la vie pour la rédemption d'une multitude.

La consommation de la vie spirituelle se trouve dans la joie parfaite de la pleine association au mystère de la Rédemption du monde par la Croix.

EPILOGUE

Sa mission dans l'Eglise

« Une nouvelle Pentecôte
par la Croix. »

Au moment de finir ces pages dans lesquelles nous avons voulu présenter, bien que d'une façon incomplète et imparfaite, la personne et la doctrine de Conchita, une vision de synthèse, une vision d'ensemble s'impose.

Un théologien doit surtout se poser cette question : « Dieu, qu'a-t-Il donc voulu réaliser par l'intermédiaire de son humble servante pour le bien de toute son Eglise ? »

I. La plus haute sainteté est accessible a tous

« Etre épouse et mère n'a jamais été un obstacle pour ma vie spirituelle », affirmait-elle. Parlant comme femme à l'une de ses brus, elle déclarait : « J'ai été très heureuse avec mon mari. »

Dans le dernier entretien avec son mari atteint gravement par la maladie, elle lui demanda : « Quelle est ta dernière volonté à mon égard ? » — « *Que tu sois toute à Dieu et toute à tes enfants.* »

Le Seigneur lui-même lui dit un jour : « Tu t'es mariée en vue de mes hauts desseins pour ta propre sanctification, et pour être un *exemple* pour beaucoup d'âmes qui pensent que le mariage est *incompatible* avec la sainteté. »

Les grâces mystiques les plus élevées décrites par les maîtres spirituels ne sont pas le privilège des âmes consacrées à Dieu dans la vie sacerdotale ou religieuse : elles sont offertes à tous les chrétiens, quelle que soit leur condition.

Il nous semble que Dieu a voulu nous donner par Conchita une preuve vivante, historique, de cette vérité.

Vatican II l'a attesté avec clarté et force (cf. Chapitre V, en particulier le N° 40 de L.G.) : « Il est donc clair pour tous que tous les fidèles, de quelque état ou rang qu'ils soient, sont appelés à la plénitude de la vie chrétienne et à la perfection de la charité. »

Il n'existe point de chrétiens de second rang. Nous sommes tous obligés de poursuivre la plus haute sainteté.

Conchita a reçu les grâces éminentes des épousailles et du mariage spirituel décrites par les grands mystiques, dans sa condition de « pauvre mariée », comme elle s'appelait elle-même.

Instrument de Dieu, Conchita, comme on l'appelait familièrement, a une mission prophétique pour le monde d'aujourd'hui.

Le Seigneur lui avait annoncé Lui-même qu'elle serait un modèle d'épouse et de mère de famille, mais que sa mission s'étendrait bien au-delà pour faire resplendir la puissance sanctificatrice du Christ et de l'Esprit-Saint « dans tous les états de vie ». Oui, elle est un modèle d'épouse, de mère, d'éducatrice, mais elle est aussi une des plus grandes mystiques de l'Eglise, conduisant les âmes jusqu'à la consommation dans l'Unité de la Trinité.

Son message appelle le laïcat tout entier, hommes et femmes mariés, à la plus haute sainteté.

Un nouveau type de sainteté

Il ne s'agit pas d'un type de sainteté s'éloignant de l'Evangile, mais plutôt d'un ressourcement en vue d'une application nouvelle de ce même Evangile.

S'éloigner de l'esprit de l'Evangile et de la doctrine de la Croix serait renier le Christ. Nous parlons dans le même sens où Thérèse de Lisieux parlait d'une « voie toute nouvelle ». Nous sommes incontestablement à un âge nouveau de la spiritualité.

Ce qui constitue sa nouveauté, c'est :

1. un appel de *tous,* même du laïcat, même des gens mariés, à *la plus haute sainteté,*

2. par la *transfiguration de la vie quotidienne,* la sanctification

du profane, la divinisation par la foi, par l'amour et par l'esprit de sacrifice dans la *vie ordinaire,*

3. *la plus haute sainteté.* Transcendance du message de la Croix. Même les actions les plus banales sont valorisées à l'infini par l'offrande d'amour en union avec le Christ, à l'imitation des dernières années en ce monde de la Mère de Dieu, au service de l'Eglise naissante.

Au soir de sa vie le Seigneur lui demanda de commencer une œuvre nouvelle en faveur de la sainteté des foyers.

« Je vais te demander une chose : une « *Croisade d'âmes victimes* » en faveur de la gloire de mon Père, suivant l'esprit de la Croix.

« Je veux beaucoup d'actes d'expiation pour les DIVORCES qui sont source de tant de maux dans les foyers, chez les époux et les enfants, dans la société.

« Je demande expiation pour tant de péchés cachés et pour tant de fautes d'omission dans la formation chrétienne des enfants.

« Je veux une « Croisade d'âmes victimes » pour la sanctification des foyers. » (J. 31 octobre 1935).

Qui ne voit l'opportunité providentielle de cette œuvre ?

II. « Tu appartiens a mon Eglise »

« Chaque âme apporte sa propre mission sur la terre : la tienne, à cause de ma bonté, est la mission sublime de t'offrir en victime pour mon Eglise, de poursuivre ta vie de sacrifice aimant en faveur de l'Eglise, spécialement de ses Pasteurs. »

La mission par excellence de Conchita c'est celle de s'offrir pour l'Eglise, pour la sanctification des prêtres.

« Tu ne t'appartiens plus à toi-même, tu appartiens à mon Eglise, et le Verbe t'utilisera en sa faveur ; toute seule tu ne vaux rien, mais en union avec Moi, Dieu fera de grandes choses par toi. Répète fréquemment : « je suis la servante du Seigneur » (J. 5 février 1911).

Dès le commencement de sa vie spirituelle, elle sentit un attrait particulier de la grâce pour prier et se sacrifier en faveur des prêtres, mais à mesure que sa vie spirituelle se développait, la volonté du Seigneur se faisait de plus en plus manifeste.

« Ne veux-tu pas sauver le monde ? ne me l'as-tu pas demandé par ton sang, avant même que les Œuvres de la Croix n'existent ? Pourquoi sont venues au monde ces Œuvres ? Eh bien, si tu veux sauver les âmes, il n'y a qu'un moyen unique et puissant : les *prêtres saints.*

« Oui, voilà le couronnement des Œuvres de la Croix. Celui-ci sera le vrai soulagement pour mon Cœur : me donner des prêtres saints ; dis-moi que tu acceptes, que tu appartiendras avec Moi aux prêtres, à jamais, parce que ta mission en leur faveur continuera dans le ciel. »

« Mais voilà un autre martyre : ce que les prêtres feront contre Moi, tu le ressentiras, parce que c'est en cela que consiste au fond *t'associer* à mon sacerdoce en eux : en ce que tu ressentes et que tu souffres à cause de leurs infidélités et misères.

« De cette façon tu glorifieras la Trinité. Nous aurons les mêmes causes de souffrance » (J. 29 novembre 1928).

La grâce centrale de l'incarnation mystique a comme finalité d'accomplir cette mission.

Elle s'offre en victime et la valeur de cette oblation ne provient pas d'elle-même, mais du Christ qui vit dans son âme.

La Chaîne d'Amour est une source de grâces pour l'Eglise.

Dans les dernières années de sa vie, le Seigneur lui confie le grand message et le grand appel à la sainteté sacerdotale que le Seigneur Lui-même appela « Confidences », parce qu'il s'agit des secrets les plus intimes de son Cœur et qu'ils contiennent une doctrine sacerdotale d'une extrême actualité.

Je pense avec plusieurs évêques mexicains et quelques théologiens que lorsque le monde entier connaîtra ces écrits, il sera dans l'émerveillement et s'exclamera : « Cela ne provient pas d'une femme, sinon d'une inspirée par Dieu, d'un docteur de l'Eglise. » Ici, à Mexico, elle fut examinée par l'autorité de l'Eglise, plusieurs fois, par des théologiens et hommes de grande valeur. Tous ont conclu que c'était l'esprit de Dieu qui l'inspirait. A Rome, en 1913, avec plus de force encore, ils estimaient : « *C'est de l'extraordinaire dans l'extraordinaire.* »

Actuellement, l'Eglise romaine examine ses vertus et ses écrits. L'Eglise seule est juge. Dès maintenant nous adhérons avec foi et de tout notre cœur à sa décision. *Le jugement de l'Eglise sera pour nous le jugement de Dieu.* Mais nous avons la ferme espérance que, selon la magnifique expression de son Eminence le Cardinal Miguel Dario Miranda : « On découvrira dans María Concepción Cabrera de Armida « *un astre nouveau* » dans le firmament de l'Eglise et la communion des saints. »

Mais cette mission si personnelle de Conchita est aussi un message pour tous les chrétiens, parce qu'elle rend manifeste l'aspect le plus intime du mystère de l'Eglise qui est *communion,* ainsi que les relations intimes entre nos diverses participations à l'unique sacerdoce du Christ.

La mission de Conchita par rapport à l'Eglise et spécialement à l'égard du sacerdoce ministériel manifeste la réalité la plus intime de tout chrétien.

Certainement le laïc se sanctifie dans la *sécularité* qui est son champ spécifique, mais la valeur la plus profonde de l'être chrétien est d'être membre vivant du Christ par la grâce commune de la filiation divine ; au-dessus de la sanctification et de l'ordination du temporel règne le mystère de grâce et de sainteté.

Il est *frère* et soutien spirituel du sacerdoce ministériel (cf. L.G. N° 32 ; P.O. N° 9) et celui-ci est, à son tour, le serviteur du peuple de Dieu, service qu'il doit réaliser dans l'amour et dans la sainteté de sa vie.

La « nouveauté » de la mission de Conchita dans « l'ancien », c'est de mettre en relief l'action fondamentale du laïc dans le dessein salvifique : chaque chrétien participe au sacerdoce du Christ : il a la mission de collaborer au salut du monde.

Que Conchita soit un modèle de mère, d'épouse et d'éducatrice de ses enfants, c'est par surcroît. Elle nous dit avant toute autre chose qu'une existence chrétienne est digne de se vivre seulement quand elle ne se vit pas *pour soi-même,* mais *pour l'Eglise.*

Cela me paraît l'un des aspects les plus originaux de sa mission, particulièrement éloquent au moment présent.

Conchita nous apprend *comment aimer l'Eglise.*

Aimer l'Eglise, ce n'est pas la critiquer, ce n'est pas la détruire, ce n'est pas prétendre changer ses structures essentielles, ce n'est pas la réduire à un humanisme, à un horizontalisme et au simple service d'une libération humaine.

Aimer l'Eglise c'est collaborer à l'œuvre de la Rédemption par la Croix et de cette façon obtenir que le Saint-Esprit vienne renouveler la face de cette pauvre terre, la conduisant à sa consommation dans le dessein de l'amour immense du Père.

Conchita, simple laïque, loin de critiquer les prêtres, *donne sa vie* pour eux.

Dans une sublime élévation à la Trinité elle s'exclame : « Je livre entre vos mains par une donation absolue, totale, sans condition, tout mon être en faveur des prêtres.

« Je veux porter dans mon cœur Notre Saint Père chargé de tout le poids de l'Eglise, les cardinaux, les archevêques, les évêques, les curés de paroisse, les prêtres, les séminaristes qui chancellent et luttent pour leur vocation.

« Moi-même je ne vaux rien, mais je te possède Toi et je te supplie de m'utiliser pour le bien de l'Eglise aimée et de toutes ses hiérarchies que j'aime et respecte de tout mon cœur. »

Puis, comme Thérèse de Lisieux qui prophétisait : « Je veux passer mon ciel à faire du bien sur la terre », Conchita termine sa prière en disant au Christ, après avoir offert sa vie jusqu'à son extrême agonie pour les prêtres : « J'offrirai ma vie pour eux sur la terre et je passerai mon ciel à leur service pour ton amour » (J. 30 novembre 1928).

III. L'Evangile de la Croix.

Comme Thérèse de Lisieux ou Jean XXIII, Conchita est une grâce de Dieu pour son Eglise.

De l'étude objective des documents, une conclusion s'impose au théologien : Conchita est « une Parole de Dieu à notre temps. »

La Providence a confié à une laïque un message prophétique pour le monde d'aujourd'hui. Sa mission dans l'Eglise est celle d'annoncer une « nouvelle Pentecôte », le règne de l'Esprit-Saint à notre époque désacralisée, et de rappeler aux hommes, pour les sauver, l'Evangile de la Croix.

Quand le Seigneur commença la réalisation de son œuvre en Conchita, Il lui manifesta dans une vision synthétique toute la doctrine ou pour mieux dire *l'Evangile de la Croix* dans le symbole d'une croix couronnée et illuminée par l'Esprit-Saint. Une croix grande, très grande, écrit-elle, et dans son centre le Cœur transpercé du Christ.

Que signifie-t-elle, cette croix mystérieuse ?

Elle signifie que la Croix a changé de sens, que la douleur et la mort ne sont plus malédiction et condamnation ; que la Croix constitue *les prémices* de la libération définitive de l'homme et de l'univers.

Le symbole de la spiritualité, du message et de la mission de Conchita est la « Croix de l'Apostolat » :

Une Croix grande, très grande. Au centre : le Cœur de Jésus, l'Amour du Verbe Incarné.

Et tout cela sous les ailes de lumière et de feu du Saint-Esprit, Amour personnel de Dieu.

Ce message a une dimension universelle. Jamais l'homme n'a tant souffert que dans le moment présent. Jamais comme aujourd'hui toute cette souffrance n'a été si inutile.

Le monde actuel est sous l'empire de la croix, mais malheureusement ce n'est pas la Croix de Jésus parce que c'est une croix sans amour.

Tous les hommes souffrent, mais rares sont ceux qui savent souffrir. La douleur humaine doit être transfigurée par l'amour : à partir de ce moment-là, elle se transforme en force dynamique, constructrice de l'Univers Nouveau. La Croix transfigurée par l'amour est une Croix illuminée par l'espérance qui est certitude de notre complète libération : elle conduit à la gloire de la Résurrection.

Le message de Conchita est un appel à vivre la Croix de Jésus, croix transfigurée par l'Esprit-Saint, croix qui est la parfaite glorification du Père.

Le symbole de la Croix de l'Apostolat nous donne la clé pour comprendre la spiritualité de la Croix qui est un rappel de l'Evangile : la spiritualité de la Croix exige la sainteté, une sainteté « apostolique » au service des autres, non repliée sur soi, pas même sur les états d'âme et sur les opérations de Dieu dans les âmes purifiées ; une sainteté aux horizons de l'Eglise et de la catholicité, associée à leur raison d'être et à leur finalité : le salut, la sanctification des hommes, et pourtant une sainteté acheminée vers une oblation totale de soi-même en faveur de la sainteté sacerdotale ; une sainteté réalisée dans la fidélité de la simple existence, donc sainteté accessible à tous, que ce soit au foyer, en famille ou dans le travail professionnel. Sainteté à travers *le terrible quotidien,* dans la primauté de l'amour, mais sous le sceau de la Croix et de l'esprit de sacrifice.

Ce sens de la Croix, c'est le tréfonds de l'Evangile : toute sainteté s'achève sur la Croix ; mais chacun, selon sa place et sa mission dans l'Eglise, a sa croix personnelle, qui s'inscrit en filigrane dans la trame d'une vie humaine vécue dans la simplicité évangélique et dans la parfaite docilité au Saint-Esprit.

Seul le Saint-Esprit illumine le sens de la Croix de Jésus et nous introduit dans son mystère, nous révélant sa valeur salvifique, la transfigurant et la faisant éclater en splendeurs de gloire.

L'histoire du monde a son centre au Golgotha où se dresse toujours la Croix du Christ entre *deux humanités* crucifiées, l'une dans la haine, l'autre dans l'amour.

Le Christ invite toutes les générations humaines à participer à sa Croix.

C'est dans sa réponse à l'appel du Crucifié que chaque homme joue son destin.

La spiritualité de la Croix n'est pas un dolorisme, elle n'est pas non plus une passivité : elle est une collaboration active au salut, une coopération à la construction de la « terre nouvelle ».

Ainsi, ce qu'il y a de plus admirable dans la doctrine que le Seigneur manifesta à Conchita ne se trouve pas seulement dans le sens de la Croix comme souffrance *expiatrice* (réparation de la faute par une offrande compensatrice d'amour, pour rendre à Dieu le Père toute gloire en échange de l'offense du péché), pas seulement comme simple *satisfaction,* ou comme *purification* pour l'homme coupable...

Il s'agit dans un sens profond d'une rédemption par l'amour, d'une sanctification, transfiguration et configuration au Christ qui nous a « aimés jusqu'à la fin ».

C'est en somme redécouvrir la Croix du Christ, sa valeur de salut ; c'est entrer dans la profondeur du mystère de la Rédemption, c'est un appel à comprendre la croix intime du Cœur du Christ, à l'honorer, à y participer, et pour cela à s'engager personnellement dans la co-rédemption des hommes pour la gloire de Dieu.

« C'est un honneur de prédilection que celui d'associer des âmes à mon sacrifice rédempteur, mais pour que la donation de ces âmes soit parfaite J'ai besoin de les transformer en Moi pour que de cette façon, en intégrant mon Corps mystique parfait, elles soient une seule chose avec Moi pour la gloire du Père. » (J. 10 novembre 1935).

Et parce qu'elle est la Croix *de Jésus,* elle apporte comme fruit l'effusion de l'Esprit-Saint.

IV. Une « nouvelle Pentecôte »

Notre monde sécularisé et désacralisé meurt de l'absence de Dieu. Il est enfoncé dans l'esprit de confort et de jouissance. Il n'y a qu'un seul remède : l'Esprit de Dieu, l'Esprit-Saint. Lui seul pourra *revitaliser* l'Eglise et la *revivifier* par une « nouvelle Pentecôte ».

Jean XXIII, Vicaire de Jésus Christ, l'a proclamé avec vigueur : l'Eglise a besoin d'une « nouvelle Pentecôte ».

Cinquante ans avant le Concile, depuis 1911, Conchita ne cessait de le répéter dans ses écrits : « Il faut à l'Eglise et au monde une nouvelle Pentecôte, une seconde Pentecôte, une Pentecôte sacerdotale, une Pentecôte intérieure. »

La Servante de Dieu qui avait une ardente dévotion envers la Sainte Vierge nous a assuré : « L'Esprit-Saint et Marie sauveront l'Eglise. »

Oui, la mission prophétique de Conchita est celle de rappeler au monde moderne et matérialisé, avide de liberté, qu'il sera sauvé uniquement par une NOUVELLE PENTECOTE et par L'EVANGILE de LA CROIX.

Cette nouvelle Pentecôte, cette action sanctificatrice de l'Esprit, doit commencer chez les prêtres et s'étendre dans le Peuple de Dieu tout entier, comme dans la première Pentecôte l'Esprit-Saint est descendu sur les Apôtres et sur toute la communauté rassemblée au Cénacle.

« Je veux revenir au monde en mes prêtres, Je veux renouveler le monde des âmes en me manifestant dans mes prêtres. Je veux une impulsion puissante dans mon Eglise en infusant sur Elle l'Esprit-Saint comme dans une nouvelle Pentecôte. » (J. 5 janvier 1928).

Mais le Saint-Esprit ne peut descendre au monde que par la Croix du Christ parce que les deux missions, celle du Fils et celle de l'Esprit, sont inséparables.

« L'Esprit-Saint régnera le jour où régnera aussi mon sacrifice de douleur : la Croix dans les cœurs ; et tant que la Croix ne régnera point dans les âmes, l'Esprit-Saint, Lui non plus, ne régnera pas. » (J. 26 mai 1901.)

Que Marie, Mère de Jésus et Mère de l'Eglise, intercède pour que ce prodige de la Pentecôte se renouvelle, et que l'Eglise, ce « peuple rassemblé par la vertu de l'unité du Père, du Fils et de l'Esprit-Saint » réalise le dessein d'amour qui jaillit du Père : qu'Elle soit vraiment *l'Eglise Sainte !*

Annexes

Dates principales de Concepcion Cabrera de Armida

8 décembre	1862.	Naissance.
10 décembre	1862.	Baptême.
8 décembre	1872.	Première communion.
16 septembre	1881.	Désir de perfection.
8 novembre	1884.	Mariage.
	1889.	Première retraite spirituelle.
14 janvier	1894.	Inscription du Saint nom de Jésus. Naissance des Œuvres de la Croix.
23 janvier	1894.	« Entrega total ». Epousailles spirituelles.
3 mai	1894.	Erection de la première Croix de l'Apostolat. Naissance de l'Apostolat de la Croix, première des cinq Œuvres de la Croix, qui regroupe le Peuple de Dieu. Finalité : unir ses propres souffrances et travaux à ceux du Christ pour continuer son œuvre salvifique dans le monde.
9 février	1897.	Mariage spirituel.
3 mai	1897.	Fondation des Religieuses de la Croix du Sacré-Cœur de Jésus, deuxième œuvre de la Croix : contemplatives d'adoration perpétuelle qui offrent leur vie pour l'Eglise, spécialement pour les prêtres.
17 septembre	1901.	Mort de son mari.

4 février	1903.	Rencontre avec le Père Félix Rougier.
25 mars	1906.	Grâce de l'incarnation mystique.
30 novembre	1909.	Fondation de l'Alliance d'amour avec le Sacré-Cœur de Jésus, troisième œuvre de la Croix, pour les personnes qui dans leur propre état de vie s'engagent à poursuivre la perfection selon la spiritualité de la Croix.
19 janvier	1912.	Fondation de la Ligue Apostolique, quatrième œuvre de la Croix, pour les évêques et les prêtres qui veulent vivre de cette spiritualité et aider les autres œuvres de la Croix.
août-décembre	1913.	Pèlerinage en Terre-Sainte et à Rome.
17 novembre	1913.	Audience avec S. Pie X.
10 avril	1914.	Fondation de la Communion dominicale en faveur des prêtres.
25 décembre	1914.	Fondation des Missionnaires du Saint-Esprit, cinquième œuvre de la Croix : Congrégation religieuse cléricale spécialement vouée aux œuvres sacerdotales et dédiée à la direction spirituelle des âmes.
2 février	1917.	Dernière étape de sa vie : elle approfondit la « solitude » de Marie durant sa solitude personnelle.
31 octobre	1935.	Fondation de la Croisade d'âmes victimes en faveur des foyers : dans leur propre état de vie elles s'offrent, dans la même spiritualité de la Croix, pour la gloire du Père et pour expier les péchés dans le mariage et dans la société.
3 mars	1937.	Sainte mort.
29 septembre	1959.	Ouverture canonique du Procès de Béatification à Rome.

Ses directeurs spirituels

1. Premier directeur : le *R.P. Alberto Mir, S.J.* (13 déc. 1852 - 22 déc. 1916). Il la dirigea dix ans, dès le commencement de l'année 1893. Profond connaisseur des voies spirituelles, il l'enracina solidement dans la vie ascétique, spécialement dans les vertus d'obéissance et d'humilité.

2. Le *R.P. Félix Rougier, S.M.* (17 déc. 1859 - 10 janv. 1938). Il l'affermit dans un profond amour envers l'Eglise et ses représentants et dans l'obéissance la plus simple et héroïque, dont lui-même fut un exemple vivant. Sa direction commencée le 10 juin 1903, fut interrompue le 25 août 1904 par son voyage en Europe pour entreprendre la fondation des Missionnaires du Saint-Esprit. Ses supérieurs religieux le retinrent dix années. Le 25 décembre 1914, il fonda enfin la Congrégation tant désirée. Sa cause de béatification est introduite à Rome.

3. Le *Chanoine Emeterio Valverde y Téllez* (1er mars 1864 - 26 déc. 1948) nommé ensuite évêque du diocèse de Léon. Il la dirigea du 22 septembre 1904 jusqu'au mois de mai 1905. Il était très cultivé.

4. Cette direction fut alors continuée par le *Père Maximino Ruíz* (19 août 1875 - 11 mai 1949) depuis le mois de juin 1905 jusqu'à celui de septembre 1912. C'était un grand théologien et juriste de son temps. Nommé évêque de Chiapas, puis évêque auxiliaire de Mexico.

5. *Mgr Dr. Ramón Ibarra y González* (22 oct. 1853 - 1er fév. 1917), premièrement évêque de Chilapa, puis évêque de Puebla, nommé ensuite premier archevêque de ce même diocèse. Brillant étudiant aux Universités Romaines : Docteur en Théologie, en Droit Ecclésiastique et en Droit Civil et aussi en Philosophie. Personnellement apprécié par S.S. Léon XIII. Sa direction commença en octobre 1912 et s'acheva le jour de sa mort le 1er février 1917. Sa cause de béatification est introduite à Rome.

6. De nouveau *Mgr Emeterio Valverde y Téllez* depuis l'année 1917 jusqu'à 1925.

7. Son dernier directeur spirituel fut *Mgr Luis María Martínez* (9 juin 1881 - 9 février 1956), évêque auxiliaire de Morelia, puis archevêque-primat de Mexico et chargé des Affaires du Saint-Siège à une époque particulièrement difficile dans le pays. Ecrivain renommé de théologie spirituelle ; lui-même grand mystique, il dirigea Conchita à partir du 7 juillet 1925, à l'époque la plus mûre de sa vie spirituelle, jusqu'au jour de sa mort le 3 mars 1917. Il expliquera en théologien la doctrine de la Croix.

Table des matières

pages

AVANT-PROPOS 9

PRÉFACE 15

I

LE FILM DE SA VIE

I. FILLE DU MEXIQUE 21

1. La « terre des volcans » : le milieu familial. 2. Les premiers attraits de son âme. 3. Elégante amazone. 4. Fiancée à treize ans. 5. Nostalgie de Dieu. 6. Mort tragique de son frère Manuel : point de départ d'une vie nouvelle.

II. EPOUSE ET MÈRE 33

1. Mon mariage. 2. Avec mon mari et mes enfants. 3. Relations de famille et d'amitié. 4. La montée spirituelle. 5. « Ta mission sera de sauver les âmes ». 6. Le monogramme du Christ. 7. Fiançailles spirituelles avec le Christ. 8. Une étape nouvelle : la joie dans la souffrance. 9. Apôtre de la Croix. 10. Vie quotidienne transfigurée. 11. Le « cloître intérieur ». 12. Illuminations divines. 13. « On m'assure que mon esprit est de Dieu. »

III. VEUVE 67

1. La mort de mon mari. 2. Visite au cimetière. 3. Portrait de mon mari. 4. Seule avec mes huit orphelins. 5. Rencontre avec le Père Rougier. 6. « J'ai senti dans mon âme le bistouri divin ». 7. Faveurs divines. 8. La « grâce centrale » de sa vie spirituelle. 9. Voyage en Terre-Sainte et à Rome.

10. Educatrice de ses enfants. 11. Manuel, son fils jésuite. 12. Sa fille Concha, religieuse. 13. Les quatre enfants survivants. 14. Portrait d'une mère par ses enfants. 15. Testament d'une mère. 16. Mexique : une terrible persécution. 17. Solitude du soir. 18. Le visage du Crucifié.

II

LES GRANDS THEMES SPIRITUELS

I. L'Écrivain mystique 127

II. La doctrine de la Croix 133

1. L'Evangile de la Croix. 2. Optique fondamentale. 3. Primauté de l'Esprit-Saint. 4. L'intuition-clé. 5. Le destin de l'homme. 6. Ascèse et pénitence. 7. Vertus chrétiennes et dons du Saint-Esprit. 8. L'incarnation mystique.

III. La Vierge de la Croix 177

1. Son horizon marial. 2. La Vierge de la Croix. 3. Son mystère préféré : la Présentation de Jésus au Temple. 4. « Solitude de la Mère de Dieu ». 5. Richesse pastorale de cette dévotion nouvelle.

IV. Le mystère de l'Eglise 193

1. A l'origine, une intuition globale. 2. L'Eglise du Verbe Incarné. 3. L'Eglise du Saint-Esprit. 4. La Nouvelle Pentecôte.

V. Les abîmes de la Trinité 223

1. « J'ai une grande dévotion envers la Très Sainte Trinité. » 2. Ses premières expériences. 3. Vers l'union. 4. Trinité et incarnation mystique. 5. De l'union à l'unité. 6. Trinité et mystère chrétien. 7. « Quand les étoiles luisent dans la nuit. »

Epilogue 253

Annexes 263

1. Dates principales. 2. Directeurs spirituels.

Table des matières 269

Ce livre est imprimé sur
du papier contenant plus
de 50% de papier recyclé
dont 5% de fibres recyclées.

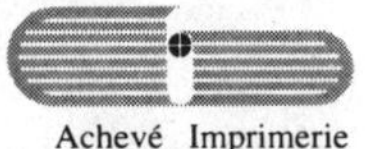

Achevé d'imprimer au Canada
Imprimerie Gagné Ltée Louiseville